CRÉATIVITÉ TRANSCENDANTE

Devenir le cocréateur de sa vie

Willis Harman, Ph. D.
Howard Rheingold

CRÉATIVITÉ TRANSCENDANTE

Devenir le cocréateur de sa vie

Traduit et adapté de l'américain
par
Denise Comtois

 Éditions de Mortagne

Titre original
Higher Creativity
Liberating the Unconscious for Breakthrough Insights
copyright © 1984 by Willis Harman, Ph. D. and Howard Rheingold
Published by Jeremy P. Tarcher, Inc.

Édition
Les Éditions de Mortagne
250, boul. Industriel, bureau 100
Boucherville (Québec)
J4B 2X4

Diffusion
Tél.: (514) 641-2387
Téléc.: (514) 655-6092

Dépôt légal
Bibliothèque nationale du Canada
Bibliothèque nationale du Québec
1er trimestre 1992

ISBN: 2-89074-386-1

1 2 3 4 5 - 92 - 96 95 94 93 92

Imprimé au Canada

TABLE DES MATIÈRES

PRÉFACE

de Jacques Languirand, C.M.

«Voici enfin l'ouvrage que j'attendais sur la créativité!»

Telle est la réflexion qui m'est venue à l'esprit à maintes reprises en lisant la version originale de cette œuvre. Avant même d'en avoir terminé la lecture, j'avais déjà formé le projet de la faire connaître aux lecteurs de langue française.

On trouve dans cet ouvrage, d'une grande richesse, de nombreux témoignages de percées de créativité, d'expériences vécues de vision intérieure, composant une histoire secrète de l'inspiration. On y explore aussi plusieurs méthodes permettant d'augmenter l'ingéniosité et la productivité dans tous les domaines de l'action; certaines des conditions favorables à une créativité constructive y sont de plus exposées. On y présente enfin des techniques, notamment la visualisation et l'imagerie mentale, techniques que les auteurs ont regroupées dans ce qu'ils appellent «la trousse à outils des percées intuitives personnelles». Tout ceci constitue déjà un apport exceptionnel. Mais ce qui, à mon avis, en fait un ouvrage non seulement différent mais unique, c'est la dimension qui est ici conférée à la «haute créativité», ce que nous avons appelé la *créativité transcendante*.

Unique, ce livre l'est surtout en ce qu'il prend appui sur la contribution récente des deux disciplines scientifiques qui ont le plus participé au changement de paradigme, de modèle depuis le début du siècle: la psychologie et la physique. L'influence de ces disciples s'est fait sentir en particulier sur l'évolution de la perception, de la représentation que nous avons de la réalité, du monde et de nous-mêmes. C'est dans ce courant, qui devrait entraîner dans les années prochaines de profondes transformations sociales, que se situe cet ouvrage. Il nous propose de nous-mêmes et du monde une vision différente, exaltante, en montrant que nous avons la capacité de nous transformer, et le monde avec nous, par la *nouvelle créativité*.

«[...] il y a une vérité magnifique à découvrir sur nous-mêmes»

La psychologie, après s'être surtout occupé du pathologique en est venue, en quelques décennies, à se redéfinir de plus en plus en fonction du développement du potentiel humain et de la croissance. Depuis l'apparition de la psychologie humaniste et de la psychologie trans-personnelle, on a procédé à une véritable cartographie de la psyché humaine, qui fait désormais une place importante aux expériences de conscience inhabituelles, exceptionnelles, émanant de la partie invisible du spectre de la conscience.

Faisant état de recherches récentes qui portent sur divers phéno-mènes de cette nature, et dont ils proposent une synthèse remarquable, Harman et Rheingold font le lien, en fonction de cette nouvelle créati-vité, entre les percées intuitives des artistes et des savants, les commu-nications sous transes des médiums et les révélations religieuses des grands personnages spirituels. Cet ouvrage nous présente une vision unifiée des différents sujets dont il traite: l'inspiration, la prémonition, la contemplation, l'intuition, l'illumination; mais aussi le rêve, la pro-jection astrale, la communication avec l'au-delà, l'expérience au seuil de la mort et ce qu'elle sous-entend: «l'esprit survivant en dehors du corps»; autant de phénomènes paranormaux qui ne sont plus désormais considérés comme pathologiques. Dans les états de conscience inhabi-tuels associés à de telles expériences de percée, on trouve toujours, en effet, le sentiment d'une participation à une conscience transperson-nelle, et de l'unicité de tout. Il n'y a pas si longtemps, un tel sentiment eut été considéré comme d'autant plus pathologique qu'il n'entrait pas dans la représentation mécaniste de l'univers que suggérait alors la physique.

La physique moderne, précisément, est l'autre discipline qui a le plus contribué à proposer une nouvelle représentation de l'univers, un nouveau paradigme loin de rejeter le **sentiment de l'unicité de tout**, la physique moderne, au contraire, le fonde, le justifie, le corrobore.

Elle enseigne, en effet, que rien n'est séparé, tout est interrelié. Sir James Jeans, physicien de réputation mondiale, résumant les conséquences de la découverte de la mécanique quantique, disait: «L'univers commence à ressembler davantage à une grande pensée qu'à une grande machine.» Commentant cette déclaration, «à la fois poétique et scientifique, mais des plus troublantes», Harman et Rheingold font état d'une étude récente portant sur l'opinion qui se fait jour actuellement chez les scientifiques américains, selon laquelle la réalité émergerait d'un «champ unifié de conscience».

Les prémisses du modèle mécaniste et restrictif du monde et de l'homme sont contestées par les dernières découvertes de la physique et de la psychologie. Ces deux disciplines invitent à une vision élargie de l'expérience humaine, «[...]extérieure et intérieure, précisent les auteurs. La nouvelle vision nécessite une foi accrue dans la raison, guidée par l'intuition profonde.»

«Dans le portrait de l'évolution, qui émerge actuellement de la physique quantique, nous voyons que c'est la conscience qui est à l'origine de l'univers et non l'inverse, que c'est elle qui semble avoir "entraîné" le processus évolutif dans certaines directions choisies: d'abord dans la direction d'un esprit qui prend conscience de lui-même, puis dans la direction d'un esprit qui devient conscient de ses possibilités.»

Nous sommes maintenant parvenus à la seconde étape de ce processus évolutif, celui où l'esprit devient conscient de ses possibilités. Tel est l'objet de cet ouvrage qui démontre que l'homme a un potentiel beaucoup plus considérable que nos croyances jusqu'ici nous le donnent à penser. D'où la nécessité, comme le soulignent les auteurs, de changer ces croyances, encore dominées par le modèle mécaniste et restrictif. Elles représentent l'obstacle que nous devons surmonter pour exploiter ce potentiel inexploré, car ce sont nos croyances qui créent la réalité: notre perception de l'univers, de la nature humaine, de nous-mêmes. Nous devons donc changer parmi ces croyances celles qui se rapportent aux capacités humaines, et plus spécialement aux limites de ces capacités, telles qu'elles sont encore perçues par la société actuelle. Ces fausses croyances sont fondées sur une série de postulats qui n'ont été contestés que tout récemment, parmi lesquels: l'esprit est une fonction des composantes du cerveau et uniquement une fonction du cerveau; l'individu moyen possède peu ou pas de génie ou de talent, et son aptitude à l'inspiration est proportionnelle au quotient intellectuel qu'il a eu la chance (ou la malchance) de recevoir à la naissance; etc. Ce sont de telles croyances qui déterminent nos limites et qui nous empêchent de réaliser notre potentiel. Changer radicalement nos croyances, con-

scientes et inconscientes, revient à repousser nos limites personnelles...
ce qui représente une entreprise considérable, il ne faut pas se le cacher.
Les croyances les moins senties au niveau conscient se forment, en
effet, très tôt dans la vie et peuvent ne jamais changer. Ce sont celles
qui nous intéressent le plus ici: «les croyances fondamentales se rapportant à notre identité en tant qu'être humain et à notre relation avec
le reste de l'univers». Pourtant, comme le rappellent les auteurs:
«L'histoire nous a montré à maintes reprises l'évolution possible de
l'opinion sur les limites humaines et que ces limites elles-mêmes peuvent changer de façon radicale.» Ils n'hésitent d'ailleurs pas à affirmer
qu'il est «possible de reprogrammer de façon délibérée nos croyances».

«À peu près tout le monde a fait l'expérience d'un channeling»

Le mot *channeling* fait recette. Il aura mis une vingtaine d'années
à s'imposer. On l'entend aujourd'hui le plus souvent dans le sens d'une
expérience de communication avec l'au-delà par l'entremise d'un
channel, d'un canal ou médium qui agit comme intermédiaire. Mais
dans le sens originel du mot, le *channeling* signifie simplement que
«l'image ou l'information» provient par l'entremise d'un *channel* non
précisé, d'une source non spécifiée en dehors de la perception consciente. Cela revient à dire que cette image ou cette information peut
aussi provenir de l'intuition. C'est dans ce sens surtout, celui d'une
communication avec le surconscient, que le mot est pris par Harman et
Rheingold. «À peu près tout le monde a fait l'expérience d'un *channeling* de vision créatrice, d'une percée d'intuition profonde, d'un moment de connaissance qu'il savait provenir d'en dehors de la partie
habituelle de l'esprit cognitif.»

«[...] ne plus limiter à un petit nombre le spectre le plus élevé du potentiel humain»

De nombreux témoignages permettent d'affirmer que de telles expériences possèdent une puissance transformatrice. Elles peuvent en
effet mener à une croissance et à une transformation aux plans psychologique et spirituel, car l'intuition est la faculté qui permet d'entrer en
rapport avec le Soi, le guide intérieur en chacun de nous. C'est ainsi
que Krishnamurti l'entendait. «[...] l'intelligence très éveillée, c'est
l'intuition; c'est le seul guide véritable dans la vie.» Être à l'écoute de
son guide intérieur, de son intuition, permet de créer sa vie, en trouvant
en soi les réponses aux grandes questions. «Que devrais-je faire de ma

vie? Comment puis-je devenir moi, le plus parfaitement possible? Comment éveiller et exploiter pleinement mon potentiel? À quoi devrais-je employer le moment qui vient?, etc.» Trouver en soi des réponses à de telles questions revient effectivement à **créer sa vie**. Tel est sans doute l'objet ultime de la créativité. La percée ultime de l'intuition. C'est à l'exploitation de notre capacité de faire de telles percées vers des ressources jusqu'ici peu explorées, que nous invitent Harman et Rheingold. En d'autres mots, nous devons nous proposer de nous-mêmes une image différente, celle de **l'homme nouveau** auquel chacun doit s'employer à donner naissance en lui.

«[...] l'état actuel de la connaissance le permet et les circonstances planétaires présentes l'exigent»

Ces expériences de révélation et d'illumination peuvent aussi favoriser une transformation au plan social. Comme le soulignent les auteurs: «Le point de rencontre entre la conscience humaine et la transformation de la société, dans l'histoire, semble se trouver dans cette percée individuelle vers des potentiels encore inexploités.» Car ce sont là, précisément, «des ressources qui nous permettront de régler nos plus grandes difficultés. **Surtout** les plus grandes, y compris la plus considérable de toutes: notre autodestruction.»

Cet ouvrage sur la créativité est unique en ce qu'il nous dit comment, à l'étape où nous sommes parvenus au plan évolutif, nous pouvons devenir effectivement les cocréateurs de nous-mêmes et du monde, et pourquoi nous devons le devenir, en suggérant ce qui manque le plus dans la société actuelle: une signification.

C'est d'ailleurs en quoi cet ouvrage d'information m'apparaît aussi comme un **outil de transformation.**

«Il ne faudra plus limiter à un petit nombre l'accès au spectre le plus élevé du potentiel humain. L'état actuel de la connaissance nous le permet et les circonstances planétaires présentes l'exigent.»

«Nous sommes peut-être devant l'indice le plus important du casse-tête que représente le potentiel créatif humain.»

«Y a-t-il un lien entre les percées intuitives des artistes et des savants, les communications sous transes des médiums et les révélations religieuses des grands personnages spirituels?»

Introduction

LE CHAT INVISIBLE

Un soir, il y a de cela plus de vingt ans, j'étais en train de regarder un événement somme toute assez banal qui se déroulait dans le salon de mon voisin. Une femme, assise dans un fauteuil au centre de la pièce, caressait un chat qu'elle tenait sur ses genoux, tout en lui parlant et en l'écoutant ronronner. Elle tirait un plaisir évident de cette relation avec son ami félin. La situation n'aurait rien eu d'inusité s'il y avait eu un chat, mais il n'y avait pas de chat! Elle avait accepté, par suggestion hypnotique, qu'il y avait un chaton sur ses genoux et, pour elle, c'était tout à fait vrai. Toute son expérience sensorielle le lui confirmait.

Je peux encore sentir au creux de mon estomac la sensation que provoqua chez moi ce spectacle. Cette scène bizarre et le malaise qui en résultait me venaient du fait que j'avais accepté, sur l'invitation de mon voisin, de me joindre à un petit groupe d'amateurs qui exploraient les phénomènes de l'hypnose. Cependant, mes impressions n'étaient pas toutes causées par l'étrangeté de l'expérience. Le choc principal me venait de la reconnaissance de ses conséquences: moi aussi, je pouvais être berné; tous mes sens, toutes mes facultés de raisonnement, toute ma formation scientifique pourraient un jour me laisser tout aussi incapable de détecter l'illusion que cette femme était incapable de découvrir: le fait qu'il n'y avait pas de chaton sur ses genoux.

Un autre aspect de l'expérience était encore plus curieux. Lorsque je compris à quel point l'illusion de la femme était profonde et totale, il y eut un bref instant pendant lequel une part de moi-même essaya frénétiquement de me rassurer quant au fait qu'on ne pourrait jamais me tromper autant que cette femme l'avait, de toute évidence, été. Et alors une autre partie de mon esprit sembla me dire: «C'est déjà fait.» Le chaton et la preuve qu'il donnait des illusions que peut créer notre esprit autour de nous étaient assez inquiétants. Mais qui était ce «moi» qui essayait de me rassurer? Et qui était ce «moi» qui avait découvert que je me trompais moi-même? Les deux semblaient avoir émané d'un endroit situé en dehors de mon esprit conscient, endroit normalement caché ou inaccessible à notre perception consciente. Avec les années, de nombreux chercheurs ont donné des noms différents à cette capacité de l'esprit – l'«inconscient» étant le plus connu et le plus largement accepté – mais, à un niveau personnel, dans mes propres pensées, je l'ai appelé, depuis ce jour, «la conscience cachée».

Cet incident apparemment banal eut pour moi des conséquences profondes que je ne compris pas tout à fait pendant plusieurs années. Il s'est avéré l'un des tremplins qui ont jalonné ma route au cours de trois décennies de ma vie – me conduisant sur une voie que je n'aurais jamais imaginée pour moi-même – et qui m'ont amené à coécrire le présent ouvrage. À l'époque où se produisit l'incident du «chat invisible», j'avais déjà dévié depuis une demi-douzaine d'années de la route normale qu'emprunte un professeur de génie civil.

Des voies divergentes

J'ai fait des études en physique et en génie électrique. Je n'ai travaillé en tant qu'ingénieur que quelques années, car j'étais de plus en plus attiré par la carrière de professeur. J'ai enseigné le génie électronique, l'analyse des systèmes et la théorie de la communication statistique à l'université de Stanford et ailleurs. J'ai publié des manuels sur ces trois sujets. Jusqu'à l'âge de trente-six ans, le cours de ma carrière, tout comme ma vie sociale, était douillet et bien ordonné, sans écarts significatifs en dehors de mes spécialités scientifiques ou de la routine de mes frontières universitaires. Bien entendu, rien ne laissait présager un engagement éventuel de ma part dans des champs d'intérêt aussi éloignés que le futurisme et la recherche sur la conscience. Puis, en 1954, juste avant mon trente-sixième anniversaire, une série d'événements commencèrent à se produire, des événements qui allaient changer de façon profonde et irrévocable mes hypothèses concernant le monde, hypothèses que je n'avais encore jamais eu besoin de remettre en question. Ma vie bien rangée, qui reposait sur une solide base de savoir scientifique rationnel, de ce qui est vrai et de ce qui ne l'est pas, se mit alors à se désagréger.

Je m'étais laissé attraper – je m'étais en partie attrapé moi-même – à assister à un colloque d'une durée de quinze jours sur des sujets divers d'ordre moral, éthique et spirituel. Je dis «attrapé» parce que les discussions se sont avérées très différentes des conférences académiques méthodiques auxquelles je m'étais attendu. Puisque je n'avais reçu aucune formation religieuse, je pensais que l'exploration de ce genre de sujets pourrait constituer une bonne façon de combler cette lacune de mon éducation. Mais, fait surprenant pour l'époque, le colloque s'avéra beaucoup plus empirique que théorique. Au lieu de conférences, de réunions-débats et d'exposés, nous avions des sessions de groupe qui mettaient l'accent sur des idées très peu familières et passablement déconcertantes, comme écouter notre moi intérieur, apprendre à exprimer des sentiments que nous avions depuis longtemps du mal à laisser sortir, partager avec d'autres des expériences émotives, et ainsi de suite. Au cours de la dernière réunion, je fus tout à fait renversé lorsque, au moment d'ouvrir la bouche pour expliquer ce que je pensais avoir appris, j'éclatai en sanglots sans pouvoir m'arrêter. Les sentiments qui montèrent en moi me semblaient un mélange de gratitude et de soulagement, ce n'était pas des larmes de douleur ou de tristesse. À ce moment-là, j'aurais été très embêté de devoir expliquer ce que représentaient toutes ces larmes, cette gratitude et ce soulagement. Avec le recul, j'y vois une première brèche dans des barrières mentales dont j'ignorais l'existence et qui m'empêchaient de «sentir» et «d'être». J'y vois aussi le commencement d'une rencontre avec moi-même dont je ne devais comprendre le sens que bien des années plus tard.

L'un des moments les plus troublants du colloque fut celui où je constatai que l'animateur de l'atelier, un professeur de droit et de commerce digne et érudit, était convaincu de la réalité de toute une variété de phénomènes psychiques que je «savais» avoir été démentis par des savants réputés. Pendant les mois qui suivirent, je passai le plus de temps possible à la bibliothèque de Stanford, lisant avec avidité sur des sujets dont je n'avais à peu près pas entendu parler auparavant: la psychothérapie, le mysticisme, et même la parapsychologie. Mes idéaux d'objectivité scientifique et de neutralité reçurent un dur coup lorsque je m'aperçus qu'il y avait beaucoup plus de recherches dans ce domaine et de bien meilleure qualité que tous mes cours de science avaient pu me le laisser soupçonner.

Je me renseignai sur diverses psychothérapies et sur toutes sortes de disciplines spirituelles. J'étais certain que tous ces domaines qui touchaient aux aspects «cachés» de la conscience devaient avoir, d'une façon ou d'une autre, un certain rapport avec les buts de l'éducation. Motivé par ma propre curiosité et par un désir tout neuf d'élargir l'expérience éducative de mes étudiants en génie, je commençai à diriger un séminaire s'intitulant «Le potentiel humain» (c'était une expression nouvelle en 1956 mais qui semble à présent quelque peu désuète).

Aujourd'hui, c'est un modèle de recherche courant, mais il y a trente ans, c'était comme essayer de trouver une piste dans un vaste territoire ne figurant encore sur aucune carte et dont presque tous mes collègues refusaient même l'existence. C'est à cette époque que je fis l'expérience du «chaton invisible». J'entrepris par la suite d'autres expériences qui ne correspondaient pas du tout à ma compréhension antérieure de la réalité.

L'une de ces premières expériences, et qui suscite encore en moi des émotions aussi fortes que celles qu'évoque le souvenir du chaton invisible, fut ce qu'on appelle une «expérience hors du corps». Par rapport à ma conception traditionnelle du monde, c'était beaucoup plus qu'une simple contradiction. De toute ma vie, je n'avais jamais fait d'expériences de ce genre. En un instant, elle a renversé toutes les opinions que j'avais de moi-même et qui étaient si fondamentales que j'ignorais même les avoir.

J'étais tranquillement allongé sur un sofa, passant une soirée agréable en compagnie de quelques amis. L'incident commença, je me souviens, par un silence tout à fait normal dans la conversation. Soudain, sans avertissement, je me retrouvai en train de regarder mon propre corps d'une hauteur de plus de cinq mètres. Je pouvais me voir très distinctement, couché sur le sofa, les yeux fermés. Je pouvais aussi voir ce qui se trouvait derrière le sofa, et ce qui était dans la pièce d'à côté, donc dans des endroits tout à fait inaccessibles au champ de vision physique que j'aurais eu du sofa, même si mes yeux avaient été grands ouverts. (Ce n'est que plus tard que je me rendis compte que j'avais dû regarder «à travers» un toit et un plafond bien solides pour avoir cette perspective.)

Ma première réaction, une réponse très raisonnable, en fut une d'ahurissement. Des expériences de ce genre ne sont pas censées se produire! Mais tout de suite après cette réaction, une autre suivit, une pensée qui m'arriva comme une voix qui était la mienne, mais étrangement différente de celle de mon moi «rationnel» habituel. «J'ai toujours su ceci, disait cette voix, je l'avais tout simplement oublié jusque-là.»

Bien que je ne puisse, même aujourd'hui, donner une explication totalement satisfaisante de ce que je savais alors et de la façon dont je le savais, ce que je sentis que j'avais toujours su, c'était que je n'étais pas mon corps. Le «je» qui regardait mon corps à travers le toit ressentait une indifférence amicale par rapport à ce corps auquel je suis, en d'autres circonstances, très attaché. Après un bref instant, je sentis le centre de ma conscience réintégrer brusquement mon corps et j'ouvris les yeux sur un monde qui ne m'a plus jamais paru aussi solide qu'avant.

Plus tard, au début des années 1960, je parlai avec une dame qui avait vécu, quelques jours auparavant, l'expérience d'une espèce de réalité transcendante, expérience qui l'avait profondément ébranlée. Sa voix tremblait encore alors qu'elle essayait de m'expliquer l'inexplicable et j'en fus très touché. Tout d'un coup, déclenché probablement par la puissance émotionnelle de son histoire, me vint à l'esprit le souvenir d'une expérience similaire qui m'était arrivée quatre années plus tôt. Le souvenir était parfaitement clair, mais j'étais certain de n'y avoir jamais pensé une seule fois pendant ces quatre dernières années.

Non seulement avais-je «oublié» une des expériences les plus marquantes de ma vie, mais pendant tout ce temps, je n'avais jamais eu le moindre indice d'un souvenir manquant et je n'avais jamais été agacé par l'impression d'avoir oublié quelque chose. Je n'avais jamais eu de signe indiquant un souvenir égaré jusqu'à ce que l'incident déclencheur le ramène à la lumière. Apparemment, l'événement était à ce point en désaccord avec toute mon expérience d'alors que mon système de croyances ne pouvait tout simplement pas lui faire de place et j'en réprimai le souvenir. Encore une fois, cette constatation était tout aussi inquiétante que l'expérience originale avait été troublante. Si je pouvais me dissimuler à moi-même quelque chose d'aussi important – et l'occulter aussi complètement –, alors de combien d'autres façons me dupais-je inconsciemment? Je me demandais aussi si la plupart d'entre nous avions de telles expériences de temps à autre et si nous avions tendance à les «oublier» parce qu'elles allaient tellement à l'encontre de nos conceptions de ce qui est possible que cela nous dérangeait à bien des points de vue.

Si, inconsciemment, nous effaçons ou dissimulons certains souvenirs inacceptables pour nos croyances fondamentales, il faut donc que nous nous posions la question suivante: nous dupons-nous beaucoup et souvent avec cette espèce de mémoire sélective? Est-ce là la raison pour laquelle notre expérience semble toujours confirmer l'image que nous nous faisons de la réalité, même si l'expérience de gens de cultures différentes confirme une image considérablement différente de cette même réalité?

Mon intérêt pour cette question s'intensifia à la suite d'une série d'incidents qui se produisirent vers la fin des années 1960 et le début des années 1970. Lors du premier, je participais à un court atelier qui visait à augmenter l'efficacité personnelle des cadres administratifs. L'objet principal de cet atelier était de reconnaître jusqu'à quel point des croyances inconscientes (comme «Je ne suis pas à la hauteur» ou «Je suis incapable de faire ce qu'on attend de moi») réduisent l'efficacité, en vue de «reprogrammer» ensuite l'inconscient au moyen d'une technique appelée «les affirmations positives».

Fondamentalement, la technique consiste à remplacer les croyances limitatives inconscientes par de nouvelles qui sont plus flexibles, en répétant souvent et en imaginant de façon précise ces nouvelles affirmations comme déjà vraies. Un exemple de ces affirmations pourrait être: «Je m'aime de façon inconditionnelle.» Malgré mon scepticisme initial, les arguments de l'instructeur ainsi que les expériences vécues par les autres hommes d'affaires réussirent à me persuader que le processus fonctionnait (je savais qu'ils étaient tous des membres honnêtes et sérieux du groupe qui, traditionnellement, «a du succès»). Toutefois, quand vint le temps d'appliquer le processus dans ma propre vie, je ne cessais «d'oublier» de faire les exercices.

Bien des années plus tard, sur l'insistance d'un bon ami, j'entrepris l'étude d'un cours qui s'appelait *A Course in Miracles* (Un cours sur les miracles). Lui aussi était basé sur le principe de la reprogrammation de l'inconscient par l'utilisation des affirmations.

Après avoir «travaillé» pendant environ six mois, ouvrant les livres tous les jours, je me rendis compte que je ne me souvenais pas d'avoir lu au complet une seule page de texte. Je me laissais toujours distraire par d'autres pensées, j'éprouvais une envie irrésistible de dormir ou je me sentais soudain affamé et me dirigeais vers le réfrigérateur. Chaque fois que j'ouvrais un des manuels, quelque chose survenait pour entraver la résolution que j'avais prise de maîtriser le sujet.

Encore une fois, j'éprouvai un choc en constatant que je faisais preuve d'une résistance évidente devant une série d'exercices dont une partie de moi savait qu'ils allaient me transformer.

Je mentionne tous ces petits incidents qui peuvent sembler insignifiants parce qu'ils ont eu une grande signification pour moi et qu'ils m'ont fourni des indices valables lorsque plus tard je tentai de comprendre l'importance des croyances inconscientes et les défenses qui surgissent lorsqu'il s'agit de les changer. Ce n'est qu'une fois que nous reconnaissons en nous cette formidable capacité de nous duper que nous pouvons voir que nous l'utilisons collectivement autant qu'individuellement. Beaucoup de ce que nous «savons être vrai» et peut-être même «scientifiquement vrai» relève en fait d'une fausse croyance collective difficile à vérifier parce que tous ceux qui nous entourent la partagent et que leurs esprits confirment une même vision de la réalité. (En supposant que vous soyez paranoïaque dans une société où tout le monde agirait selon des croyances paranoïdes, comment pourriez-vous alors savoir que vous êtes fou?)

Ces questions et ces pensées n'étaient pas du genre à retenir l'attention des professeurs de génie civil typiques de l'Amérique conservatrice. Au milieu des années 1960, je soulevais des questions trop vastes ou trop difficiles à saisir avec les outils qu'on m'avait appris à utiliser. Les équations propres et nettes qui pouvaient décrire des circuits électriques et des systèmes de communication ne pouvaient servir à expliquer les chats invisibles et les croyances inconscientes. Les questions sociales brûlantes de l'époque commençaient à indiquer une importance accrue de l'intérêt touchant directement la vie humaine par rapport à toute autre question strictement technique et abstraite.

Des voies convergentes

La croissance personnelle que j'avais entreprise eut pour résultat que je commençai à voir de quelle façon je pourrais utiliser mes compétences professionnelles. J'essayai d'appliquer les méthodes d'analyse des systèmes à des questions de politique sociale, un domaine très peu étudié et passablement audacieux pour l'époque. Je m'engageai, en même temps, dans la recherche sur la résolution créatrice des problèmes et dans les sessions de formation de l'*Association for Humanistic Psychology* (Association pour une psychologie humaniste). Ces champs d'intérêt, différents en apparence, convergèrent finalement lorsque j'eus l'occasion de me joindre au *Stanford Research Institute* (Institut de recherche de Stanford) en 1966, pour y entreprendre des recherches sur l'avenir, à long terme, de notre société.

Je formai une équipe qui, sous ma direction, assistait le *U.S. Office of Education* (Bureau de l'éducation des États-Unis) dans ses efforts pour appliquer la discipline naissante de la futurologie à l'élaboration des politiques nationales d'éducation et aux recherches pédagogiques. Ce fut, à vrai dire, la première vision du futur à des fins non techniques que subventionna le gouvernement. Au bout de deux ans, lorsque prit fin notre premier projet, j'étais tout à fait convaincu de l'importance des changements qui commençaient à se manifester dans les valeurs et les croyances dominantes de la société américaine.

À peu près à la même époque, je reçus une invitation pour participer à une conférence portant sur la «maîtrise volontaire des états intérieurs» commanditée par la Fondation Menninger. L'article que j'écrivis, intitulé *The New Copernician Revolution* (La nouvelle révolution copernicienne) traitait de l'émergence d'un domaine oublié de la science, à savoir l'étude de l'expérience humaine «intérieure» ou subjective en tant qu'aspect important des événements extérieurs du proche avenir. Un rédacteur anonyme des travaux présentés lors du symposium ajouta, sous le titre, le commentaire suivant: «Il se peut que l'homme soit en train d'entreprendre une exploration systématique de cet univers vaste et méconnu que représente son être propre (l'être humain lui-même); un pas qui sera aussi marquant que celui de l'élaboration d'une science des galaxies.»

Il devenait évident que des millions, et peut-être même des dizaines de millions, de personnes aux États-Unis commençaient à rechercher et à avoir des expériences «aptes à changer la vie» qui les poussaient à en savoir plus sur leur propre esprit. Un nombre sans cesse croissant de scientifiques de différents domaines – psychologie, psychothérapie, anthropologie, religions comparées, parapsychologie – commençaient tous, chacun à sa façon, à observer le grand casse-tête des processus mentaux conscients-inconscients. On commençait à trouver de plus en plus étrange que la vision scientifique mondiale néglige ce domaine important de l'expérience humaine.

Dans une étude du *SRI*[*] pour le compte de la Fondation Charles F. Kettering, *Changing Images of Man* (Le changement des images de l'homme), nous avons exploré plus à fond de quelle façon les prémisses fondamentales de la société industrielle étaient en train de subir des modifications significatives. Ainsi que nous l'avons mentionné dans ce rapport:

«Les images de l'humanité qui dominent dans une culture revêtent une importance capitale car ce sont elles qui sont à la base des institutions d'une société, de l'éducation de ses jeunes et de toutes les activités qui sont de son ressort. Des changements dans ces images présentent un intérêt particulier en ce moment, car notre société industrielle pourrait être au seuil d'une transformation aussi profonde que celle qui se produisit en Europe lorsque le Moyen Âge permit l'essor de la science et de la Révolution industrielle.»

---

[*]   Stanford Research Institute.

William James, l'un des quelques scientifiques américains qui ont affirmé qu'une science de l'expérience subjective est à la fois possible et indispensable, a utilisé l'expression «qualité noétique» (dans *Varieties of Religious Experience*), pour décrire «de quelle façon les états mystiques semblent être [...] des états de pénétration dans des profondeurs de la vérité non sondées par l'intellect discursif [...] portant avec eux un curieux sentiment de compétence pour ce qui est du futur.» Edgar Mitchell a adopté l'adjectif «noétique» pour décrire la science de la conscience humaine qu'il envisageait.

J'ai rencontré Edgar Mitchell, l'astronaute d'Apollo 14, au début des années 1970, lorsqu'il s'apprêtait à quitter la NASA et à fonder l'*Institute of Noetic Sciences* (Institut des sciences noétiques). Lors du voyage de retour de la Lune, Mitchell fit l'expérience profondément troublante d'un état modifié de conscience. (Puisque nous parlons des changements dans les limites du crédible qui se produisent avec le temps, demandons-nous quelle partie de cette phrase est la plus difficile à croire: qu'un homme subisse un état modifié de conscience, véritable et profond, ou que ça lui arrive en revenant de la Lune?)

Le sentiment profond de l'ordre cosmique que Mitchell ressentit alors ainsi que la capacité évidente de l'esprit humain à se connaître (allant bien au-delà des dimensions de l'expérience ordinaire) firent une telle impression sur lui qu'avant même que la capsule ne touche à l'eau, il avait pris une décision qu'il n'aurait jamais pensé prendre. Le capitaine Mitchell était convaincu que l'esprit humain constituerait la prochaine véritable frontière de l'exploration humaine. Il décida donc de consacrer son temps et son énergie à promouvoir la science de la conscience humaine, trop longtemps négligée.

La fondation de l'*Institute of Noetic Sciences* arrivait à point. Pendant la première décennie de son existence, les courants de l'opinion à propos de l'exploration de la conscience humaine allaient sans cesse en s'améliorant. On étudie maintenant les expériences qui sortent de l'ordinaire et les capacités extraordinaires de l'homme dans les universités et les centres de recherche les plus prestigieux. D'éminents scientifiques, et même des lauréats du prix Nobel, soutiennent maintenant qu'il serait peut-être nécessaire de considérer des aspects de la réalité qui ne sont pas directement mesurables (dans le sens physique) mais dont on doit néanmoins tenir compte pour arriver à comprendre certains phénomènes observés en physique et en biologie. Il y a plusieurs signes d'une humilité grandissante chez les scientifiques qui affirment que les explications positivistes et restrictives sont les seules qui puissent tout expliquer.

Dans le but de favoriser cette nouvelle étude sur la conscience, l'une des principales activités de l'Institut consista à réunir des bailleurs de fonds à l'esprit ouvert et des chercheurs de pointe qui s'intéressaient à des sujets trop audacieux ou trop peu à la mode pour des institutions financières traditionnelles. Une grande part de cette recherche était faite dans des institutions de prestige comme la *Harvard Medecine School* (École de médecine de Harvard), la *School of Engineering and Applied Science* (École de génie et de science appliquée) de l'université Princeton, la *Fondation Menninger* et le *Stanford Research Institute* (Institut de recherche de Stanford).

Au cours d'une décennie, nous avons observé l'évolution de la recherche sur les capacités de la conscience cachée: considérée comme radicale au moment où nous avons commencé à l'encourager – par exemple dans l'utilisation du *biofeedback* et de l'imagerie mentale en thérapie et dans les approches utilisant l'autosuggestion pour réduire le stress – elle recevait une approbation croissante des psychothérapeutes, des groupes de recherche et d'éducation et dans le milieu des soins de santé. Ces chercheurs de pointe, me semblait-il, étaient tous, et de diverses façons, en train de prouver que quelle que soit la définition qu'on donne de la «conscience cachée», elle a un potentiel beaucoup plus grand que ce qu'on nous avait appris à le croire, particulièrement en ce qui concerne ses aspects intuitif et créatif.

Une autre hypothèse m'était aussi suggérée par l'éventail des recherches que j'avais observées de près au cours de ces mêmes dix ans et elle s'accordait tout à fait avec mes propres expériences de phénomènes anormaux: nous les humains, nous nous limitons éminemment plus qu'il n'est même possible pour quiconque de le croire. Si nous avons un potentiel aussi énorme, comment se fait-il que nous soyons si peu nombreux à le manifester? La réponse me semblait toute simple: nous obstruons nous-mêmes la route. Cette conclusion n'émergea ni d'une expérience particulière ni d'un champ de recherche unique, mais de l'assemblage des connaissances provenant de domaines différents et de recherches variées.

L'œuvre du nouvel Institut allait dans la même direction que les intérêts qui, à ce moment-là, étaient devenus primordiaux dans ma vie et dans mon travail. Quand, en 1977, on m'invita à me joindre à l'*Institute of Noetic Sciences* à titre de président, j'acceptai. Après vingt années pendant lesquelles j'avais essayé d'expliquer ce domaine de la connaissance, pour lentement arriver à le comprendre, je ne pouvais résister à l'occasion qui m'était offerte de travailler avec les grands pionniers de la recherche sur la conscience. Cependant, comme je voulais maintenir mon engagement dans la recherche, je conservai un poste à mi-temps au SRI.

La convergence: la conscience et le futur

Pendant toutes les années 1970, diverses sciences de la conscience humaine se mirent à converger, me semblait-il, vers certaines de ces mêmes questions qui me préoccupaient de plus en plus surtout en ce qui avait trait à la crise contemporaine de la civilisation mondiale. Il m'apparaissait de plus en plus évident qu'une compréhension approfondie de notre esprit allait de pair avec la prise de conscience croissante des choix les plus importants auxquels fait face la société moderne, et que cette convergence pouvait rapidement devenir le domaine de connaissance le plus crucial de notre époque.

Pendant plus d'un quart de siècle, dans ma vie personnelle d'abord, puis de plus en plus dans ma vie professionnelle, je m'étais attaqué à deux énigmes fascinantes: la nature de la conscience humaine et la transformation des sociétés. À mesure que les pièces du puzzle tombaient à leur place, une relation inattendue se manifestait. J'avais de plus en plus la conviction – ce que je n'avais aucunement imaginé au départ – que ces deux sujets, qui n'avaient apparemment aucune relation entre eux, constituaient en réalité des aspects différents d'un même problème. L'ignorance relative que nous avons de notre propre esprit et la confusion actuelle entre notre pensée et nos valeurs sont mieux compris en fonction de notre histoire. De plus, c'est par une compréhension approfondie de notre conscience que nous trouverons les indices importants qui nous permettront de résoudre les grands problèmes qui assaillent notre époque de toutes parts.

La recherche d'une compréhension plus profonde de l'esprit humain est l'une des quêtes les plus anciennes de l'humanité. Cependant, nous pouvons penser à cette question de différentes façons impossibles à imaginer il y a à peine vingt ans. Toute la question du changement et de l'évolution des sociétés revêt un intérêt durable et elle est d'autant plus appropriée aujourd'hui qu'on peut déceler des signes manifestes des premiers stades d'une transformation fondamentale de notre société, transformation aussi importante que n'importe quelle autre de notre histoire. Mon travail, à l'instar de celui de l'Institut des sciences noétiques, allait donc commencer à se concentrer sur cette convergence.

«Canaliser» l'intuition créatrice

Au début du VIIe siècle du calendrier chrétien, un pauvre chamelier qui vivait dans une région reculée du globe rêva d'un ange. Dès le VIIIe siècle, les armées de ceux qui avaient cru au rêve de Mahomet avaient conquis un territoire en forme d'arc de cercle qui s'étendait du sud de l'Espagne jusqu'au nord-ouest de l'Inde. Vers la fin du XIXe siècle, un adolescent juif qui étudiait la physique à Zurich s'imagina en train de se promener le long d'un faisceau lumineux, en même temps qu'il se voyait s'éloigner dans un miroir; le fil de ses pensées le conduisit à la formule E=mc^2, base théorique de la bombe atomique.

C'est indéniable. À des moments donnés de l'histoire, certaines personnes semblent avoir des expériences si extraordinaires qu'elles font littéralement l'«histoire» et qu'elles changent le monde, des intuitions d'une portée telle qu'elles révolutionnent la science, les arts et la société elle-même. T.N.M. Tyrrell, un Britannique qui fut l'un des premiers à faire des recherches sur l'inspiration, l'exprimait en ces termes dans *The Personality of Man* (La personnalité de l'homme):

> *Il est un fait très significatif mais qu'on ignore généralement: ces créations de l'esprit humain qui ont porté de façon incontestable le sceau de l'originalité et de l'éminence ne provenaient pas de la région du conscient. Elles provenaient d'au-delà du conscient, frappant à sa porte pour y être admises: elles ont coulé en lui, quelquefois avec la lenteur d'un suintement, mais souvent dans une explosion d'une puissance irrésistible.*

On a longtemps reconnu cette expérience de «percée», sinon de façon explicite, tout le moins en termes voilés. On a utilisé plusieurs noms pour exprimer ses manifestations variées; on l'a appelée créativité, inspiration, imagination poétique, intuition, médiumnité et révélation.

Aucun mot particulier ne semblait couvrir de façon satisfaisante, sans connotation indésirable ou limitative, tout l'éventail des formes que prenaient ce phénomène de «percée» dans le conscient. Depuis les vingt dernières années, environ, un mot plutôt neutre s'est imposé dans l'usage semi-populaire: le «*channeling*», signifiant que l'image ou l'information provient par l'entremise d'un «*channel*» non précisé, d'une source non spécifiée en dehors de la perception consciente.

À peu près tout le monde a fait l'expérience d'un *channeling* de vision créatrice, d'une percée d'intuition profonde, d'un moment de connaissance qu'il savait provenir d'en dehors de la portée habituelle de l'esprit cognitif. Certains trouvent ces expériences banales. L'intuition peut se rapporter à la vie quotidienne ou à des problèmes de la vie professionnelle (arts, sciences, affaires, etc.); elle peut aussi être liée aux questions sociales ou spirituelles.

Néanmoins, toutes vitales et essentielles qu'elles soient, ces expériences ont été passablement négligées, ces dernières années, à la fois par la recherche et par le langage populaire. C'est depuis les dix dernières années surtout qu'on rencontre des signes de ce que le psychologue R.R. Holt a appelé «le retour du banni». (Nous examinerons, un peu plus loin, quelques-unes des raisons de cet ostracisme.)

Le point de rencontre entre la conscience humaine et la transformation de la société, dans l'histoire, semble se trouver dans cette percée individuelle vers des potentiels encore inexploités. Ils sont peu nombreux, parmi nous, ceux qui doutent que la société occidentale traverse à l'heure actuelle une période de changement critique et probablement très difficile. Nous voyons quotidiennement des effets de ce changement, sous forme de dilemmes qui nous embarrassent, nous découragent et menacent quelquefois de nous écraser. Il se pourrait bien toutefois que nous disposions, à l'intérieur de nous, de la capacité de faire des percées dans cette intuition vers des ressources qui nous permettraient de régler nos plus grandes difficultés. **Surtout les plus grandes**, y compris la plus considérable de toutes: notre autodestruction.

La société industrielle occidentale fait face à des défis qui pourraient mettre en péril la civilisation telle que nous la connaissons. Les anciennes solutions, les vieux procédés pour régler les problèmes sociaux et politiques ne semblent plus vouloir fonctionner. L'espoir semble résider dans la recherche de solutions créatives, de nouvelles approches, de «percées» pour résoudre les problèmes mondiaux de l'heure. La compréhension de ces percées créatrices qui ont mené, dans le passé, à un avancement social et politique, recèle de grandes promesses quant à notre tâche actuelle.

C'est à partir du raffermissement de toutes ces convictions que je me suis joint au chercheur et écrivain Howard Rheingold pour écrire le présent ouvrage. Après deux ans de lectures, d'observations et d'interviews, nous avons constaté que l'idée que nous nous faisions de la portée de ces capacités inexploitées s'est encore élargie. Notre conviction de l'importance du modèle émergeant pour l'avenir du monde s'est accrue, elle aussi, jusqu'à devenir, en ce qui me concerne, une passion de tous les instants.

Certaines des prémisses que nous voyons émerger des études scientifiques actuelles et des comptes rendus d'expériences dans ce domaine des capacités humaines vous paraîtront d'abord choquantes et même grotesques. Nous ne nous attendons pas à faire la «preuve» de ces prémisses ni de convaincre qui que ce soit avec des arguments logiques. Nous désirons seulement vous rapporter avec sincérité ce que nous pensons avoir trouvé et avouer honnêtement un inconfort psychique considérable lorsque, à plusieurs reprises en cours de route, nous avons ressenti le besoin de réexaminer nos propres prémisses, nos propres perceptions.

Willis W. Harman

Chapitre I

LE SPECTRE DE LA CRÉATIVITÉ

DU VULGAIRE AU MIRACULEUX

> *L'enfant qui invente un nouveau jeu avec ses copains, Einstein qui formule sa théorie de la relativité, la femme au foyer qui crée une nouvelle sauce pour accompagner la viande, le jeune auteur qui écrit son premier roman, tous posent, selon notre définition, un geste créatif, et nous n'essayons pas d'établir entre eux un quelconque ordre du plus ou moins créatif.*
>
> *Carl R. Rogers*, Le développement de la personne

Le spectre de la créativité

L'une des découvertes les plus importantes de la physique fut de détecter que la disposition ordonnée des couleurs, telle qu'on la voit dans un arc-en-ciel ou lorsque la lumière blanche est réfractée dans un prisme, ne constitue qu'une portion restreinte d'un spectre électromagnétique continu beaucoup plus vaste.

Depuis un siècle environ, une découverte tout aussi capitale semble émerger en ce qui concerne l'esprit humain. À travers les âges, il y a eu des exemples de «génie» ou d'«inspiration» qui ont révélé incontestablement des capacités supérieures de l'esprit. Peu à peu, grâce aux savants travaux des Sigmund Freud, F.W.H. Myers et Carl Jung, il devint évident que ces exemples de créativité notoires étaient, dans une certaine mesure, le «spectre visible» d'un éventail beaucoup plus large des manifestations de l'esprit créateur inconscient. Le spectre élargi de l'imagination créatrice s'étend des vulgaires gestes d'habitude et de mémoire aux cas miraculeux de révélation et de prophétie. Lorsqu'on relie le vulgaire au divin, on retrouve un immense spectre de créativité, source d'inspiration pragmatique aussi bien que spirituelle. Ainsi, les manifestations les plus ordinaires comme les plus extraordinaires de notre esprit ne sont pas des phénomènes sans aucun rapport entre eux; ils représentent plutôt les deux extrémités d'un continuum de conscience créatrice.

Entre les manifestations créatrices les plus ordinaires de la «conscience cachée» et la partie «supérieure» invisible du spectre se trouve le territoire moyen, la partie «visible» et bien connue de l'arc-en-ciel de la créativité. On donne différents noms à ses teintes les plus familières: l'intuition, l'inspiration, l'imagination, l'*insight*, la vision, le talent et la clairvoyance.

Il existe, à l'extérieur du spectre lumineux et de ses multiples teintes, des régions beaucoup plus vastes de radiations électromagnétiques qui possèdent une longueur d'onde plus longue que celle du rouge et plus courte que celle de la lumière violette, et qui sont invisibles en vision normale. De même, il existe ce qu'on pourrait appeler les «ultraviolets créatifs» (tels que les intuitions extraordinaires et les grandes inspirations dans le domaine des religions, des arts ou des sciences), ou encore les «infrarouges intuitifs» (comme les pressentiments et les impressions viscérales). Comme le suggèrent ces analogies, on pourrait faire le graphique de ces courbes et les utiliser, tout comme la science a appris à utiliser les longueurs d'onde invisibles du spectre électromagnétique. En réalité, on en connaît plus sur les moyens d'ouvrir le canal et d'aménager l'arc-en-ciel de l'énergie créatrice que ne le laissent deviner les écrits traitant d'éducation et de psychologie. De plus, comme nous le verrons plus loin, ces spectres nous sont beaucoup plus accessibles qu'on ne nous l'avait laissé croire.

À l'extrémité la plus «basse» du spectre, les phénomènes sont à ce point considérés comme faisant partie de la vie de tous les jours que nous ne prenons jamais la peine de réfléchir à la puissance mystérieuse qui se trouve derrière certaines de nos activités mentales les plus normales. Durant votre sommeil, par exemple, vous pouvez continuer à dormir paisiblement malgré la succession des bruits familiers de la ville qui se feront entendre au cours de la nuit. Cependant, vous pourrez vous réveiller en sursaut à un faible son inusité, peut-être le gond grinçant d'une porte qui devrait normalement rester fermée. Vous vous asseyez dans votre lit, quelque peu inquiet, mais vous ignorez la véritable raison de cette inquiétude, jusqu'à ce que la porte grince à nouveau et que votre ouïe consciente en capte le son. Vous vous levez alors, fermez la porte et retournez vous coucher. À peine quelques secondes plus tard, vous vous rendormez.

Un événement parfaitement banal. Le mystère débute lorsque vous commencez à vous demander pourquoi ce son particulier s'est enregistré dans votre conscience alors que celui de l'autobus qui passe sous votre fenêtre toutes les demi-heures ne vous réveille jamais, bien qu'il soit beaucoup plus fort. Quelle est cette «autre partie de l'esprit» qui veille sur vous et qui demeure consciente de l'environnement alors que la conscience ordinaire s'est endormie?

Prenons un autre exemple. Vous essayez de vous rappeler le nom de quelqu'un. Vous en êtes incapable mais vous avez le sentiment agaçant de le savoir, quelque part en dedans de vous. En désespoir de cause, vous récitez l'alphabet ou vous énumérez tous les noms que vous connaissez et qui commencent par un «B», ou serait-ce un «P»? Plus vous faites appel aux parties rationnelles, conscientes et analytiques de votre esprit, plus le nom devient insaisissable.

Finalement, après avoir tout essayé, vous laissez tomber. Vous «présentez une demande» à l'autre partie de votre esprit – celle que l'on qualifie quelquefois d'inconsciente, de créative ou d'intuitive – puis vous continuez à vaquer à vos occupations. Plus tard, au moment où vous parlez d'un tout autre sujet, ou encore lorsque vous montez dans un autobus ou que vous sommeillez au coin du feu, voilà le nom qui surgit! De façon consciente, vous n'avez aucune idée de la manière dont s'y est pris votre esprit pour chercher parmi tous vos souvenirs pour enfin trouver, puis faire remonter à la surface ce nom que vous essayiez de vous rappeler.

Voyons maintenant un autre genre d'expérience qui, à première vue, semble avoir une dimension tout à fait différente de celle de la porte qui grince ou du nom oublié. Il s'agit d'un certain état d'intensification de la perception, d'une expérience intense de percée intuitive profonde qui, bien que peu fréquente, nous arrive tous un jour ou l'autre. C'est un état pendant lequel les vannes de la pensée semblent s'ouvrir tout d'un coup pour nous révéler, l'espace d'un instant, des images et des idées profondes ou des solutions à nos problèmes les plus graves, des questions touchant notre vie, notre travail ou notre relation avec l'univers qui nous entoure.

Cet état peut ne durer que quelques secondes, ou il peut se prolonger pendant des heures et des semaines. Il vous surprend au moment où vous prenez votre élan pour frapper une balle, que vous chantez un cantique ou que vous donnez un coup de pinceau, ou encore lorsque vous regardez jouer votre enfant. Le cadre peut être celui d'une cathédrale ou d'un pré. Cet état peut survenir à la suite d'une cérémonie particulièrement significative ou il peut surgir de nulle part, au moment où vous êtes en train de regarder le reflet du soleil sur une feuille dans une forêt silencieuse, ou encore il peut vous surprendre lorsque vous êtes à fixer un feu de circulation au coin d'une rue animée.

Notre langue offre toute une variété de mots pour décrire ces moments de conscience inhabituelle, des mots comme **prémonition, inspiration, intuition** et **illumination**, qui se réfèrent chacun à un aspect différent de la nature de l'expérience. Nous vivons ces moments extraordinaires selon différents degrés de crédibilité, selon ce que nous croyons possible, ou du moins selon ce que notre société nous a appris à considérer comme possible (ou ce qu'elle pense devoir être possible).

Nous pouvons voir les conséquences de ces expériences tout autour de nous, dans les prodiges de la science et de la mécanique qui contribuent pour une si large part à notre bien-être. Nous pouvons goûter l'expérience d'un tel moment préservé pour l'histoire en écoutant l'enregistrement d'une grande œuvre musicale ou encore en lisant un chef-d'œuvre littéraire. Nous pouvons retrouver le témoignage muet de la puissance de ces moments, étalée devant le monde entier, lorsque nous visitons n'importe quel musée.

Les membres de notre société que l'on désigne sous les noms d'**artistes**, d'**inventeurs**, de **génies**, de **visionnaires** ou autres, les grands penseurs créatifs, les grands créateurs ont à peu près tous fait l'expérience de ces états de «percée» intuitive profonde lorsqu'ils ont élaboré leurs théories scientifiques les plus valables, leurs œuvres les plus acclamées ou leurs visions sociales ou religieuses les plus révolutionnaires.

Dans leur cas, la partie cachée de leur esprit ne les a pas conduits à une porte grinçante ou à un mot oublié, mais à une idée assez puissante pour enrichir l'humanité ou modifier le cours de l'histoire.

Se pourrait-il que le grincement qui vous réveille au milieu de la nuit ait un rapport plus étroit qu'on ne l'avait pensé jusqu'à maintenant avec la mélodie qui envahit l'esprit du compositeur?

Les grandes percées intuitives qu'ont expérimentées Descartes et Mozart étaient-elles le résultat d'une capacité innée ou ceux-ci n'ont-ils pas plutôt **appris** d'une certaine manière à effectuer ces percées?

Cette espèce d'aptitude ou de talent est-elle rare et innée, l'apanage de quelques privilégiés qui en auraient reçu le don à la naissance? Et s'il en était ainsi, serait-elle le résultat d'une mutation due au hasard ou ferait-elle partie d'un bagage héréditaire?

Ne constituerait-elle pas plutôt des capacités innées que nous posséderions tous mais dont il nous manquerait uniquement la connaissance ou l'entraînement nécessaire pour en faire un usage adéquat, des capacités dont d'autres auraient appris à se servir avant nous et dont nous-mêmes pourrions apprendre à nous servir?

Lorsque nous vous raconterons l'histoire de gens qui ont vécu quelques-unes de ces expériences, vous constaterez que certains d'entre eux semblent avoir basculé accidentellement dans ces moments extraordinaires, sans les avoir recherchés de façon intentionnelle ou consciente. D'autres, par contre, semblent avoir appris à «invoquer les muses» de façon consciente en suivant certaines étapes qui déclenchent ces percées de l'intuition.

Beaucoup de ces personnes ont perçu le caractère extraordinaire de ces expériences et en ont consigné la description pour la postérité, dans leur journal, dans des lettres, dans des comptes rendus ou dans leur autobiographie. À partir de leurs récits, un modèle commence à prendre forme, un modèle que d'autres explorateurs de la faculté créatrice avaient déjà remarqué, dont, parmi les plus en vue, le mathématicien Poincaré vers la fin du XIXe siècle et le psychologue Graham Wallas, au début du XXe. Ce modèle est d'autant plus frappant aujourd'hui qu'il émerge à nouveau, mais cette fois, dans un domaine qui semble plus éloigné, celui de la recherche contemporaine sur la conscience.

Malgré des différences individuelles marquées, il semble y avoir, dans tous ces comptes rendus, quelque chose qui parle d'une **aptitude** aux percées créatrices, une capacité qui n'aurait rien à voir avec le talent, la sphère d'activités ou les circonstances.

Le phénomène de la percée créatrice

Tous ces rapports anecdotiques ont en commun un éventail d'états ou d'expériences favorisant cette percée.

Lorsque nous avons étudié l'histoire individuelle des savants, nous avons constaté, à notre grande surprise, que non seulement un grand nombre de découvertes scientifiques précises mais aussi les bases mêmes de la science reposaient sur des expériences de percée qui, plus tard, ont été corroborées par une recherche empirique. Il est assez ironique de constater que la science, cette institution qui a le plus vigoureusement stigmatisé ce genre d'expériences, les traitant de rêveries diurnes, d'illusions ou d'hallucinations, soit elle-même née à partir d'un état semblable, en un éclair, dans le délire fiévreux d'un individu qui ne pouvait résoudre un problème avec la partie consciente de son esprit.

La puissance physique de la science et de la technologie est le meilleur exemple de la façon dont la culture industrielle occidentale s'est servi de l'esprit rationnel pour accomplir des exploits stupéfiants. Mais nous obtenons une nouvelle perspective sur l'irrationnel lorsque nous apprenons que les plus grandes intuitions scientifiques, les plus importantes découvertes et les inventions les plus révolutionnaires se sont imposées à leurs créateurs sous forme de rêves, de fantaisies, de transes, d'éclairs d'intuition et d'autres états non ordinaires de conscience.

Ces bonds de créativité se sont produits à maintes reprises dans divers domaines scientifiques et dans différentes circonstances. Cependant, des biologistes, des chimistes, des physiciens et des mathématiciens qui tentaient d'élargir les frontières du savoir humain ont tous rapporté des expériences similaires pendant lesquelles la «conscience cachée» avait illuminé de sa réponse l'esprit rationnel conscient, réponse que celui-ci s'était acharné à chercher sans succès pendant des semaines et des mois.

La grande histoire, celle de l'évolution et de la révolution de la science, est constituée d'événements précis qui se sont manifestés dans l'esprit de personnages historiques. On nous enseigne les lois, les équations et les formules qui ont émergé de l'intuition de ces personnes. Mais, jusqu'à présent, les livres d'histoire ont mis l'accent sur les résultats de ces événements psychiques, passant habituellement sous silence l'histoire intérieure de ces états spéciaux de conscience qui ont amené lesdits résultats.

Non seulement des scientifiques, mais aussi des poètes, des peintres et des compositeurs ont fait part d'expériences fondamentalement semblables, quoique se présentant sous des formes variées. Mais des générations d'historiens n'ont tenu aucun compte de quelques-uns des événements qui pourraient bien s'avérer les plus importants de l'histoire. En effectuant la recherche que nécessitait le présent ouvrage, nous nous sommes rendu compte qu'il existait vraiment une «histoire secrète de l'inspiration», quoique, en toute honnêteté, elle soit plus méconnue que cachée. La société occidentale en général et la science en particulier ont toujours rejeté, refusé d'admettre ou passé sous silence l'importance de ces états d'esprit extraordinaires, laissant aux génies le soin de se préoccuper du génie. Mais n'importe qui peut lire les documents de base et y discerner la vérité. Un après-midi passé dans une bibliothèque publique, même modeste, permettra à quiconque s'intéresse à ce sujet fascinant de recueillir d'abondants renseignements. Vous n'avez qu'à choisir un personnage de génie ou encore un domaine où s'est manifesté le génie et vous lisez ensuite les biographies ou autobiographies se rapportant à ce personnage ou à ce domaine et vous y trouverez le passage révélateur.

Le génie

Dans le nom même que nous utilisons pour désigner ces passeurs de frontières se trouve quelque chose qui les distingue de nous et qui dissimule la croyance profonde que nous entretenons sur l'origine de leur capacité. Nous les appelons des génies et nous nous en tenons là. Même si nous savourons le plaisir ou la vision profonde que nous procurent leurs peintures ou leurs œuvres musicales, nous ne prenons pas souvent la peine de nous demander quel était l'état d'esprit de ces êtres exceptionnels lorsqu'ils eurent leurs éclairs de génie.

Nous sommes peut-être devant l'indice le plus important du puzzle que représente le potentiel créateur humain. Notre langue est elle-même le mécanisme d'encodage par excellence lorsqu'il s'agit de préserver certains sens des mots en dépit d'un changement dans les valeurs culturelles. Le mot **génie**, qu'on utilise aujourd'hui, contient par exemple certaines résonances de son sens le plus ancien[*]. En effet, selon l'acception ancienne, un génie est un esprit mythique aux pouvoirs magiques; quelquefois bienfaisant, il peut accorder des faveurs miraculeuses aux mortels en certaines circonstances spéciales. Ce sens a été perpétué dans le langage à travers de nombreuses générations; les gens ont toujours cru que certains individus particulièrement doués devaient avoir l'aide d'un génie.

Cette interprétation du monde place le génie en dehors de la portée des gens ordinaires, même les plus talentueux. Après tout, nous n'avons pas tous l'occasion de rencontrer un vrai génie.

Une autre interprétation serait-elle possible? Encore une fois, la langue nous donne des indices. On peut interpréter l'**intuition** comme une «connaissance de l'intérieur»; littéralement, **inspiration** veut dire «souffle intérieur». Un groupe de mots de la même famille, incluant **connaissance**, **gnose** et **ignorer**, suggère un contraste actif et subtil entre connaître quelque chose et l'ignorer: on prête attention à une chose dans le but de la connaître, ce qui est le contraire de l'ignorer.

Un autre mot, *insight* (littéralement, vision intérieure), est aussi un exemple de l'«inconscient étymologique» qui semble reconnaître un lien entre l'attention et la compréhension. En cultivant l'intuition, c'est-

---

[*] En anglais, l'homme de génie est un *genius* alors que l'être mythique est un *genie*.

à-dire en regardant ce qu'il y a dans notre esprit, pourrons-nous y gagner en intuitions, c'est-à-dire en compréhensions nouvelles et utiles?

Ce que nous appelons génie a peut-être quelque chose à voir avec un état de conscience appris, une manière de prêter attention au déroulement de l'expérience mentale. Peut-être serions-nous beaucoup plus nombreux à entendre des mélodies intérieures, à trouver conseils et inspiration, à réussir des percées intuitives si seulement nous prêtions plus d'attention aux images fugitives et aux intuitions discrètes que nous offre l'esprit créateur.

Dans *The Journal of Creative Behavior*, John Curtis Gowan, qui fait de la recherche sur la créativité, attire notre attention sur le fait suivant: «Lorsque Michel-Ange réalisa la Chapelle Sixtine, il peignit les grands prophètes et les petits prophètes. On peut les différencier car, bien qu'ils aient tous des chérubins qui leur parlent à l'oreille, seuls les grands prophètes **écoutent**. Voici donc, énoncée de façon très précise, la différence entre le génie et le talent[1].»

L'affirmation de Gowan, vue sous cet angle signifie que les scientifiques et les artistes ne sont pas les seuls à avoir appris le secret de l'écoute intérieure. Il semble aussi, lorsqu'on compare leurs comptes rendus, que les fondateurs et les prophètes des grandes religions du monde aient puisé leur inspiration à la même source. Leur perception profonde (*insight*) des questions d'ordre spirituel, métaphysique et cosmologique produisit dans le monde des transformations et des effets tout aussi bouleversants que ceux des artistes et des scientifiques.

Le rôle qu'a joué cette écoute intérieure dans l'histoire de notre culture a été, dans une large mesure, méconnu ou écarté et, curieusement, la science moderne n'a pas trouvé grand-chose à dire à propos de ce phénomène d'une importance sans pareille.

Le processeur d'idées inconscientes

La représentation des prophètes de Michel-Ange comme les paroles provenant d'autres visionnaires des arts et des sciences soulèvent une question évidente: si les gens qui vivent des états de percée intuitive profonde sont tous à l'écoute, de quoi sont-ils donc à l'écoute? Quelle que soit cette «autre partie de l'esprit», y aurait-il une façon par laquelle nous pourrions, nous aussi, tous apprendre à nous mettre à son écoute et à l'entendre?

Toutes sortes de personnes de milieux variés ont vécu leurs propres expériences de percée intuitive et elles ont fait leurs propres découvertes intérieures, mais toutes ont eu beaucoup de mal à décrire la clé dont elles se servaient pour ouvrir la porte à ces intuitions. L'«écoute intérieure» est l'expression qu'elles utilisent le plus souvent et, dans de nombreuses expériences, le message semble même provenir d'une voix audible, (la capacité d'«entendre» le discours de «l'autre soi»). Il se pourrait bien que l'écoute intérieure soit cette capacité qui sommeille en chacun de nous, attendant qu'on la réveille.

Certaines métaphores suggèrent de capter l'imagination créatrice comme une «source qui coule», une «rivière souterraine» ou un «puits d'inspiration». D'autres ont parlé d'«ouvrir la porte de l'esprit». D'autres encore ont insisté sur le sentiment d'illumination intérieure ou de vision intérieure, *insight*, parlant d'un «éclair d'intuition». Une des métaphores les plus populaires des dernières années est celle du «channel», qu'il provienne de l'«inconscient créateur» à l'intérieur de la psyché ou d'une source extérieure quelconque, divine ou autre.

Une métaphore plus contemporaine, tirée de la terminologie de l'informatique, compare l'esprit inconscient à un processeur d'idées et d'images. Comme avec l'ordinateur, une partie de l'opération est automatique, elle se produit en dehors de l'«écran» de notre conscience superficielle. Mais, comme avec l'ordinateur, on peut reprogrammer ce processeur ou en corriger les erreurs afin qu'il nous rende de meilleurs services en nous permettant de résoudre des problèmes différents, plus difficiles que jamais. Certaines de ces méthodes de reprogrammation, qui proviennent aussi bien des diverses disciplines spirituelles traditionnelles du monde entier que de la psychologie et de la psychothérapie, seront discutées plus à fond au chapitre IV, dans ce qu'on appellera la «trousse à outils de la percée intuitive personnelle».

Que l'esprit inconscient joue un rôle primordial dans la créativité humaine n'est pas une idée particulièrement nouvelle. De nos jours, cependant, et ce pour la première fois de l'histoire, l'accès au pont qui relie les compartiments du soi devient possible pour quiconque désire le trouver. Des découvertes scientifiques récentes sur la nature de l'inconscient – et d'autres connaissances moins récentes qui ont commencé à refaire surface – démontrent une certaine compréhension de la manière dont nous pouvons tous apprendre à utiliser plus efficacement notre processeur d'idées inconscient.

L'inconscient: mine d'or ou dépotoir?

Dans le domaine des sciences psychologiques, peu de théories sont aussi bien établies que la découverte, ou plus exactement la redécouverte que seule une infime partie de l'activité mentale totale se déroule dans la partie consciente de l'esprit alors qu'une vaste portion s'effectue quelque part dans l'inconscient. Cette portion est occupée jour et nuit à faire le traitement continuel de différentes idées, images et sensations.

Une partie de cette activité hors du conscient se trouve, pourrait-on dire, dans l'«inconscient profond», et nous n'en prenons conscience que par déduction. Une autre partie, par contre, est partiellement accessible à la perception consciente dans certaines conditions et cet accès peut être facilité par l'attention portée aux sentiments et aux émotions, par l'imagerie visuelle ou encore par le rêve, la méditation, l'entraînement au *biofeedback*, etc.

Une majorité d'entre nous ne s'est pas encore rendu compte qu'il existait des moyens efficaces de prendre contact avec les parties constituantes de notre inconscient, ainsi que des méthodes qui supprimaient les blocages et révélaient les potentiels. Elles ne nécessitent ni intervention professionnelle ni vie consacrée à la méditation dans des positions corporelles étranges et inconfortables. Même ceux qui ne doutent ni de l'existence de cette autre partie de l'esprit ni de l'efficacité des techniques utilisées pour prendre contact avec elle vivent et pensent comme d'habitude, sans prendre au sérieux les conséquences de telles constatations.

Il semble y avoir quelque chose de presque «inconscient» dans la façon qu'ont la plupart des gens d'ignorer l'existence de leur inconscient. Pour la majorité d'entre eux, le mot **inconscient**, lorsqu'il est utilisé en tant que nom, suggère une région où sont cachés toutes sortes de souvenirs et de désirs qu'ils ont rejetés ou qu'ils refusent d'admettre. Notre culture ne nous a jamais encouragés à penser au côté créatif de notre inconscient, et ce parti pris se trouve reflété par la pensée scientifique.

L'un des premiers et des plus importants conflits à survenir dans l'histoire de la recherche sur la conscience humaine a opposé deux concepts de l'inconscient soutenus par deux personnages que nous pouvons identifier, au risque de trop simplifier, à Sigmund Freud et à son contemporain, beaucoup moins connu, Frederic W.H. Myers.

Freud a fondé ses théories de l'inconscient sur ses années d'observation du processus psychanalytique. Les gens qui lui fournissaient la substance de ses théories étaient ou bien névrosés ou bien psychotiques. Par conséquent, le concept freudien fut très fortement influencé par ses origines, issu qu'il était de l'étude de la psychopathologie. Ce point de vue mettait en évidence le rôle négatif de l'inconscient, son rôle **inhibiteur** quant au plein épanouissement du potentiel individuel. Selon

Freud, l'inconscient était rempli d'horribles souvenirs et de pensées refoulées qu'une espèce de censeur intérieur dissimulait à la perception consciente[2].

Myers, pour sa part, avait fait ses humanités à Cambridge. Le concept qu'il avait de l'inconscient insistait plutôt sur le rôle de celui-ci en tant que source de l'intuition et de la créativité. Ainsi qu'il le disait lui-même, on peut considérer l'inconscient soit «comme une mine d'or soit comme un dépotoir». Selon Myers, la source de tous les trésors culturels les plus prisés par notre civilisation – l'art, la religion, l'invention – s'y trouve aussi[3].

Dans un livre écrit en 1903 et intitulé *Human Personality and Its Survival of Bodily Death**, Myers dressait une carte audacieuse d'une vaste région que la science n'avait encore que très peu explorée. Elle englobait des domaines comme l'étude des processus inconscients, le sommeil et les rêves, l'hypnose, la créativité et l'inspiration, les phénomènes psychiques et des témoignages de survie de la personnalité après la mort physique. William James, le père de la psychologie aux États-Unis, tenait le travail de Myers en très haute estime et il était «enclin à penser que Frederic Myers serait toujours considéré, en psychologie, comme le pionnier qui aura délimité de vastes zones des régions mentales sauvages et qui y aura planté le drapeau de la science authentique». Mais l'histoire en décida autrement.

Le concept de l'inconscient en tant qu'élément plutôt répugnant de la nature humaine et comme source fréquente de maladie et de terreur, s'harmonisait mieux avec les idées du XIXe siècle, celles de la faiblesse et des limites humaines. Vienne l'emporta sur Cambridge. Le concept du «dépotoir» associé à cet autre côté du conscient remporta la bataille de l'opinion publique et scientifique, du moins pour un certain temps. À partir de ce moment, et durant presque tout le siècle dernier, la majorité des chercheurs orthodoxes étudièrent la créativité d'abord et avant tout pour connaître ses liens avec la psychose et la névrose.

Avec le temps, cependant, certaines des subdivisions relevées par Myers attirèrent l'attention de la science: les processus inconscients, l'hypnose, la recherche sur le sommeil et le rêve sont du nombre. D'autres, par contre, sont demeurées des sujets tabous même jusqu'à tout récemment. L'affirmation de la continuation de l'existence après

---

* Traduction littérale: La personnalité humaine et sa survie après la mort du corps. (N.d.T.)

la mort, telle que suggérée par le titre de son livre, était plutôt gênante pour les psychologues du temps, eux qui se battaient pour que leur sphère d'activités obtienne la légitimité scientifique.

Il est probable qu'à long terme, les deux écoles auront eu raison, car elles auront décrit chacune un aspect différent d'un même phénomène. Il arrive très souvent dans les débuts d'une science que des chercheurs s'emparent chacun d'un aspect différent d'un même problème et qu'ils se disputent ensuite en vain pour savoir lequel a la «bonne» approche. Pour ce qui est de l'inconscient, la métaphore du «dépotoir» est-elle la meilleure ou est-ce celle de la «mine d'or» qui est la plus proche de la vérité? Le problème se situe probablement dans la question, non dans l'absence de réponse.

Pendant tout le XIXe siècle et au début du XXe, par exemple, les physiciens discutaient avec acharnement sur le sens de certaines expériences et théories relatives à la nature de la lumière. Une école détenait les équations et les arguments démontrant que la lumière était essentiellement une particule, c'est-à-dire un objet bien déterminé occupant un lieu précis dans l'espace. Une autre école de physiciens qui, de toute évidence, étaient en conflit direct avec leurs collègues prônant la théorie des particules, avait en main, pour sa part, toutes les équations et tous les arguments prouvant que la lumière était essentiellement un phénomène ondulatoire non localisé dans l'espace, mais se propageant indéfiniment comme des vaguelettes sur un étang.

Ce qu'il y avait de particulier dans ce débat, c'est que des deux côtés, on pouvait se baser sur des calculs mathématiques solides et faire part d'expériences et d'observations que l'autre ne pouvait expliquer, et que, par ailleurs, ni l'un ni l'autre ne pouvait trouver d'arguments pour réfuter le point de vue opposé. C'est le physicien danois Niels Bohr qui résolut le problème lorsqu'il élabora le principe de complémentarité et ce fut l'une des premières fois où l'on reconnut que la réalité est beaucoup trop complexe pour être représentée par un modèle ou même par un paradigme unique, quel qu'il soit[4].

En physique, la complémentarité signifie que ni la théorie des particules ni la théorie des ondes ne peut expliquer, à elle seule, la lumière. En fait, la lumière est en même temps une onde et une particule et elle possède des caractéristiques des deux éléments; le modèle corpusculaire ne contredit pas le modèle ondulatoire, il en est complémentaire.

Cette fameuse querelle scientifique et son dénouement inopiné se sont déroulés il y a plus d'un demi-siècle. Ce n'est que tout récemment que les chercheurs du domaine de la conscience ont commencé à se sentir à l'aise face à la complémentarité des points de vue de Freud et de Myers qui apportent chacun une contribution unique à la compréhension plus globale des mystères de notre esprit.

Ainsi, la conscience cachée semble avoir de nombreux aspects. Et c'est dans le rapport entre ces différents aspects que réside la clé d'un développement psychospirituel plus élevé. Alors que d'un côté, la «conscience cachée» semble dissimuler à l'esprit conscient certaines informations (des données ou des souvenirs qu'il a jugés menaçants ou désagréables), d'un autre côté, sous l'aspect de l'intuition profonde, il semble connaître la voie vers l'évolution et la croissance salutaires et guider tout doucement l'individu dans cette direction. À moins de réussir à aligner les différentes parties de son être vers un but unique (ce qui produit un état d'intégration ou une «personne d'intégrité»), cette nature divisée peut facilement devenir un milieu de culture propice à l'éclosion du genre de conflits intérieurs qui s'éveillaient sur le fameux divan de Freud. La réunification et l'alignement des morceaux constituent la meilleure préparation qui soit afin que se produisent des percées intuitives personnelles profondes.

Moissonner la créativité

S'il y a une leçon à tirer de tous les événements qui ont bouleversé le monde depuis les cinquante dernières années, c'est celle-ci: une connaissance scientifique nouvelle, détenue par une ou deux personnes, peut rapidement devenir un sujet d'inquiétude à la grandeur de la planète. Il y a un demi-siècle, un petit groupe de physiciens a fouillé les secrets du noyau atomique, avec les conséquences désastreuses que nous connaissons tous. Deux siècles plus tôt, une nouvelle façon de penser, appelée la «méthode scientifique», a permis de construire le monde dans lequel nous vivons aujourd'hui.

Selon toute apparence, nous serions actuellement au beau milieu d'une autre transformation de notre façon de penser. Mais, cette fois-ci, il n'est plus question de la forme de la Terre ou de l'énergie au cœur de l'atome. Il s'agirait plutôt de l'énigme la plus étonnante de toutes: la source du pouvoir créateur de l'être humain. Étant donné que ce nouveau domaine de la connaissance est intimement lié à toutes nos croyances concernant nos capacités et nos limites, les changements qu'il entraînera dans notre vie personnelle et dans la société en général déboucheront peut-être sur des méthodes scientifiques efficaces pour exploiter les expériences de percée intuitive.

Le changement en cours s'effectue beaucoup plus rapidement que les transformations précédentes, qui se produisaient à l'intérieur d'un système. Il a fallu des dizaines de milliers d'années pour que les chasseurs et les cueilleurs cessent de vagabonder et se mettent à l'agriculture. La révolution industrielle s'est étendue sur une demi-douzaine de générations et elle a modifié de fond en comble dix millénaires de civilisation agricole. Le plus récent de ces changements majeurs deviendra manifeste pour tous dans moins d'une génération.

Des chercheurs de divers domaines – psychiatres, neuroscientifiques, psychologues, sociologues, anthropologues, informaticiens, éducateurs et même physiciens quantiques – sont en train de brosser un nouveau portrait des possibilités, des motivations et des inhibitions humaines. Les contours du tableau sont encore flous; les grandes théories unificatrices font défaut et les données expérimentales sont encore fragmentaires sur bien des points. Mais les morceaux s'ajustent de plus en plus souvent les uns aux autres et la recherche préliminaire indique déjà les changements radicaux que nous devons apporter dans nos croyances actuelles concernant les limites de la capacité créatrice des humains.

Les personnages qui ont contribué à la convergence de ce savoir étaient des scientifiques et des mystiques, des thérapeutes et des yogis, des chamans et des historiens, aussi bien que certains des plus grands esprits créateurs de toute l'histoire; ceux qui en tireront profit cependant seront probablement, en grande majorité, des gens ordinaires et non des scientifiques à plein temps, ni des mystiques ni des artistes inspirés. Les bénéficiaires ultimes de cette moisson de créativité seront des hommes d'affaires, des comptables, des femmes ou des hommes au foyer et des écoliers.

Notre seule intention est de révéler certaines constatations et de suggérer certaines expériences pour montrer au lecteur à quel point les sciences de l'inconscient, même à leur stade embryonnaire actuel, peuvent contribuer à trouver des solutions à tous les genres de problèmes rencontrés actuellement dans nos vies. Lorsque nous connaîtrons toutes les ficelles du métier de la créativité, privilège jadis réservé aux génies, nos efforts collectifs et nos percées créatrices produiront peut-être un chef-d'œuvre qui ne sera ni un théorème ni une peinture, mais une nouvelle façon de vivre.

John C. Gowan, un visionnaire ayant saisi les effets de la recherche sur la créativité, en a révélé tout le potentiel de la façon éloquente et succincte que voici:

Il y a environ 9 000 ans, l'homme préhistorique fut catapulté dans l'histoire à la suite d'une découverte sociale étonnante. Jusque-là, des tribus nomades avaient erré en petites bandes. [...] à la recherche de gibier, cueillant des légumes et des fruits sauvages. Quelqu'un s'aperçut alors que si l'on domestiquait les animaux et les plantes, on aurait toujours une réserve de nourriture à portée de main. [...] C'est ainsi que naquirent l'agriculture et la civilisation. [...] Heureusement, nous sommes à deux pas d'une autre découverte capitale qui aura un effet encore plus grand sur notre ascension culturelle et personnelle.

Jusqu'à présent, nous avons récolté la créativité sauvage. Nous avons utilisé comme créatrices les seules personnes qui s'étaient entêtées à le rester malgré tous les efforts déployés par la famille, la religion, l'éducation et la politique pour les écraser. Au cours de cette campagne, des hommes et des femmes ont été punis, flagellés, réduits au silence, emprisonnés, torturés, frappés d'ostracisme et mis à mort. [...]

Si nous apprenons à domestiquer la créativité – c'est-à-dire à la mettre en valeur plutôt qu'à la nier, dans notre culture –, nous pourrons multiplier par quatre approximativement le nombre de personnes créatives parmi nous. Ainsi, nous ferions passer le nombre et le pourcentage de ces individus au-dessus du point de la «masse critique». Une fois que ce niveau est atteint dans une culture, comme ce fut le cas dans l'Athènes de Périclès. [...] et comme ce le fut lors de notre propre période fédéraliste*, il se produit une montée en flèche de la créativité, et la civilisation fait un grand bond en avant. [...] Nous pourrions vivre un âge d'or tel que le monde n'en a jamais connu, et je suis convaincu qu'il surviendra dès le début du XXIe siècle. Mais nous devons commencer les préparatifs dès aujourd'hui, car c'est notre propre société que nous sauverons[5].

Supposons que l'on puisse utiliser les outils de la science occidentale et la sagesse de l'Orient pour «moissonner la créativité» partout par le monde et que la technologie de la «percée créatrice» soit accessible

---

* Période pendant laquelle les États-unis furent dirigés par le parti fédéral (1787-1830) qui avait élaboré et fait adopter la Constitution américaine. (N.d.T.)

à tout un chacun. Pensez à ce que serait votre vie, et l'état du monde en général, s'il était vrai que:

1. La capacité de faire des percées intuitives essentielles n'est pas donnée aux seuls génies; elle est en partie une technique apprise.

2. L'inspiration profonde n'est pas réservée strictement aux artistes, elle peut devenir une dimension importante de la vie de toute personne.

3. Le pouvoir de l'intuition profonde peut devenir source de conseils à la portée des gens comme des sociétés.

4. Chacun de nous a la capacité de devenir beaucoup plus que ce qu'il croit possible, à condition d'arrêter de croire le contraire.

Toute technologie nouvelle, cependant, qu'elle soit psychologique ou physique, est une arme à double tranchant. Si vraiment nous pouvions apprendre à cultiver les percées intuitives et à augmenter notre créativité, en la multipliant par dix, par cent ou par mille, nous pourrions incontestablement résoudre la plupart de nos problèmes les plus urgents, y compris celui de la baisse de productivité et d'inventivité de notre industrie. Mais la créativité et les percées intuitives peuvent être exploitées à des fins destructives aussi bien que constructives, ainsi qu'en témoignent les conflits et les carnages du siècle présent.

Quelquefois, en dépit des intentions tout à fait louables qui ont présidé à la réalisation d'une idée, les résultats pouvaient s'avérer contraires aux intentions de départ. Certaines initiatives dont le but avoué était le bien de la société – diverses utopies, l'industrialisation, la prohibition, l'énergie nucléaire, les principes moraux puritains – sont passées à l'histoire comme ayant eu des résultats plutôt négatifs.

Par ailleurs, certaines découvertes fracassantes qui, à long terme, ont eu une grande portée sociale, n'étaient souvent dues, à l'origine, qu'à des motivations d'intérêt personnel ou à des ferments de guerre; l'histoire nous révèle même que certaines des découvertes passées, parmi les plus bénéfiques, furent considérées par leurs contemporains comme destructives et mauvaises pour la société.

Il n'y a qu'une règle qui soit sûre: plus une percée – qu'elle soit dans le domaine des idées, de l'art ou des découvertes scientifiques – est nouvelle, originale ou profonde, plus on la percevra d'abord comme fausse, nuisible ou tout simplement ridicule.

Mais il existe des critères que nous pouvons appliquer à l'évaluation des produits, ou des produits potentiels, de la créativité. Dans *Le développement de la personne*, Carl Rogers nous présente une série de conditions intérieures et extérieures qui doivent être présentes pour garantir que les inspirations créatrices seront constructives et non destructives.

> *Dans la mesure où l'individu refuse à sa conscience l'accès à de larges domaines de son expérience, ses formations créatrices pourront être pathologiques ou socialement mauvaises, ou les deux. Dans la mesure où il est ouvert à tous les aspects de son expérience et où il rend accessibles à sa conscience les différentes sensations et perceptions qui ont lieu dans son organisme, les nouveaux produits de son interaction avec son environnement auront alors tendance à être constructifs, à la fois pour lui-même et pour les autres[6].*

Quelles sont les conditions relatives à une créativité constructive? Rogers en dénombre trois «intérieures» et deux «extérieures». Les conditions intérieures sont:

1. **L'ouverture à l'expérience: l'expansion.** Cette attitude est à l'opposé de l'attitude défensive, du manque de flexibilité et des frontières rigides dans les concepts, les croyances, les perceptions et les hypothèses. L'ouverture à l'expérience exige une tolérance face à l'ambiguïté, là où elle existe, et la capacité de recevoir beaucoup d'informations conflictuelles sans fermer la porte par un «Je suis d'accord», ou «Je ne suis pas d'accord», un «Je crois», ou «Je ne crois pas», ou encore «Ça ne peut pas être vrai» ou «La science dit que...»

2. **Un centre d'évaluation intérieur.** L'individu créatif établit la valeur de sa création non pas à partir des critiques ou des louanges des autres, mais selon sa propre estimation. Cela ne veut pas dire que l'individu soit indifférent face au jugement des autres ou qu'il refuse de le voir. Mais il considère que l'évaluation finale de sa création est reliée à la réaction et à l'appréciation qu'exprime son propre organisme. Elle est bonne lorsqu'il la «sent» satisfaisante et authentique.

3. **L'aptitude à jouer avec les éléments et les concepts.** Il s'agit ici de l'aptitude à jouer de façon spontanée avec les idées, les couleurs et les formes, les relations, à jongler avec des éléments pour créer des juxtapositions impossibles, à formuler des hypothèses extravagantes, à trouver douteux ce qui est bien déterminé, à exprimer le ridicule, à faire passer des idées et des principes d'une forme à une autre, à transformer des contraires en équivalents improbables mais logiques. C'est à partir de ce jeu, de cette exploration spontanée que surgit inévitablement un pressentiment, une nouvelle vision de la vie, créative et plausible.

Voilà les trois conditions que nous devons avoir présentes à l'esprit si nous voulons que notre soif de créer et que nos percées intuitives surgissent de nos élans constructifs et poursuivent des buts constructifs.

Cependant, ainsi que l'ont fait remarquer nombre de sages à travers les siècles, nous n'habitons pas dans le vide. Malgré toutes nos bonnes intentions, nous rejetons jusqu'à un certain point ce que nous absorbons. Si nous nous trouvons dans un environnement destructeur, nous absorberons inévitablement une certaine quantité de cet élément négatif et il nous sera difficile de l'empêcher d'influer par sa couleur sur la production de nos processus créateurs.

Donc, pour stimuler la créativité constructive, nous devons aussi tenter de réunir certaines conditions extérieures, aussi importantes que les conditions intérieures. Rogers les décrit ainsi:

1. **La sécurité psychologique.** Celle-ci existe dans un environnement où la valeur de la personne est admise inconditionnellement, où l'évaluation extérieure est inexistante (où personne ne critique) et où l'entourage manifeste une compréhension «empathique» de la personne.

2. **La liberté psychologique.** On encourage la créativité lorsqu'on permet à l'individu une totale liberté d'expression symbolique, c'est-à-dire la liberté de penser, de sentir et d'être selon ce qui constitue sa vérité propre. On ne doit pas confondre cette liberté avec la permissivité qui, elle, est molle et indulgente; il s'agit ici de la permission d'être libre, qui est aussi la permission d'être responsable. C'est la permission d'avoir peur, d'avoir tort, de se sentir confus.

Mais il y a un piège. De telles conditions ne doivent pas se retrouver seulement dans l'environnement physique immédiat de la personne ni même dans son cercle social ou professionnel. Elles doivent aussi faire partie de son environnement culturel et politique. Dans la mesure où une personne qui se crée de telles conditions stimule les aspects constructifs de percées intuitives personnelles, ainsi une culture qui crée les mêmes conditions favorise les manifestations, en son sein, des aspects bénéfiques de ces percées.

Exactement à l'inverse, une culture qui susciterait et favoriserait des conditions contraires accentuerait le potentiel négatif, dangereux et destructeur de ses ressources créatives, ce qui nous ramène du conscient et de la créativité aux considérations sociales et politiques, et ce qui démontre une fois de plus, ainsi que nous l'avions observé dans l'introduction, l'étroite corrélation entre les deux.

Chapitre II

ÉCLAIRS DE GÉNIE ET ILLUMINATIONS

L'HISTOIRE CACHÉE DE LA CRÉATIVITÉ

Tout à côté des niveaux subconscient (ou inconscient) et conscient de la personnalité humaine, il y a une troisième couche – le supraconscient – dont la notoriété va croissante. Ce n'est pas l'énergie du subconscient (ou de l'inconscient) mais celle du supraconscient que l'on commence à considérer comme la source véritable de toutes les grandes créations, découvertes et inventions humaines, dans tous les champs de la culture: science, philosophie, droit, éthique, beaux-arts, technologie, politique et économie... Les phénomènes que sont la perception extrasensorielle, la psychokinésie, les expériences religieuses supraconscientes des grands mystiques, la prescience, les prodiges effectués par les jeunes génies en mathématiques ou en calcul arithmétique, le samadhi du yogi, le satori des bouddhistes zen, l'intuition cognitive et créative, tous ces phénomènes ne sont ni subconscients ni inconscients, mais supraconscients et, comme tels, ils ne peuvent être réduits aux formes inférieures d'énergie que sont l'énergie vitale et l'énergie mentale.

Pitirim A. Sorokin, Psychic Source Book

Parallèlement à l'histoire officielle du progrès culturel scientifique et technologique que nous apprenons à l'école, il existe une autre version moins bien connue, une histoire cachée – plus étouffée que dissimulée d'ailleurs – dont les témoignages, eux, ne sont pas cachés. Bien entendu, il est plus facile de trouver des livres qui traitent de la philosophie cartésienne, de la biologie moléculaire ou de la fabrication des machines à coudre que d'en trouver qui parlent des rêves de Descartes, du serpent de Kekule ou du cauchemar d'Elias Howe. L'information existe, toutefois, pour quiconque se donne la peine de la chercher.

Dans leur autobiographie et dans leurs notes personnelles, nombre d'artistes et de créateurs de génie ont identifié une ou deux intuitions particulières qui différaient des moments ordinaires d'inspiration d'une «journée de travail normale». Dans notre culture, nous portons attention aux produits et aux objets qui résultent de ces percées intuitives mais nous faisons la sourde oreille devant les supplications souvent passionnées de ces génies qui auraient aimé qu'on examine plus attentivement ces moments spéciaux de leur vie pendant lesquels ils ont été «plus conscients» que d'habitude.

Il y a un siècle ou deux, ou même il y a une décennie ou deux, on se faisait, dans la population ordinaire, une représentation évidemment très négative de ce que pouvaient représenter ces événements psychiques extraordinaires, et on les croyait le résultat de la sorcellerie ou de l'hallucination. De plus, devant la possibilité de décider de subir soi-même une telle épreuve, la répulsion était généralisée. On était disposé à croire en ces créations les plus importantes de la vie, du fondement scientifique des appareils ménagers aux paroles des Écritures, mais on ne voulait rien entendre de la part des créateurs de ces œuvres.

Une partie de ce que le présent livre voudrait transmettre consiste en une explication plus complète du phénomène suivant, à savoir pourquoi les personnes qui ont fait l'expérience de ces «percées intuitives» accordaient-elles tant de valeur à l'étude de cet état? Devant ces expériences, notre culture adopte des attitudes paradoxales qui s'expliquent par le fait que nos institutions les plus conservatrices, et qui sont dépositaires de nos valeurs soi-disant les plus précieuses – les sciences et les différentes religions organisées – sont à peu près toutes fondées sur les paroles de gens qui ont fait l'expérience de tels états et que des centaines de millions d'individus prennent très au sérieux. Mais la société dans son ensemble est portée à considérer ces expériences d'un œil réprobateur, les associant même à des motifs de diagnostic de maladie mentale.

Il est vrai que certaines des personnes qui font ces expériences donnent l'impression d'être folles, plongeant dans des rêveries qui ont l'air de transes, entendant des voix que personne n'entend, se levant d'un bond pour noter avec frénésie des rêves ou des hallucinations. Les compagnons du jeune Mozart savaient qu'il pouvait interrompre leurs jeux à tout moment et leur imposer le silence, pendant qu'il griffonnait les mélodies qui affluaient à son esprit; le grand mathématicien Ramanujan gardait un bloc-notes près de son lit afin d'y écrire les formules qu'il prétendait lui avoir été révélées dans ses rêves par la déesse de son village natal.

Ce qui nous intéresse, c'est de savoir ce qui distingue ces génies des esprits plus simples, et non pas de connaître l'opinion de leurs voisins sur leur comportement. En concentrant notre attention sur la différence qui existe entre leur façon de réfléchir sur le monde et la nôtre – celle par laquelle le commun des mortels perçoit la réalité – nous pourrions apprendre quelque chose sur la nature même du génie.

En examinant attentivement ce qu'ils ont rapporté de ces moments, nous pouvons discerner certains principes directeurs auxquels il est possible d'intégrer des données plus scientifiques concernant la conscience et la créativité et d'en faire ressortir un modèle d'ensemble que n'importe qui pourra mettre en pratique pour réussir des percées intuitives personnelles ou en augmenter la fréquence. Ultimement, nous voulons découvrir l'importance que représentent ces états spéciaux de conscience, pour notre civilisation et dans notre vie quotidienne.

Quiconque examine les comptes rendus que font certaines personnes de leurs percées intuitives les plus intenses trouvera à coup sûr ce que nous avons nous-mêmes trouvé, ainsi que d'autres chercheurs avant nous, à savoir que certains éléments sont présents dans chacun des récits et qu'ils forment un modèle que n'importe qui peut mettre en pratique pour réussir ses propres percées.

L'un des premiers paradigmes du processus créatif associé à ces caractéristiques a été élaboré en 1926 par l'écrivain britannique Graham Wallas, dans un livre intitulé *The Art of Thought* (L'Art de la pensée). Pendant trois quarts de siècle, quiconque cherchait à comprendre le processus créatif tombait tôt ou tard sur le paradigme de Wallas.

Selon Wallas, le processus créatif comprenait quatre étapes: la préparation, l'incubation, l'illumination et la vérification. Son distingué contemporain, John Curtis Gowan, lui-même chercheur dans le domaine de la créativité, discuta du paradigme de Wallas lorsqu'il étudia l'intuition créative:

> *Il entendait, par «incubation», toute technique de relaxation du processus cognitif conscient (hémisphère gauche) tels que, mais non exclusivement, les rêves, les rêveries diurnes, la fantaisie, l'hypnose, la méditation, la distraction, le jeu, etc., permettant au processus subliminal (hémisphère droit) de fonctionner. Il voyait la «préparation» (la discipline universitaire, les études) comme une condition nécessaire, et*

l'«incubation» (ou relaxation) comme une condition suffisante à l'émergence d'intuitions créatives[1].

Wallas formula son paradigme bien avant l'époque de l'ordinateur, mais sa théorie comportait des similitudes évidentes avec la métaphore plus moderne du processeur inconscient d'images et d'idées. Si Wallas avait vécu à l'ère de l'ordinateur, il aurait plutôt décrit son processus de la façon suivante: mode d'insertion des données (*input mode*, la préparation), mode de traitement (*processing mode*, l'incubation), mode de sortie (*output mode*, l'illumination), et mode de vérification.

Dans un article récent du *Los Angeles Times,* Kenneth Atchity, rédacteur de *Dreamworks*, fait valoir la pertinence d'une telle métaphore:

L'analogie avec l'ordinateur n'est pas exagérée. Ce sont les humains qui ont conçu l'ordinateur et il n'est pas étonnant que certains de ses mécanismes reflètent l'esprit de son créateur, encore mieux que n'aurait pu le prévoir le concepteur lui-même. Ceux qui connaissent bien l'interaction du travail avec l'ordinateur [...] en exploreront toutes les ramifications et en vérifieront la validité par rapport à leur expérience personnelle[2].

Le fait de parler du cerveau comme s'il s'agissait d'un ordinateur rend mal à l'aise certaines personnes, car elles considèrent cette comparaison déshumanisante. Par contre, elles ne voient rien de déshumanisant à parler du corps en utilisant des termes comme muscles, leviers ou nerfs lorsqu'il est question de découvrir des moyens d'utiliser et de développer ses capacités maximales dans le sport, la musique ou le théâtre; et elles ne trouvent pas non plus déshumanisant d'utiliser et de développer au maximum leurs capacités intellectuelles pour le travail ou pour le jeu et d'en attendre autant de la part de leurs enfants à l'école.

Personne ne semble éprouver de difficulté à penser à l'ordinateur en le comparant à un cerveau, et souvent, la véritable signification de cette analogie nous échappe. Les capacités de l'ordinateur sont censées être des répliques multipliées de celles que le cerveau possède déjà. Si nous ne possédions pas, de façon innée, les capacités d'additionner, d'enregistrer, de soustraire et d'évaluer des données, de projeter des possibilités et de définir des choix, nous ne pourrions aucunement savoir que de telles capacités existent et qu'il est possible de les intégrer à des ordinateurs. Étant donné que ces capacités font partie de notre patrimoine biologique et psychologique, aussi naturellement que les muscles ou l'intelligence, nous n'avons aucune raison d'hésiter à les utiliser.

En plus d'avoir un programme de mise en réserve des données, le cerveau a un programme de résolution des problèmes. Nous nous en servons souvent sur l'ordre du conscient, sans pour autant en être conscients. Autrement, nous ne pourrions additionner «deux et deux» et obtenir «quatre». Trouver les réponses à des opérations arithmétiques simples ne requiert pas de réflexion véritable; cela se fait spontanément lorsque le «programme» est activé par une partie intermédiaire de l'esprit, en dehors de notre perception consciente. Nous n'avons plus à nous arrêter constamment afin de refaire le calcul de façon consciente ou, plus fondamentalement, afin de réapprendre à résoudre des problèmes, ainsi que nous l'avons sûrement fait jadis, à un âge si précoce que nous ne nous souvenons plus ni de l'avoir déjà fait ni du fait que c'était en réalité un processus indépendant.

Cette aptitude de l'esprit à résoudre les problèmes, c'est, d'une certaine façon, ce que nous avons appelé le processeur d'idées inconscient. Mais à mesure que nous nous approcherons de l'extrémité supérieure du spectre de l'arc-en-ciel de la créativité, nous sentirons probablement le besoin de nous débarrasser de cette terminologie de même que d'un certain nombre de conceptions, préconceptions, croyances, définitions, idéaux et attitudes.

Aussi incroyable que cela puisse paraître, rien n'est plus simple. Tout ce que nous avons à faire consiste à programmer consciemment l'inconscient avec une information juste (*input*), et, telle une formule mathématique, l'information plus une période de traitement égaleront un résultat (*output*).

Bien sûr, nous ne prétendons pas que toute personne réussira une percée intuitive chaque fois qu'elle utilisera la technique ni que toute personne qui l'utilisera réalisera une telle percée; cependant, en nous fondant à la fois sur notre expérience personnelle et sur nos recherches, nous croyons que presque tous ceux qui suivront les étapes que nous énumérerons plus loin constateront une augmentation spectaculaire de ces expériences de percée au cours de leur vie. N'est-ce pas là une suggestion qu'il vaudrait la peine de considérer?

La plupart des gens pensent aux Brahms ou Beethoven comme à des êtres à l'«inspiration naturelle». Pourtant, ils se sont tous les deux donné la peine de signaler que certaines de leurs inspirations, qui avaient plus de valeur que les autres, semblaient provenir d'un endroit situé en dehors de ce qu'ils avaient l'habitude de considérer comme leur moi.

Les poètes ont toujours été particulièrement conscients du caractère fortuit de l'inspiration et ils ont souvent indiqué de quelle façon la muse pouvait venir sans avoir été invitée et qu'elle pouvait pratiquement leur dicter des vers, des passages ou des œuvres entières.

George Eliot confia à J. W. Cross que dans toutes ses œuvres qu'elle considérait comme les meilleures, quelque chose qui n'était «pas elle-même» prenait possession d'elle et elle sentait alors que sa personnalité propre n'était «pour ainsi dire que l'instrument par lequel cet esprit agissait». Et George Sand écrivit dans une lettre à un autre écrivain: «Le vent joue de ma vieille harpe et elle transcrit. [...] C'est l'«autre» qui chante comme il veut, bien ou mal, et quand j'essaie d'y penser, j'ai peur et je me dis que je ne suis rien, rien du tout[3].»

La préparation ou le mode d'insertion des données (*input*)

Votre processeur d'idées inconscient est prêt à vous obéir au doigt et à l'œil. Vous n'avez qu'à lui soumettre un problème et à lui donner des instructions, et il se met immédiatement à l'œuvre.

C'est ce qu'il fait pour vous, la plupart du temps du moins, lorsque votre conscient a un problème à régler dans l'immédiat. Plus la question posée est formulée clairement, complètement et avec une intention ferme, plus la réponse de votre inconscient sera rapide et efficace.

Clairement: car quel que soit le problème, plus vous l'énoncerez avec précision, plus votre processeur d'idées inconscient vous fournira une réponse prompte et exacte. Ce sera sans doute plus évident dans le cas des mathématiques, des affaires ou des sciences – là où la rigueur dans les définitions est exigée – que dans les arts, par exemple, ou dans les domaines où les intuitions et les percées intuitives seraient d'ordre personnel ou familial, mais le principe demeure le même.

Complètement: car plus vous programmez votre ordinateur de façon détaillée et exhaustive, plus la réponse qu'il vous donnera sera précise et élaborée. Ceci s'applique à tous les domaines à partir du genre de paysages qu'un peintre pourrait avoir vus dans sa vie, ou du genre de problèmes qu'un mathématicien a déjà appris à résoudre jusqu'à la focalisation de la concentration ou à l'assimilation de la documentation nécessaire au travail à effectuer.

Avec une intention ferme: car la force de l'intention avec laquelle nous programmons notre inconscient agit sur l'ordre de priorité que notre processeur d'idées accordera à un problème. Plus nous donnons au processeur l'impression qu'une question est importante, plus il lui accordera d'importance dans sa recherche de solutions, lui donnant la priorité sur des programmes de moindre importance, lui assignant une plus grande portion des capacités de l'esprit, et ainsi de suite.

C'est à partir d'ici que de nombreux livres font fausse route. Ils tiennent pour acquis que les entrées consistent uniquement en données informationnelles, car c'est le genre de données que reçoit l'ordinateur. Mais l'ordinateur humain est beaucoup plus perfectionné que celui qui utilise des microplaquettes; non seulement accepte-t-il l'insertion de données beaucoup plus complexes, mais il en a besoin pour faire son travail de façon adéquate. En revanche, il peut aussi fournir des réponses beaucoup plus complexes.

C'est en étudiant un problème en profondeur, en visualisant et en créant des scénarios de solutions possibles, en prenant connaissance de tous les faits qui s'y rapportent, même les plus subtils, en désirant profondément résoudre le problème et en ayant la ferme intention de le faire qu'entre en jeu tout le contenu disponible de la mémoire – inconscient aussi bien que conscient – de la personne créative. Le programme que met en branle ce savoir profond vient de la préparation et de l'intention dirigée vers le problème du moment.

Lorsqu'ils ont parlé de la concentration émotionnelle intense sur un sujet qui précédait souvent une illumination profonde, les compositeurs Puccini et Strauss semblaient se faire l'écho l'un de l'autre, et de combien d'autres encore, qui ont atteint ces états de percées intuitives profondes.

Voici ce que dit Strauss:

> *Par mon expérience personnelle, je peux vous dire qu'un désir ardent et une intention ferme, combinés avec une résolution intérieure intense, produisent des résultats. La pensée concentrée et résolue est une force fantastique. [...] Je suis convaincu qu'il y a là une loi, et qu'elle s'applique dans toutes les sphères d'activité*[4].

Puccini raconta ce qui suit à un biographe:

> *L'appropriation consciente et déterminée des forces de son âme propre, c'est le secret suprême. [...] Je saisis d'abord toute la puissance de l'ego à l'intérieur de moi. Ensuite, je ressens le désir ardent et la résolution intense de créer quelque chose qui en vaille la peine. Ce désir, cette aspiration renferme déjà l'assurance que je peux atteindre mon but. Je fais alors une demande fervente. [...] Cette foi totale ouvre la voie à la vibration qui passe de la dynamo qu'est le cœur de l'âme à ma conscience, et des idées inspirées naissent*[5].

L'incubation ou le mode «traitement»

Dans toute création, il y a un certain moment où la préparation cesse et où l'on doit laisser les éléments «mijoter» afin que l'inconscient puisse travailler sur le problème. Tout comme n'importe quel ordinateur doit changer de mode d'opération une fois que toutes les instructions et que toutes les données pertinentes y ont été introduites, il semble qu'une modification semblable soit nécessaire pour les états de conscience afin que la conscience cachée puisse commencer à opérer et à fournir la solution au problème que nous lui avons posé.

Dans son livre intitulé Landscapes of the Night: How and Why We Dream[*], Christopher Evans propose une explication de la nécessité de cette période d'incubation ainsi que certaines façons qu'a le cerveau de traiter les questions pour lesquelles nous le programmons:

> L'éveil fournit une telle quantité de données qui affluent au cerveau qu'il va sans dire qu'une période de tri soit nécessaire. [...] Supposons que le système puisse retenir à court terme de l'information qui circulerait, pour ainsi dire, dans une mémoire à accès direct, mais qu'il soit incapable de garder cette information indéfiniment «en attente». [...] Le sommeil est l'une de ces périodes où le cerveau devient «autonome», se coupant de l'entrée des données sensorielles et restreignant celle des données psychomotrices. [...] Une fois l'input sensoriel réduit, une certaine partie du cerveau se mettrait alors à l'œuvre dans le bassin des données sensorielles, triant le matériel [...] classant les données [...] les grands fichiers de logiciels du cerveau étant ouverts, prêts à être modifiés. [...] Il est bien possible que pendant le sommeil, l'homme accomplisse, au moyen de cet ordinateur extrêmement perfectionné qu'est son cerveau, une opération qui s'apparente à celle de l'ordinateur et qui lui soit aussi vitale[6].

Passer au mode «traitement» pourrait vouloir dire: confier le problème à l'inconscient et l'oublier (ce qui stoppe l'entrée de données sur cette question et libère du temps additionnel que l'ordinateur pourra consacrer à autre chose), ou essayer d'autres méthodes pour «couper le courant», soit par la relaxation, la rêverie, la méditation ou le sommeil.

---

* Paysages nocturnes: Comment et pourquoi rêvons-nous. (N.d.T.)

L'illumination ou le mode de sortie (*output*)

Après avoir amorcé de façon consciente les processus de préparation et d'incubation, il se produit un résultat: un processus mystérieux nous a permis de trouver une solution à notre problème en un éclair, comme par miracle, sous forme d'illumination religieuse, d'image littéraire, de raisonnement scientifique, d'un thème de concerto, d'une innovation en affaires et ainsi de suite. L'état particulier d'intensification de la perception et d'expansion du savoir qui accompagne l'arrivée de la solution, l'image, l'idée, ou le thème, c'est ce que j'ai appelé «l'état de percée». Dans le domaine de la créativité, chaque problème est unique et chaque solution est unique. Les résultats et la nature des illuminations sont à ce point variés par leur forme et par leur conséquence sur le monde que ce stade pourrait couvrir un sous-spectre à l'intérieur du grand spectre.

Prenons par exemple l'expression «comme un éclair», qui revient tant et plus dans les descriptions originelles. Cette observation a été confirmée à maintes reprises par des sources indépendantes et fiables et elle nous donne, sans aucun doute, un indice quant à «**l'état**» au cours duquel se produit l'intuition profonde.

Beaucoup de créateurs ont parlé d'un état pendant lequel les idées et les inspirations semblaient couler en eux comme un flot ou monter d'une source bouillonnante. Nombre de ces hommes et de ces femmes sont séparés les uns des autres par le temps, la nationalité et le champ d'intérêt mais les mots dont ils se servent pour décrire cet état se ressemblent étrangement. Il est évident qu'il ne s'agit pas simplement d'une métaphore. Peut-être le moment où le «flot» surgit indique-t-il un moment pendant lequel nous avons totalement accès au processeur d'idées inconscient, et que celui-ci se met alors à lire des solutions sans s'arrêter. Si nous pouvions seulement atteindre cet état, peut-être pourrions-nous poser des questions et obtenir des réponses qui viendraient aussi rapidement que les questions sont posées.

D'autres encore ont dit avoir eu l'impression que leurs inspirations les plus importantes leur étaient venues de quelque part «qui n'est pas moi», d'un endroit en dehors d'eux-mêmes, ou encore d'une force, d'un être tout à fait autre.

La vérification

Le mode de vérification est la phase pendant laquelle on distingue entre les fantasmes et les inspirations, et où l'on passe au tamis les nombreuses illusions afin d'y découvrir les intuitions qui y sont enfouies. Maintenant que s'est produite l'illumination et que le résultat a été communiqué, les calculs du processeur d'idées inconscient sont comparés à la réalité: les exhortations de la voix intérieure sont soumises aux règles de la raison, les formules chimiques entrevues en rêve sont mises à l'épreuve en laboratoire; le thème inspiré qui s'était engouffré, telle une rivière invisible, devient partition musicale afin que le monde puisse en juger; l'équation mathématique qui s'était présentée dans un éclair est vérifiée et revérifiée.

La préparation: quelques cas

L'histoire du mathématicien Poincaré, celles du professeur de physique Mendeleïev, de l'inventeur Elias Howe et du compositeur Richard Wagner montrent des aspects différents de la préparation intense que peut requérir notre processeur d'idées inconscient pour faire une percée intuitive profonde.

Henri Poincaré était un mathématicien de premier ordre de la fin du XIXe siècle; heureusement pour notre présente recherche, c'était aussi un observateur avisé de son propre processus créateur ainsi qu'un historien de la pensée scientifique pour qui on avait du respect. Sa description des racines extraordinaires de ses créations mathématiques fait la lumière non seulement sur ses propres percées intuitives, mais aussi sur celles d'autres mathématiciens qui ont vécu une expérience semblable.

Se basant sur sa propre expérience, Poincaré décrivit le genre de travail concentré et intensif qui précède une révélation, cette espèce d'acharnement entêté sur un problème, qui peut s'avérer vain, frustrant et même désespérant mais qui, plus tard, sera considéré comme une étape nécessaire à la découverte d'une solution:

> *Pendant quinze jours, je m'évertuai à prouver qu'il ne pouvait exister de fonctions comme celles que j'ai appelées depuis fonctions fuchsiennes. J'étais très ignorant à cette époque; tous les jours, je m'asseyais à ma table de travail et, pendant une heure ou deux, j'essayais d'innombrables combinaisons sans obtenir de résultat. Un soir, contrairement à mon habitude, je bus du café noir et ne pus dormir. Des idées surgissaient en grand nombre, je les sentais qui se heurtaient jusqu'à ce que certaines s'imbriquent par paires, pour ainsi dire, formant une combinaison stable. Le lendemain matin, j'avais établi l'existence d'une catégorie de fonctions fuchsiennes. [...] Je n'avais plus qu'à écrire les résultats, ce qui ne me prit que quelques heures.*

C'est à ce moment que je quittai Caen, où j'habitais, pour entreprendre une excursion géologique. [...] Les péripéties du voyage me firent oublier mes travaux mathématiques. Arrivés à Coutances, nous prîmes l'omnibus pour nous rendre quelque part. Au moment où je posais le pied sur le marchepied, une idée me vint à l'esprit, sans que mes pensées précédentes ne lui aient ouvert la voie en aucune façon: les transformations dont je m'étais servi pour définir les fonctions fuchsiennes étaient identiques à celles de la géométrie non euclidienne. Je ne vérifiai pas cette idée; je n'en aurais pas eu le temps car, lorsque je pris ma place dans l'omnibus, je poursuivis une conversation déjà engagée; j'éprouvai cependant une certitude totale. Ce n'est qu'à mon retour à Caen que, par acquit de conscience, je vérifiai le résultat lorsque j'en eus le loisir[7].

Comme cet instant d'illumination semble banal, facile! Une idée d'une complexité et d'une importance théorique énormes qui surgit en montant dans un bus, et qui s'accompagne d'une conviction si évidente que le mathématicien a pu poursuivre sa conversation en toute confiance et remettre à plus tard, à un moment propice, le soin de vérifier sa révélation. Il a même noté avoir ressenti ce que nous avons appelé le sentiment de justesse «noétique» qui accompagne certaines illuminations. «J'ai souvent remarqué ce fait, écrit-il, à propos des idées qui me viennent le soir ou le matin, lorsque je suis dans mon lit, dans un état semi-hypnotique.»

Poincaré s'était concentré, il avait travaillé, puis il avait cessé de travailler (préparation plus incubation); alors, de façon soudaine et inattendue, la solution lui est venue à l'esprit, et il la vérifia plus tard (illumination). Il ne s'attendait pas à ce que cette séquence, qui paraissait pourtant complète, soit en réalité le premier stade d'un cycle à venir plus grand encore:

Je tournai alors mon attention vers l'étude de certaines questions mathématiques, sans grand succès, me semblait-il, et sans me douter qu'elles puissent avoir un lien quelconque avec mes recherches précédentes. Découragé de mon échec, j'allai passer quelques jours au bord de la mer et pensai à autre chose. Un matin, en me promenant sur la falaise, l'idée me vint, avec ses caractéristiques habituelles de brièveté, de soudaineté et de certitude immédiate, que les transformations arithmétiques des formes quadratiques ternaires indéterminées étaient identiques à celles de la géométrie non euclidienne.

De retour à Caen, je réfléchis sur ce résultat et en déduisis les conséquences. Les exemples de formes quadratiques me démontrèrent qu'ils constituaient des groupes fuchsiens différents de ceux qui correspondaient aux séries hyper-géométriques; je vis que [...] il existait des fonctions fuchsiennes différentes [...] de celles que je connaissais alors. Évidemment, je me mis à construire toutes ces fonctions. Je m'attaquai systématiquement à toutes et j'en perçai toutes les défenses l'une après l'autre. Il y en eut une qui a tenu bon toutefois, et dont la chute risquait de faire crouler tout l'édifice. Mais, au début, tous mes efforts ne servaient qu'à mieux me faire voir la difficulté, ce qui était déjà quelque chose. Tout ce travail était tout à fait conscient.

Sur ce, je partis pour Mont-Valérian, où je devais faire mon service militaire; j'étais ainsi occupé à tout autre chose. Un jour, alors que je me promenais dans la rue, la façon de régler la difficulté qui m'avait bloqué m'apparut soudain. Je n'essayai pas de l'approfondir sur-le-champ et ce ne fut qu'à la fin de mon service militaire que je me penchai à nouveau sur la question. J'avais en main tous les éléments, je n'avais plus qu'à les rassembler et à les mettre en ordre. Je rédigeai donc mon mémoire final d'une seule traite, et sans difficulté aucune[8].

Poincaré expérimentait un processus qui mit des années à être parachevé, années pendant lesquelles se fit jour une compréhension progressive des mystères mathématiques qui l'obsédaient durant de longues heures de travail conscient et qui lui étaient révélés à l'improviste au cours de différents moments de percée intuitive.

Pendant ces longues heures de labeur conscient, les buts lui semblaient incertains, les problèmes insurmontables. Par contre, dans les instants de réalisation, les problèmes se dissipaient sans difficulté et il n'avait plus qu'à observer la solution qui se présentait d'elle-même à l'œil de son esprit, avec une calme précision, et la «justesse» fondamentale de cette solution semblait à ce point évidente que plus aucun doute ne subsistait dans son esprit et qu'il remettait souvent à quelques heures ou à plusieurs jours plus tard le travail de vérification.

Constatant que cette expérience attirait irrésistiblement son attention vers d'autres cas d'illuminations dans le domaine des mathématiques, Poincaré utilisa sa propre expérience comme matière première d'une analyse détaillée de la créativité mathématique. Bien que ce court essai ait été publié pour la première fois en 1908, il demeure l'un des documents les plus perspicaces qui soient parmi tous les écrits portant sur le processus créatif. La première conclusion de Poincaré était la suivante, à savoir «que l'apparition d'une illumination soudaine (était) le signe manifeste d'un long travail inconscient[9]».

Le cas de Dimitri Mendeleïev fournit un autre exemple de la façon par laquelle une concentration intense peut programmer l'inconscient en vue de percées intuitives:

> *C'était en 1869. D. I. Mendeleïev se mit au lit, brisé de fatigue, après s'être démené pour tenter de conceptualiser une façon de catégoriser les éléments selon leur poids atomique. Plus tard, il rapporta ce qui suit: «Je vis en rêve une table où tous les éléments se plaçaient comme demandé. Je me réveillai et notai immédiatement sur un bout de papier ce que j'avais vu en rêve. Un seul élément nécessita une correction ultérieure.[10]»*

Culturellement, nous accordons un certain crédit à l'idée qu'on puisse tirer quelque chose d'utile d'un rêve, soit directement, soit de façon symbolique. Personne ne doute de l'utilité de la machine à coudre. Les livres d'histoire nous parlent d'un certain Elias Howe qui travailla pendant des années sur un concept qui mènerait à l'invention d'une machine à coudre à points de sûreté et qui y réussit. On se garde bien cependant de mentionner toutes ces années de labeur qui n'ont pas porté fruit jusqu'à ce qu'un cauchemar lui apporte la solution sous forme de symbole.

La version de ce rêve que nous citons ici est tirée de l'édition de 1924 de *A Popular History of the American Invention*, Vol. II, de W. B. Kaempffert:

> *Lors de ses premiers essais, Howe fabriquait des aiguilles avec un chas au milieu de la tige. Nuit et jour, et même pendant son sommeil, son cerveau était préoccupé par son invention. Une nuit, il rêva qu'une tribu de sauvages l'avait capturé, fait prisonnier et conduit auprès de leur roi.*

> *«Elias Howe, rugit le monarque, je vous ordonne, sous peine de mort, de finir cette machine immédiatement.»*

> *Une sueur froide inonda son front, ses mains se mirent à trembler de peur et ses genoux frémirent. L'inventeur avait beau essayer, il manquait toujours une figure au problème sur lequel il avait travaillé si longtemps. Toute la situation*

était à ce point réelle qu'il se mit à crier. Dans sa vision, il se voyait entouré de guerriers dont la peau foncée était peinte; ils formèrent un carré autour de lui et le conduisirent à son lieu d'exécution. Soudain, il remarqua qu'il y avait, près de l'extrémité des lances de ses gardiens, un trou en forme d'œil! Ce dont il avait besoin, c'était d'une aiguille dont le chas serait près de la pointe! Il venait de découvrir le secret! Il sortit de son rêve, bondit hors de son lit et tailla sur-le-champ un modèle de l'aiguille à pointe percée qui devait finir et couronner de succès ses expériences[11].

Dans le domaine des arts, l'origine de *Das Rheingold* – l'ouverture de *L'anneau du Nibelung*, la tétralogie épique de Richard Wagner – illustre toute la préparation émotionnelle qu'exige la grande inspiration.

À l'âge de quarante ans, Wagner vécut un grave épisode de ce qu'on appellerait aujourd'hui la crise du mitan de la vie. Sa carrière artistique était insatisfaisante, son mariage ennuyeux et sa situation financière dans un état désastreux. Même l'inspiration lui faisait défaut. Désespéré, le compositeur se mit à voyager, à la recherche de thèmes, essayant de trouver un décor extérieur qui pourrait lui rendre sa capacité de créer des mondes intérieurs. Mais ces voyages ne réussirent qu'à l'épuiser.

Dans une lettre qu'il écrivit plus tard, Wagner décrivit un incident qui survint à La Spezia, dans le nord de l'Italie, en septembre 1853, alors que tout ce à quoi il tenait le plus semblait perdu. Il renonça finalement à l'impitoyable pulsion qui le faisait sans cesse invoquer les muses de façon consciente et il laissa son problème se régler de lui-même; c'est alors qu'il entendit en rêve un thème musical, thème qui devait changer sa vie et influencer l'histoire de la musique. Voici ce qu'il écrivit:

Après une nuit de fièvre et d'insomnie, je m'obligeai à faire une longue promenade dans la campagne. C'était morne et désolé. À mon retour, je m'étendis sur un canapé rigide. Le sommeil ne voulait pas venir, mais je m'enfonçai dans une espèce de somnolence où je me sentis soudain couler dans une eau au cours rapide. Le bruit du courant se transforma de lui-même en un son musical, l'accord de mi bémol majeur, d'où sortirent des passages mélodiques élaborés dans un mouvement croissant. Je m'éveillai en proie à une terreur soudaine en constatant que venait de m'être révélé le prélude pour orchestre du Das Rheingold *qui avait dû être latent en moi depuis longtemps. Je décidai de retourner à*

Zurich sur-le-champ et de commencer la composition de mon grand poème[12].

L'incubation: quelques cas

Lorsque l'esprit de la personne créative est préparé par l'expérience, l'éducation et la concentration, que le problème (ou la création) est posé, visualisé, débattu et étudié, lorsque toutes les données pertinentes sont entrées dans le processeur d'idées inconscient, que la demande est formulée et que le programme est instauré, il semble que la meilleure chose à faire soit de **lâcher prise**, complètement. L'état de conscience et le mode de connaissance du monde que requiert le genre de travail accompli pendant l'étape de la préparation, voilà précisément ce qui doit changer pour que l'esprit puisse fonctionner de façon autonome et que l'incubation puisse avoir lieu.

À cet égard, peut-être n'est-il pas surprenant d'apprendre que tant de grandes idées surgissent au cours de rêveries ou de transes alors que l'esprit se trouve déjà transporté à mi-chemin entre la brillante lumière blanche du conscient et les fréquences moins visibles de l'inconscient.

Vers la fin du XVIIIe siècle, Wolfgang Amadeus Mozart écrivit ce passage révélateur dans une lettre à un ami:

Lorsque je suis pour ainsi dire tout à fait moi-même, complètement seul et de bonne humeur, comme lorsque je voyage en voiture, que je fais une promenade après un bon repas ou que, la nuit, je ne peux dormir, c'est dans ces moments que mes idées coulent le mieux et en plus grande quantité. D'où elles viennent et comment elles viennent, je l'ignore; je ne peux pas non plus en forcer la venue. Les délicieuses qui me plaisent, je les garde en mémoire et j'ai l'habitude, à ce qu'on m'a dit, de les fredonner pour moi-même. Si je poursuis, je trouve bientôt de quelle façon je pourrais apprêter tel ou tel morceau – comme pour en faire un bon plat en quelque sorte – afin qu'il réponde agréablement aux règles du contrepoint, aux particularités des divers instruments, etc.

Tout ceci enflamme mon âme et, à condition qu'on ne me dérange pas, mon sujet s'élargit, s'ordonne, se définit, et au bout d'un moment quelquefois assez long, le tout se retrouve presque complété, achevé dans mon esprit, de sorte que je peux l'embrasser d'un seul regard comme un beau tableau ou une belle statue. Dans mon imagination, je n'entends pas les différentes parties à la suite l'une de l'autre, mais je les entends toutes à la fois, en quelque sorte. Toute cette invention, toute cette création se produit dans un rêve agréable et plein d'entrain. Mais le meilleur, c'est encore d'entendre le tout ensemble*. *Ce qui a été créé ainsi, je peux difficilement l'oublier, et c'est là le plus beau don pour lequel je doive remercier mon divin Créateur[13].*

Nous trouvons des passages semblables dans les écrits des grands savants, artistes et inventeurs. Dans la plupart des cas, les personnes créatives y font appel à des sources extérieures que très souvent elles personnifient en tant que divinités ou démons intérieurs, allant même jusqu'à mentionner «un atelier plein de lutins».

Rudyard Kipling était d'avis que la clé qui donnait accès à cette aide intérieure était de «ne pas penser de façon consciente», mais de «dériver»:

Regardons maintenant le démon personnel. [...] La plupart des hommes – et certains dont on ne s'y attendrait pas – le cachent sous un pseudonyme qui varie selon leurs connaissances littéraires ou scientifiques. Le mien vint à moi très tôt; alors que j'hésitais, perplexe, entre plusieurs idées, il me dit: «Prends celle-ci, et pas une autre». J'obéis et j'en fus récompensé. [...]

Après cet incident, j'appris à compter sur lui et à reconnaître les signes de son approche. Si jamais je dissimulais la moindre chose de moi-même, à la façon d'Ananias dans la Bible, et même si je devais l'expulser plus tard, j'étais toujours puni, car il manquait alors quelque chose à mon conte, et je savais quoi. [...]

Mon démon était avec moi dans Les livres de la jungle, *dans* Kim *et dans les deux* Puck *et je prenais grand soin de marcher tout doucement de peur qu'il ne se retire. Je sais qu'il ne le fit pas, car lorsque ces livres furent terminés, ils me le dirent eux-mêmes en émettant presque le «clic» du robinet qu'on ferme. [...] Prenez bien note de ceci: lorsque votre démon prend le commandement, n'essayez pas de penser consciemment, laissez-vous dériver, attendez et obéissez[14].*

L'effort que faisait Kipling pour désamorcer son esprit conscient et pour «dériver» vers la rêverie constitue un exemple de la forme la plus

---

* En français dans le texte original (N.d.T.)

douce du passage en mode de traitement ou d'incubation. Wordsworth, pour sa part, semble avoir fait l'expérience de certaines de ses inspirations les plus grandes dans un état de conscience qui ressemblait plus à une transe qu'à la rêverie de Kipling:

> *Wordsworth raconta à Bonamy Price que le premier vers de son ode, qui commence par «Fallings from us, vanishings» et qui a laissé tant de lecteurs perplexes depuis lors, fait référence à ces états de transe auxquels il fut sujet à une certaine époque. Pendant ces épisodes, le monde autour de lui lui semblait irréel et le poète devait, de temps en temps, éprouver sa force sur un objet, tel un montant de porte, afin de se rassurer. Lorsque la force ne venait pas, l'esprit conscient n'y pouvait rien[15].*

Bien que la sagesse populaire associe les transes aux voyants, aux yogis et aux hypnotiseurs, nous éprouvons tous différentes formes d'états de transe chaque soir et chaque matin. La conscience liminaire que nous éprouvons souvent au réveil – et que les psychologues contemporains appellent état hypnopompique – en est un exemple. L'état crépusculaire qui survient juste avant que l'esprit conscient sombre dans le sommeil – et qui est appelé état hypnagogique – en est un autre.

Le romancier britannique William Thackeray faisait un excellent usage de l'état hypnopompique, bien que les moyens qu'il utilisait pour s'assurer de commencer ses activités de création au bon moment du cycle seraient considérés comme draconiens par plus d'un. Son serviteur avait en effet l'ordre de le réveiller en lui lançant une serviette mouillée à la figure[16]!

Il semble que Henry Wadsworth Longfellow, qui n'était pas précisément le plus bohème des écrivains américains, trouva un grand nombre des vers les plus importants de ses chefs-d'œuvre à son réveil, quand sa conscience était dans un état hypnagogique:

> *Hier soir [...] je restai assis près du feu jusqu'à minuit, en fumant, lorsque tout à coup il me vint à l'esprit d'écrire* Ballad of the Schooner Hesperus (La ballade de la goélette Hesperus), *et c'est ce que je fis. Ensuite, je me mis au lit mais ne pus dormir. De nouvelles pensées se précipitaient dans mon esprit, je me levai donc et les ajoutai à la ballade. J'étais plutôt satisfait de cette ballade. Elle ne m'avait presque pas coûté d'efforts. Elle s'était présentée à mon esprit non par vers, mais par strophes entières[17].*

Bien sûr, l'un des moyens classiques de déclencher une modification de la conscience dans le but de provoquer l'inspiration créatrice est de nature chimique et elle permet de réaligner la conscience, de la stimuler ou de la tranquilliser. (À ce moment, il est évident que le cerveau prend une direction différente par rapport à son état conscient normal). Poincaré nota les nombreuses tasses de café qui le maintenaient éveillé quoique assoupi alors que les idées «montaient» et se heurtaient en lui. À cet égard, le rêve le plus célèbre de la littérature n'en fut pas un, à proprement parler. De son propre aveu, Samuel Taylor Coleridge eut sa vision de Katmandou au cours d'une rêverie induite par l'opium. Dans ses *Literary Reminiscences* (Réminiscences littéraires), se référant à lui-même comme à «l'auteur» et appelant le laudanum «un calmant», Coleridge écrivit ce qui suit:

À l'été de 1797, l'auteur, alors en mauvaise santé, était retourné dans une ferme solitaire située entre Porlock et Linton sur le plateau d'Exmoor, aux confins du Somerset et du Devonshire. À la suite d'une légère indisposition, on lui prescrivit un calmant qui eut pour effet de le faire s'endormir dans son fauteuil au moment où il lisait en substance la phrase suivante, dans Purcha's Pilgrimage *(Le pèlerinage de Purcha): «C'est ici que Kubilay Khan ordonna qu'on lui construise un palais et un jardin majestueux. Et c'est ainsi qu'on entoura d'un mur dix milles de terres fertiles.» L'auteur poursuivit un sommeil profond (de ses sens extérieurs tout au moins) durant trois heures environ, pendant lesquelles il eut la vive certitude d'avoir composé pas moins de deux à trois cents vers, si on peut appeler composition cet état pendant lequel toutes les images se levaient devant lui comme des choses, parallèlement à une production d'expressions correspondantes, et sans que soit ressenti le moindre effort conscient. À son réveil, il lui sembla qu'il avait un souvenir précis de tout; et, prenant sa plume, de l'encre et du papier, il se mit immédiatement à écrire avec fougue les vers qui sont ici conservés. À ce moment, par malheur, il fut appelé à l'extérieur par une personne qui arrivait de Porlock pour affaires et qui le retint pendant plus d'une heure. Lorsqu'il revint à sa chambre, il se rendit compte à sa grande surprise et à sa grande humiliation que, bien qu'il gardât un souvenir vague et flou de la teneur générale de la vision, seuls quelque huit ou dix images et vers épars demeuraient, tout le reste s'étant évanoui comme des images*

à la surface de l'eau lorsqu'on y jette un caillou, et que l'on
est impuissant, hélas! à restaurer [18].

Se pourrait-il que tant d'inspirations surviennent dans les rêves parce qu'à ce moment le conscient est «débranché» et vu que c'est l'inconscient qui tient les commandes, il peut enfin nous parler directement, libéré des contraintes de la conscience de l'éveil?

Le physicien Niels Bohr rêva à un système planétaire qui servait de modèle aux atomes aussi bien qu'aux corps célestes, ce qui l'a amené au «modèle de Bohr» de la structure atomique et à un prix Nobel[19]. Vous pouvez encore ajouter l'insuline à la liste des découvertes qui ont permis de sauver des vies et qui sont apparues en rêve, car c'est en rêvant que Sir Frédérick Grant Banting trouva le procédé qui permit de produire en grande quantité de l'insuline en laboratoire[20].

Le compositeur Giuseppe Tartini, à qui on attribue l'invention de l'archet moderne du violon, eut, à l'âge de vingt et un ans, une révélation nocturne extraordinaire grâce à laquelle il composa son œuvre la plus connue, *La Sonate du Diable*. Tartini rêva que le diable était devenu son esclave; dans son rêve, il remit son violon au diable afin de voir ce qu'il en ferait. Ses biographes ont rapporté ainsi la description qu'il fit de ce qui s'était passé:

> *Mais quelle ne fut pas ma stupéfaction lorsque je l'entendis jouer avec un art consommé une sonate d'une beauté si exquise qu'elle surpassait les envolées les plus audacieuses de mon imagination! J'étais enchanté, transporté; j'en avais le souffle coupé, et je me réveillai. M'emparant de mon violon, j'essayai de retenir les sons que j'avais entendus, mais en vain. La pièce que je composai alors,* La sonate du diable, *fut ce que j'écrivis de mieux, mais elle était très au-dessous de ce que j'avais entendu dans mon rêve*[21]*!*

Tartini ne fut certainement pas le seul artiste à déclarer que son inspiration la meilleure lui était venue en rêve. Mais Robert Louis Stevenson occupe une catégorie à part dans l'histoire psychique de l'art, à cause de l'exploitation carrément commerciale qu'il fit de son incroyable capacité à rêver, et de la description franche qu'il fit de la relation existant entre son *ego* éveillé et «l'autre partie» de sa psyché.

Lorsqu'il était enfant, Stevenson souffrait de cauchemars intenses qui le tourmentèrent jusque dans sa vie de jeune adulte. Dans un effort conscient pour éloigner ces terreurs nocturnes et diriger le cours de sa vie intérieure turbulente, Stevenson s'endormait en s'inventant des histoires pour se distraire et s'amuser. En réponse à ses efforts, ses rêves prirent une tournure moins cauchemardesque mais ils lui semblaient tout aussi réels; il commença donc à les mettre par écrit et à les vendre.

Dans ses mémoires, il avoue bien candidement avoir eu recours à une équipe expérimentée d'auxiliaires du rêve qu'il appelait ses «lutins» et il nous explique de quelle façon il en vint à les utiliser pour finalement les exploiter. Dans un essai peu connu intitulé *Un chapitre sur les rêves*, Stevenson leur consacre un passage:

> *Plus je réfléchis et plus je suis incité à poser au monde cette question: qui sont les lutins? Ils sont de proches parents du rêveur, sans aucun doute; ils partagent ses soucis d'ordre financier et ils ont l'œil sur son carnet de banque; il est évident qu'ils partagent sa formation; comme lui, ils ont manifestement appris à construire l'intrigue d'une histoire considérable et à ordonner l'émotion en degrés progressifs. Je pense toutefois qu'ils ont plus de talent que lui et je n'ai aucun doute sur un point: ils peuvent lui raconter une histoire intrigue par intrigue à la façon d'un feuilleton, tout en le maintenant dans l'ignorance totale quant à leurs visées. Qui sont-ils donc, alors? Et qui est le rêveur?*
>
> *Eh bien, en ce qui concerne le rêveur, je puis répondre, car il n'est rien de moins que moi-même[...] quant aux lutins, que puis-je dire d'autre sinon que ce sont mes lutins, que Dieu les bénisse! et qu'ils font la moitié de mon travail lorsque je suis profondément endormi et qu'ils font aussi le reste – selon toute probabilité humaine – lorsque je suis tout à fait réveillé et que je me plais à m'imaginer le faisant moi-même. Cette partie qui est accomplie pendant mon sommeil, c'est incontestablement celle des lutins; mais celle qui est faite lorsque je suis debout et à l'ouvrage est loin d'être nécessairement la mienne, puisque tout tend à démontrer que les lutins y sont aussi pour une large part. Je suis un bon conseiller, tel le serviteur de Molière. Je comprime et je coupe; j'habille le tout dans les phrases et les mots les plus beaux que je puisse trouver et construire; je tiens la plume aussi, et c'est moi qui me tiens assis à la table – ce qui est le pire de tout – et, une fois que tout est fini, c'est moi qui prépare le manuscrit et qui en paye les frais d'enregistrement; de sorte que, dans l'ensemble, j'ai un certain droit – moindre que le leur sans doute – au partage des profits de notre entreprise commune.*
>
> *Je ne peux que donner un aperçu de la partie qui se joue durant mon sommeil et de celle qui a lieu lorsque je suis*

éveillé, laissant ensuite au lecteur le soin de départager, à sa propre convenance, entre mes collaborateurs et moi-même les quelques lauriers qu'il pourrait y avoir à cueillir. Pour ce faire, je me servirai d'abord d'un livre qu'un certain nombre de personnes ont eu la politesse de lire, Dr. Jekyll and Mr. Hyde. *Il y a très longtemps que j'essayais d'écrire une histoire sur ce sujet, que j'essayais de trouver un corps, un véhicule pour exprimer cette impression très forte de dualité chez l'homme, dualité qui, par moments, surprend et submerge toute créature pensante. J'en avais même écrit une,* The Travelling Companion, *qu'un éditeur me retourna en alléguant que c'était une œuvre de génie mais inconvenante, et je la brûlai l'autre jour pour les motifs qu'elle n'était pas une œuvre de génie et qu'elle avait été supplantée par Jekyll.*

Survint alors l'une de ces fluctuations financières auxquelles j'ai déjà fait allusion (avec une élégante modestie) à la troisième personne. Pendant deux jours, je me creusai la tête à la recherche d'une intrigue, quelle qu'elle soit. Le deuxième soir, je rêvai de la scène de la fenêtre et ensuite d'une scène qui se scinda en deux, et dans laquelle Hyde, poursuivi pour un crime quelconque, avala la poudre et subit la modification en présence de ses poursuivants. Je trouvai la suite éveillé et de façon consciente, bien que je pense pouvoir y déceler en grande partie la manière de mes lutins[22].

Beethoven manifesta un intérêt analogue envers l'inspiration qui semblait prendre naissance dans ses rêves:

Hier, dans la voiture en route vers Vienne, je fus surpris par le sommeil.[...] Ainsi assoupi, je rêvai que j'avais entrepris un lointain voyage, aussi loin que la Syrie, avec aller-retour en Judée, puis un crochet jusqu'en Arabie et pour arriver enfin à Jérusalem. La Ville sainte fit jaillir en moi des pensées des Livres sacrés.[...] Durant ce voyage imaginaire, le canon suivant me vint à l'esprit.[...]

Mais à peine m'étais-je éveillé que le canon s'envola, et je ne pouvais plus me souvenir d'aucune de ses parties. Le lendemain, je revins ici, dans la même voiture.[...] Je recommençai le voyage de mon rêve mais, cette fois, en étant tout à fait éveillé, lorsque tout à coup, et conformément à la loi des associations d'idées, le canon passa en moi comme un éclair; étant bien éveillé, je m'agrippai à lui comme

Ménélas à Protée, ne lui permettant de se diviser qu'en trois parties[23].

En 1936, le prix Nobel de physiologie et de médecine fut décerné à un psysiologiste du nom d'Otto Loewi. Loewi découvrit et démontra que les impulsions du nerf, ces activités caractéristiques de la composante principale de tous les systèmes nerveux, étaient un événement à la fois chimique et électrique.

Au tout début de sa carrière, alors qu'il conversait avec un collègue, Loewi eut un pressentiment, une idée folle selon laquelle l'impulsion nerveuse pouvait bien avoir un aspect chimique aussi bien qu'électrique. Il ne pouvait toutefois pas concevoir une expérience qui lui permettrait de vérifier son hypothèse. Ce n'était qu'une idée passagère, un timide essai de résolution de problème tel qu'il s'en présente tous les jours par centaines à tout bon scientifique.

Dix-sept années plus tard, l'idée émergea à nouveau, sous la forme d'une procédure expérimentale qui lui parvint en rêve. Voici son récit personnel:

> *La nuit précédant le dimanche de Pâques de cette année-là (1920), je me réveillai, allumai et griffonnai quelques notes sur une petite feuille de papier fin. Puis je me rendormis. À six heures, le lendemain matin, je me souvins que, pendant la nuit, j'avais écrit quelque chose d'important, mais je ne pus déchiffrer mon gribouillage. La nuit suivante, à trois heures, l'idée revint. C'était le protocole d'une expérience pour déterminer si oui ou non l'hypothèse d'une transmission chimique, que j'avais émise dix-sept ans auparavant, était juste. Je me levai sur-le-champ, me rendis au laboratoire et fis une expérience simple sur le cœur d'une grenouille, selon le plan nocturne.[...] Les résultats obtenus devinrent le fondement de la théorie de la transmission chimique de l'impulsion nerveuse[24].*

L'apparition initiale de l'idée sous forme de pressentiment, la longue période de latence, la réapparition de l'idée à l'intérieur d'un rêve semblent suivre le même modèle que bien d'autres découvertes. Le fait que l'esprit éveillé de Loewi n'était pas conscient du contenu du rêve qu'il avait tenté de transcrire sur un bout de papier – bien qu'il se soit rendu compte de son importance – nous permet d'entrevoir de quelle façon les multiples composantes de l'esprit d'une personne conversent souvent entre elles.

Si vous fermez les yeux pendant un moment et que vous évoquez votre foyer, vous y verrez plusieurs objets qui sont des produits de la chimie de synthèse. Les rideaux, le couvre-plancher, la plupart de vos vêtements, les colorants alimentaires, certains des aliments eux-mêmes, tout ce qui est fait de matière plastique – pratiquement toute la super-structure matérielle d'un ménage de parfaits consommateurs – sont des produits de la chimie de laboratoire.

Ce serait une simplification grossière que d'attribuer à une seule percée ou à un seul penseur le fondement de l'énorme entreprise collective d'une aussi vaste branche de la science. Toutefois, peu de chimistes ou d'historiens des sciences contesteraient le fait que la théorie structurale d'August Kekule Von Stradonitz (connu sous le nom de Kekule), bien qu'émanant d'un rêve, fut l'un des fondements principaux de la chimie organique. On a dit de la vision de Kekule concernant la structure moléculaire qu'elle fut «le plus brillant exemple de prévision de toute l'histoire des sciences».

Au milieu du XIXe siècle, le défi le plus déconcertant pour la nouvelle science de la chimie était le problème que posait l'analyse de la structure moléculaire des composés chimiques. Les récentes théories atomiques fournissaient aux chimistes une façon d'entrevoir certains modèles des composantes moléculaires des composés naturels connus, mais la façon par laquelle les différentes pièces s'imbriquaient pour former ces composés représentait une immense énigme. Le problème structural bloquait non seulement le développement d'une théorie, mais encore la possibilité même d'appliquer un jour une théorie chimique à la création de nouvelles substances.

Étant donné leur abondance et leur importance manifestes, les composés contenant l'élément carbone présentaient un intérêt particulier. En effet, la chimie organique est, dans sa définition la plus large, «la chimie des composés contenant du carbone». Et c'est la structure du benzène qui représentait l'une des énigmes les plus difficiles à résoudre. Les chimistes avaient la nette impression que s'ils parvenaient à comprendre la combinaison des atomes de carbone dans ce composé, ils pourraient commencer à déchiffrer la structure de plusieurs autres.

Kekule, un professeur flamand vivant à Londres, passa des années à réfléchir et à faire des expériences sur les combinaisons possibles des molécules. Comme ce fut le cas à différentes reprises pour Einstein et Poincaré, Kekule eut ses deux premières visions clés lorsqu'il circulait à bord d'un tramway. Il raconta l'incident dans une conférence célèbre qu'il prononça devant une société de chimistes, vers la fin de sa carrière:

> *Par un beau soir d'été, je revenais par le dernier omnibus,*
> *«à l'extérieur» comme d'habitude, à travers les rues dé-*
> *sertes de la métropole, des rues si grouillantes de vie à*
> *d'autres moments. Je glissais dans une rêverie lorsque tout*
> *à coup les atomes se mirent à faire des cabrioles sous mes*
> *yeux. Jusque-là, ces minuscules créatures avaient toujours*
> *été en mouvement lorsqu'elles m'étaient apparues, mais ja-*
> *mais encore je n'avais pu discerner la nature de ce mouve-*
> *ment. Cette fois-ci, je vis à plusieurs reprises de quelle façon*
> *deux atomes plus petits s'unissaient pour former une paire;*
> *je vis comment un plus grand atome en étreignait deux plus*
> *petits; et comment d'autres encore plus gros en retenaient*
> *trois et même quatre parmi les plus petits; et tous de vire-*
> *volter dans une danse étourdissante. Je vis de quelle façon*
> *les plus gros formaient une chaîne.[...] Je passai une partie*
> *de la nuit à tracer les esquisses de ces formes entrevues en*
> *rêve[25].*

Cette image, cette quasi-hallucination d'atomes dansant telles de «minuscules créatures» continua à hanter le chimiste, sans le conduire immédiatement à sa célèbre vision intuitive. Le moment de la grande illumination – celle qui devait faire naître en lui une nouvelle compréhension du rôle des atomes de carbone dans la structure moléculaire – survint de nombreuses années plus tard, sous forme de rêve:

> *Je tournai ma chaise face au feu et je m'assoupis. Encore*
> *une fois, les atomes se mirent à cabrioler devant mes yeux.*
> *Cette fois-ci, les groupes les plus petits se maintinrent mo-*
> *destement à l'arrière-plan. L'œil de mon esprit, devenu plus*
> *perspicace par la répétition de maintes visions de ce genre,*
> *pouvait maintenant distinguer des structures plus larges aux*
> *conformations variées; de longues files, quelquefois fixées*
> *plus étroitement entre elles, qui se tortillaient et zigza-*
> *guaient toutes à la façon de serpents. Mais voyez là-bas!*
> *Qu'est-ce que c'est? Un des serpents avait agrippé sa pro-*
> *pre queue et tournoyait sous mes yeux d'un air moqueur.*
> *Comme frappé par un éclair, je m'éveillai.[...] Apprenons*
> *donc à rêver, messieurs[26].*

Les chimistes qui écoutaient Kekule comprirent sans le moindre doute: le benzène est une structure «cyclique», «en anneau», et la chaîne de carbone de son noyau moléculaire forme vraiment une chaîne qui mord sa propre queue.

Le rêve de Kekule apporte une contribution significative tant à l'étude de la créativité qu'au domaine de la chimie, car c'est probablement l'exemple que l'on cite le plus souvent lorsqu'il s'agit du fonctionnement de l'inconscient dans les découvertes scientifiques. Que des mathématiciens et des artistes très scolarisés et bien entraînés aient eu des perceptions intuitives extraordinaires, même si elles se manifestaient au cours de rêves ou de rêveries, passe toujours. Après tout, leur processeur inconscient avait accès aux données. Mais que doit-on penser d'un jeune garçon, sans instruction, de classe plutôt inférieure, habitant un petit village de l'Inde, qui ne connaissait à peu près rien aux mathématiques mais qui s'est hissé au premier rang des mathématiciens à la suite d'une série de rêves au cours desquels la déesse de son village lui transmit la science immédiate des mathématiques?

Aussi incroyable que cela puisse sembler, un tel homme a existé, il s'appelait Srinivas Ramanujan. Fait révélateur, son histoire fut corroborée non pas par les écrits des investigateurs du psychique ni par la recherche des psychologues, mais par les pages du *Scientific American* ainsi que par les mémoires d'éminents mathématiciens, parmi les plus orthodoxes.

Voilà donc un domaine où les intuitions mathématiques s'avèrent des instruments particulièrement efficaces pour valider les sphères les plus incroyables du spectre de la créativité humaine. Prétendre avoir accès à des canaux d'information inhabituels, comme le font les mystiques et les médiums, c'est une chose; par contre, fournir des solutions exactes à des problèmes bien connus et jusqu'alors insolubles de mathématiques supérieures, c'en est une autre et c'est ce qui est encore plus impressionnant. Les mathématiciens de renom d'Oxford et de Cambridge, tout capables qu'ils étaient de reconnaître au mérite une brillante théorie, ne furent pas longs à reconnaître le caractère intuitif extraordinaire des solutions de Ramanujan à certains vieux problèmes mathématiques.

Ramanujan, né en 1887 dans une famille de caste élevée mais pauvre, manifesta dès le début de son éducation très rudimentaire des aptitudes extraordinaires pour les mathématiques. Lorsqu'il eut quinze ans, quelqu'un lui donna un manuel de mathématiques vieux et désuet. Il le lut et s'en servit pour élaborer à sa façon la majeure partie d'une somme colossale de connaissances mathématiques. Selon ses dires, c'est peu de temps après que la déesse Namagiri lui offrit des formules au cours de ses rêves.

En 1909, après avoir subi plusieurs échecs dans ses tentatives d'obtenir des bourses d'études dans les collèges du gouvernement – à cause de sa grande ignorance des sujets autres que mathématiques – il fut recommandé à un «amoureux des mathématiques» du nom de Ramachandra Rao. James Newman rapporte, dans le *Scientific American*, la description que fit Rao de sa première rencontre avec Ramanujan:

> *Un personnage trapu, fruste, non rasé, pas très propre, mais avec un trait particulièrement remarquable – des yeux brillants – entra, un cahier écorné sous le bras. Il était d'une pauvreté frôlant la misère. Il avait fui Kunakonam pour essayer de trouver à Madras des moments de loisir afin de poursuivre ses études. Il ne recherchait aucunement les distinctions. Il voulait du temps libre; en d'autres mots, il désirait cette nourriture simple afin que, sans efforts de sa part, il puisse se permettre de continuer à rêver.*
>
> *Ouvrant son cahier, il se mit à m'expliquer quelques-unes de ses découvertes. Je vis tout de suite qu'il y avait là quelque chose qui sortait de l'ordinaire; cependant, mes connaissances personnelles ne me permettaient pas de juger si ce qu'il disait avait du sens ou non. Suspendant mon jugement, je lui demandai de revenir une autre fois, ce qu'il fit. Ayant jaugé mon ignorance, il me montra des résultats plus simples. Ceux-ci transcendaient tous les livres existants et je n'avais plus aucun doute qu'il fut un homme remarquable[27].*

Rao procure un emploi au jeune mathématicien, qui publia son premier article en 1911, à l'âge de vingt-trois ans. Le formidable bond en avant que permit la pensée de cet inconnu le fit éventuellement remarquer de G. H. Hardy, l'illustre mathématicien de Cambridge. À une lettre d'introduction qu'il écrivit à l'intention de Hardy, Ramanujan joignit quelques-unes de ses conclusions. Voici ce qu'en dit Hardy:

> *Un seul regard suffit à reconnaître qu'ils ont été écrits par un mathématicien du niveau le plus élevé. Ils sont sûrement vrais, car s'ils ne l'étaient pas, personne n'aurait eu assez d'imagination pour les inventer. Enfin [...] l'auteur ne peut qu'être d'une honnêteté totale, car les mathématiciens sont plus ordinaires que des voleurs ou des charlatans devant un talent aussi incroyable[28].*

Hardy obtint une bourse d'études pour Ramanujan, mais la mère de celui-ci lui refusa son consentement. Encore une fois, selon le compte rendu de Newman, Hardy commenta ainsi cet épisode:

Nous obtînmes finalement très facilement ce consentement, d'une façon tout à fait inattendue. Un beau matin, sa mère nous annonça qu'elle avait fait un rêve la nuit précédente et qu'elle avait vu son fils assis dans un grand hall au milieu d'un groupe d'Européens; la déesse Namagiri lui avait alors ordonné de ne pas faire obstacle à son fils dans sa poursuite de l'objectif de sa vie[29].

Ramanujan mourut en Inde en 1919, à l'âge de trente-trois ans. De son irruption dans l'histoire de la pensée mathématique et de son importance sur celle-ci, Newman déclare:

Dans les domaines qui l'intéressaient, Ramanujan arrivait en Angleterre au même niveau que – et souvent en avance sur – le savoir mathématique contemporain. Ainsi, dans un mouvement ample et formidable, il avait réussi à recréer dans son domaine, par son propre pouvoir et sans aide, un riche demi-siècle de mathématiques européennes. Il est permis de douter qu'un exploit aussi prodigieux ait déjà été accompli dans l'histoire de la pensée.

Pour ceux qui connaissent bien le paradigme de Wallas, un aspect des pouvoirs de Ramanujan est particulièrement intéressant, quoi qu'on pense de ses révélations nocturnes. Cet aspect est qu'il passait souvent des heures et même des mois à vérifier laborieusement et à tenter de prouver ce qu'il avait reçu, bien souvent en un instant, et qu'il arrivait quelquefois qu'une intuition originale se révélât fausse!

Après ces histoires, qu'en est-il de nos croyances sur les frontières et les limites de la «conscience cachée»? Même en accordant au processeur d'idées inconscient la capacité d'élaborer quelque chose d'aussi complexe que les équations de Ramanujan, à partir du peu d'informations contenues dans un manuel de mathématiques de niveau primaire, même alors, la situation soulève plus de questions qu'elle ne donne de réponses. Si l'on met de côté toute explication métaphysique, ou toute autre du genre «l'esprit est tout l'univers», la puissance de l'inconscient évoquée ici est tout simplement stupéfiante. Dans cet exemple, du moins, la puissance de l'inconscient dépasse certainement les limites de la plupart de nos systèmes de croyances individuels et transgresse complètement nos croyances culturelles collectives concernant ces limites. Comment quelqu'un peut-il se programmer afin de connaître plus qu'il ne connaît déjà? Si la conscience cachée peut y parvenir lorsqu'on lui permet de devenir autonome, y a-t-il quelque chose qu'il ne puisse pas faire?

L'illumination: quelques cas

Le moment de l'illumination arrive à peu près toujours à l'improviste, sans avertissement. On ne peut ni le prévoir, ni le contraindre; il se produit de son propre chef une fois que l'inconscient a terminé le traitement de toutes les données. Il surgit alors dans notre conscient et comble toute notre attention.

Percy Bysshe Shelley, le dernier des grands poètes romantiques, disait ce qui suit:

> *La poésie, à l'encontre du raisonnement, n'est pas une aptitude qui s'exerce par un effort de volonté. Un homme ne peut pas dire: «Je vais écrire de la poésie.» Même les meilleurs des poètes ne peuvent pas le dire. C'est comme si ce matériau arrivait passivement en flottant vers eux[30].*

Selon Keats, la description qu'il fit d'Apollon dans le troisième livre de son grand poème épique, *Hyperion*, lui arriva «comme par chance, par magie, c'était en quelque sorte quelque chose qui m'était donné». Keats ajoute alors: «Je ne m'étais pas aperçu de la beauté de certaines idées et de certaines expressions avant d'avoir fini de les composer et de les écrire.» C'est alors qu'il fut frappé de «stupeur», car elles semblaient «être la production d'une autre personne», non la sienne[31].

Dans l'un de ses propres récits, Tchaïkovski, grand compositeur russe, décrit d'une manière colorée l'un des aspects de ses expériences de percée intuitive:

> *En général, le germe d'une composition à venir arrive de façon soudaine et inattendue.[...] Il s'enracine rapidement avec une force extraordinaire, s'élance hors du sol, déploie branches et feuilles pour enfin se couvrir de fleurs. Je ne puis décrire le processus créatif autrement que par cette comparaison.[...] J'oublie tout et me comporte comme un dément: tout, à l'intérieur de moi, se met à vibrer et à frémir; à peine ai-je commencé l'esquisse que déjà les idées se précipitent l'une après l'autre. Il arrive souvent qu'au beau milieu de ce processus magique, une quelconque interruption de l'extérieur vienne m'éveiller de cet état somnambulique.[...] Ces interruptions sont vraiment épouvantables... Elles brisent le fil de l'inspiration[32].*

Cette sensation des idées qui coulent en soi en un flot ininterrompu, c'est l'aspect que l'on rapporte le plus souvent lors des expériences de percée intuitive. Voici ce que racontait Brahms à un biographe à propos des moments d'inspiration de ses compositions les plus célèbres:

> *Tout d'un coup, les idées coulent en moi, venant directement de Dieu, et l'œil de mon esprit perçoit des thèmes qui sont non seulement précis, mais encore revêtus de formes, d'harmonies et d'orchestrations justes. Lorsque je suis dans cet état d'esprit rare et inspiré, c'est mesure par mesure que le produit fini m'est révélé[33].*

C'est dans des termes à peu près semblables que le poète allemand Goethe décrivit à un ami la façon dont il avait écrit son roman *Werther*: «J'ai écrit le roman d'une façon presque inconsciente, comme un somnambule, et je fus stupéfait lorsque je vis ce que j'avais fait.» Quant au poète anglais William Blake, il dit de son *Milton*: «J'ai écrit ce poème sous une dictée directe, douze et parfois même vingt ou trente vers à la fois, sans aucune préméditation et même contre mon gré[34].»

Dans les récits des XVIIe, XVIIIe et XIXe siècles, toutes les personnes citées ont parlé de cette sensation comme venant de Dieu ou de quelque source divine, conformément au système de croyances de l'époque. Le compositeur Richard Strauss disait, par exemple:

> *Lorsque le flot d'idées m'envahissait – la pièce musicale au complet, mesure par mesure – j'avais l'impression que deux Entités omnipotentes distinctes me faisaient la dictée.[...] J'étais nettement conscient d'être aidé par autre chose qu'une puissance terrestre et que celle-ci répondait aux suggestions que je déterminais[35].*

Puccini décrivit en termes à peu près semblables l'inspiration de ses plus grands opéras:

> *La musique de cet opéra (Madame Butterfly) me fut dictée par Dieu; j'ai seulement contribué à la mettre sur papier et à la communiquer au public[36].*

Et Brahms observa ce qui suit:

> *Lorsque je ressens ce pressant besoin, je fais d'abord appel à mon Créateur, directement.[...] Je ressens immédiatement des vibrations qui transportent mon être entier.[...] Lorsque je suis dans cet état d'exaltation, je distingue très clairement ce qui, dans mes états habituels, est obscur; je me sens alors capable de tirer mon inspiration d'en haut, comme le faisait Beethoven.[...] Ces vibrations prennent la forme d'images mentales distinctes[37].*

D'autres récits ont parlé de ces expériences en employant des métaphores plus contemporaines telles que le conscient et l'inconscient.

Brahms, par exemple:

> *Pour obtenir de tels résultats, je dois être dans un état de semi-transe, une condition où l'esprit conscient subit une suspension temporaire et où l'esprit inconscient est aux commandes[38].*

Le poète anglais Shelley fit la déclaration suivante: «L'un après l'autre, tous les plus grands artistes, poètes et écrivains confirment le fait que leur œuvre parvient à eux d'au-delà du seuil de la conscience[39].»

D'autres encore ont décrit l'instant de l'illumination comme s'ils avaient été frappés par un éclair venant du ciel. Un siècle avant Ramanujan, un autre prodige des mathématiques naquit de parents pauvres, en Allemagne cette fois. Tout comme Ramanujan, Johann Friedrich Karl Gauss manifesta ses remarquables talents à un âge très précoce: à trois ans, il interrompit son père pour lui faire remarquer que l'opération complexe qu'il était en train d'écrire avait été mal calculée. Après avoir à peine enseigné l'alphabet à son enfant, le père le regarda apprendre à lire, par lui-même, en plusieurs langues différentes!

Ainsi que Descartes l'avait fait un siècle auparavant, Gauss bénéficia d'une formation classique alors qu'il était encore adolescent. Ses biographes notèrent qu'il avait décidé de se spécialiser en mathématiques l'après-midi où il découvrit comment construire un polygone à dix-sept côtés en ne se servant que d'un compas et d'une règle. La solution lui est apparue «dans un éclair», la décision de son choix de carrière aussi.

Il prétend avoir été harcelé sa vie durant par un flot constant d'idées si riches qu'il ne lui restait plus qu'une toute petite fraction de son temps à consacrer à leur poursuite. Lorsqu'il eut vingt et un ans, il était déjà profondément engagé dans la découverte de la théorie des nombres la plus importante depuis Pythagore: la théorie des nombres complexes.

Les anecdotes abondent en ce qui concerne la capacité qu'avait Gauss d'effectuer des calculs complexes de façon presque instantanée. Il y a toutefois des différences importantes entre les formes de créativité que nécessitent le calcul à la vitesse de l'éclair et la compréhension quasi instantanée d'une nouvelle théorie ou d'un nouveau champ mathématique. Gauss avait la réputation d'être un perfectionniste qui n'aurait jamais osé avancer publiquement une idée avant de l'avoir rigoureusement vérifiée. En 1886, dans une lettre qu'il adressa à un journal scientifique français concernant un théorème dont il avait vainement tenté de faire la preuve depuis des années, il écrivit:

> *Il y a deux jours, j'ai enfin réussi, non pas à force de pénibles efforts de ma part, mais par la grâce de Dieu. Soudain, comme dans un éclair, l'énigme était résolue. Je suis moi-même incapable de dire quel est le fil conducteur qui relie mes connaissances préalables avec ce qui rendit ce succès possible[40].*

Selon ce que d'autres auteurs ont rapporté, il est assez intrigant que Gauss ait utilisé l'image de l'éclair pour décrire ce genre de perception intuitive assez spéciale. Comment se fait-il que cette image de la foudre surgisse tant et plus dans les comptes rendus des êtres inspirés comme dans les mythologies de presque toutes les cultures?

Pourrions-nous percer la signification psychologique de cette foudre intuitive si nous nous penchions sur le sens de cette image dans la mythologie?

Dans le monde occidental, les mythes les plus connus faisant référence à cette image de l'éclair sont ceux de la foudre de Zeus et des éclairs du Sinaï. Selon Joseph Campbell, l'un des plus éminents spécialistes des mythes, la foudre ainsi que le cycle mythique plus large dont elle fait partie sont un code représentant le processus d'ouverture de la puissance créatrice de la vie:

> *L'aventure couronnée de succès du héros a pour effet d'ouvrir et de libérer le flot de la vie afin qu'il coule à nouveau dans le corps du monde. Le miracle de ce flot peut être représenté sous une forme physique par la circulation d'une substance nutritive, sous une forme dynamique par un courant d'énergie, ou sous une forme spirituelle par une manifestation de la grâce. Ces différentes catégories d'images sont souvent employées alternativement; elles représentent trois degrés de condensation de la force de vie. Une récolte abondante, c'est le signe de la grâce de Dieu; la grâce de Dieu est la nourriture de l'âme; la foudre est à la fois présage de pluie fertilisante et manifestation de l'énergie de Dieu libérée. Grâce, substance nutritive, énergie: toutes coulent dans le monde du vivant et, là où elles font défaut, la vie se décompose et devient mort[41].*

Ou bien, comme le disait Puccini:

> *Le grand secret de tous les créateurs de génie réside dans leur capacité d'aller chercher au fond de leur âme la beauté, la richesse, la splendeur et le sublime qui font partie de*

> *la Toute-Puissance, et de communiquer ces richesses aux*
> *autres[42].*

La vérification: quelques cas

Bien entendu, les percées intuitives ne s'avèrent pas toutes valables ou vérifiables, bien que plusieurs le soient. Prenons le cas de Ramanujan: une vérification ultérieure de ses résultats démontra à plusieurs reprises que ses intuitions instantanées n'étaient pas nécessairement justes. La conscience un peu plus normale que nécessitait le mode de vérification semblait fonctionner un peu plus lentement, même chez un penseur d'une rapidité extraordinaire comme Ramanujan, mais le mode de vérification était beaucoup plus fiable lorsqu'il s'agissait de produire des résultats fondés. Sa grande souplesse intellectuelle – la facilité avec laquelle il modifiait des structures hypothétiques minutieusement construites – était une autre des caractéristiques que remarquèrent ceux qui travaillèrent avec lui.

Dans des domaines aussi subjectifs que la musique ou la littérature, la question de la vérification semble très difficile, mais il existe quand même une espèce de preuve objective. Pour ce qui est de Robert Louis Stevenson, le mode de vérification avait lieu lorsqu'il mettait ses propres talents de rédacteur à polir le travail que lui avaient présenté ses «lutins». Quant aux musiciens, ils devaient transcrire et arranger les mélodies qu'ils avaient entendues pendant les moments d'inspiration.

Dans un sens plus large, la participation de ceux qui font l'expérience des différentes formes d'art constitue, en quelque sorte, un mode de vérification. Comment est-il possible de connaître et d'aimer à ce point des artefacts aussi intangibles que des symphonies ou des cantates, à moins de participer nous-mêmes au monde du compositeur lorsque nous écoutons ces pièces? Tout «subjectif» qu'il soit dans le sens positiviste, le mystère de la musique peut aussi avoir été partagé par des observateurs indépendants au cours des siècles. Comment, en effet, expliquer autrement qu'une série de variations de la pression sur nos tympans devienne une aria immortelle?

Recherche sur la psychologie de la créativité

Que nous a révélé la recherche scientifique sur la nature, les limites et les origines de la créativité? Beaucoup moins, à certains égards, que nous ne l'aurions souhaité. Toutefois, si nous sommes prêts à spéculer, à extrapoler et à établir des corrélations à partir de différentes conclusions de recherches dans des domaines nombreux et variés, nous constatons l'émergence d'idées pour le moins surprenantes.

Très peu de travaux ont porté sur ce que Frederic Myers avait appelé l'«inspiration» jusqu'après la fin de la Seconde Guerre mondiale. Mais l'esprit d'invention devint alors une question de grande préoccupation dans le domaine scientifique. Depuis lors, certaines recherches ont porté sur la nature, la fréquence et le développement de la créativité. Encore une fois, le choix des mots a son importance: le mot «inspiration» suggère une chose, le mot «innovation» en suggère une autre et le mot «créativité» encore une autre.

Dans l'usage commun, le mot **créativité** signifie nouveauté, innovation. Des expériences psychologiques menées dans le domaine de la motivation et de l'apprentissage ont révélé le pouvoir de la nouveauté en tant qu'incitation à l'action. Il semble y avoir une tension essentielle entre la recherche de l'équilibre (l'homéostasie, le maintien des conditions de stabilité, de sécurité, etc.) et la recherche de nouvelles possibilités d'expérience. Des études portant sur des gens très créatifs ont fait ressortir cette tension en utilisant des termes de dualité tels que intellect et intuition, conventionnel et non conventionnel, conscient et inconscient, santé mentale et trouble psychique, complexité et simplicité. Selon Frank Barron, chercheur dans le domaine de la créativité:

> *L'individu créatif non seulement respecte l'irrationnel en lui-même mais encore il cherche dans ses pensées la source de nouveautés la plus prometteuse.[...] La personne créative est à la fois plus primitive et plus cultivée, plus destructive et plus constructive, plus folle et plus sensée que l'individu moyen[43].*

Deux facteurs modifient la façon dont les scientifiques formuleront ou aborderont les questions qu'ils poseront dans leur recherche: d'abord les modèles explicites ou implicites concernant le déroulement du processus créatif, et ensuite les limites inhérentes présumées. Si on présume, par exemple, que le nouveau produit du processus créatif est la conséquence de la rencontre d'éléments jusque-là isolés, disparates ou incommensurables, il semble assez justifié de poser des questions concernant le «mécanisme» de la créativité, par exemple: quelles sortes d'activités mentales s'apparentant à un programme d'ordinateur pourraient expliquer la rencontre d'éléments différents et l'envoi au conscient d'un «signal» l'avertissant que quelque chose de nouveau vient d'être formé? Ces questions pourraient être profitables à l'intérieur des limites de ce modèle «mécaniste» mais elles seraient peut-être inopportunes dans l'étude des aspects moins évidemment mécanistes de la créativité.

On a fait une distinction utile entre la pensée «convergente», ou le raisonnement analytique mesuré à l'aide de tests d'aptitude intellectuelle, qui tend à utiliser la rationalité pour aboutir à un but unique, et la pensée «divergente», qui démontre une richesse d'idées et une originalité de pensée caractérisées par un mouvement d'éloignement des modèles et des buts établis. Alors que l'activité créative entraîne à la fois la pensée convergente et la pensée divergente, c'est la pensée divergente surtout qui caractérise ce qu'on considère le plus généralement comme créatif.

Le psychologue Roger N. Shepard a mis en parallèle le mode de penser humain orienté vers l'image et le mode logique en les comparant aux différences existant entre les processus analogique et numérique des ordinateurs; et il a affirmé ce qui suit: «Je soutiens qu'il existe deux processus de pensée, logique et analogique, et que le dernier type, bien qu'on le néglige souvent dans les recherches en psychologie, pourrait bien être comparable au premier en importance[44].»

Une explication plus contemporaine du processus créatif, celle d'Albert Rothenberg, résume plusieurs des théories les plus significatives concernant ce processus:

> *Mednick suggérait que la pensée créative était basée sur une combinaison d'éléments vaguement associés les uns aux autres. Selon lui, «plus les éléments de la nouvelle combinaison étaient éloignés les uns des autres, plus la solution ou le processus était créatif». Les mécanismes de production de telles combinaisons étaient, selon les descriptions qu'il en fit, de type associatif comme le phénomène du heureux hasard (la contiguïté accidentelle d'éléments), la similarité et la médiation.[...]*

> *Quant à la théorie d'Arthur Koestler sur la «bisociation», elle s'applique non seulement au processus de la pensée mais aussi et de façon très large à n'importe quel phénomène biologique, psychologique ou social. Il y a bisociation lorsque se rencontrent deux cadres de références étant normalement incompatibles et ayant chacun sa logique propre. Koestler estime que la création est un acte unique plutôt qu'un processus, et sa théorie, à l'instar de celle de Mednick, repose sur le principe de l'association d'éléments, voire de cadres de références complets.[...]*

La pensée latérale, expression qu'introduisit De Bono, s'ap-
plique à la capacité de modifier un contexte de pensée, dont
la progression habituelle est «verticale». Ce type de pensée,
par son éloignement des concepts figés et prédéfinis, res-
semble en quelque sorte à la tolérance face à l'ambiguïté. Il
ressemble aussi au mécanisme de la «pensée productive», à
la «destruction d'anciennes gestalts» ou à la mise de côté des
contextes familiers, des manières de voir et de penser habi-
tuelles, ainsi que le suggérait jadis Wertheimer[45].

Toutes ces définitions ne reconnaissent pas explicitement le caractère distinctif de la créativité, dans le sens où nous employons ce mot,
c'est-à-dire comme la fonction centrale de l'esprit inconscient.

Le processus d'apprentissage: images et accroissement de la perspicacité

Toute cette recherche laisse de côté deux questions majeures, à
savoir: «La créativité est-elle une technique qui s'apprend?» et «Est-ce
que n'importe qui pourrait apprendre à accomplir ces prouesses extraordinaires que nous avons toujours cru réservées à quelques individus
particulièrement doués?» De telles questions ont déclenché au moins
une révolution dans la recherche et dans un domaine auquel on accorde
la plus grande crédibilité scientifique. Les pionniers de la recherche sur
le *biofeedback* et sur le sommeil n'ont pas été sourds aux messages que
leur adressaient du passé les Brahms, Einstein et Poincaré; car ces
chercheurs contemporains poursuivaient le même but que leurs prédécesseurs, celui de découvrir le lien entre les états de conscience et la
source de la créativité.

Évidemment, le point de vue qui domine actuellement dans notre
culture veut que la créativité soit un talent, non une technique; en outre,
jusqu'à l'avènement du *biofeedback*, la croyance générale voulait que
personne ne puisse apprendre à réduire les battements de son cœur ou
sa tension artérielle, ou encore à diriger ses ondes cérébrales.

Elmer et Alyce Green, de la Fondation Menninger, étudient la psy-
chophysiologie de la conscience, et surtout de la créativité, depuis une
trentaine d'années. Après avoir scruté les rapports de Poincaré et autres, ils ont commencé à observer les corrélations existant entre les
ondes cérébrales et les états «crépusculaires» hypnagogique et hypnopompique de la conscience. Un indice important leur vint du Japon et
de l'Inde, où d'autres chercheurs avaient réussi à prouver que certains
adeptes de la méditation montraient un ralentissement de la fréquence

alpha dominante (de huit à douze cycles par seconde) et une dominance de la fréquence thêta (de six à huit cycles par seconde). On savait déjà que c'est pendant l'état hypnagogique, avant que les ondes cérébrales ralentissent à la fréquence delta (environ quatre cycles par seconde), que l'imagerie créative inhabituelle a tendance à se manifester de façon spontanée. C'est alors qu'ils émirent la théorie qu'il devait y avoir, quelque part au royaume thêta, entre l'éveil et le sommeil, une porte d'accès psychophysiologique à la créativité.

Lorsqu'ils présentèrent les résultats de leurs premières explorations dans le domaine de l'apprentissage de la créativité, les Green attirèrent surtout l'attention sur la «rêverie» que presque tous avaient mentionnée:

> *La «rêverie» qui accompagne la production semi-consciente d'ondes thêta et d'ondes alpha de basse fréquence semble être associée à – voire à rendre possible, sous certaines conditions – la détection d'une imagerie de type hypnagogique, condition sine qua non de la créativité pour quantité d'êtres exceptionnels. Afin de demeurer éveillé et conscient durant la production d'ondes thêta sans avoir suivi un long entraînement autogène ou de type yoga, nous pensons que la plupart des gens devront avoir recours à certains instruments tels que ceux que nous sommes à mettre au point, par exemple[46].*

Si le mode de penser créatif ou imaginatif est associé au rythme thêta des ondes cérébrales, tel que supposé, cela éclaire-t-il d'un jour nouveau la question de savoir si la créativité est une technique qui s'apprend? Voici ce qu'en pensent les Green:

> *Nous pouvons maintenant nous poser la question suivante: «Quelle est la raison pour laquelle nous devrions croire que parce que certaines personnes ont associé les ondes de basse fréquence alpha et thêta à la rêverie et aux images de type hypnagogique, l'inverse devrait nécessairement être vrai? ou que l'entraînement d'un sujet à produire des ondes thêta ou des ondes alpha de basse fréquence – une réalisation purement physiologique – provoquerait un état de rêverie où apparaîtraient des images de type hypnagogique ou d'autres phénomènes?»[...]*
>
> *Pour répondre à la première question, nous pouvons dire que nous ne tentons pas d'entraîner les gens à produire des rythmes de basse fréquence alpha et thêta, mais plutôt de les amener à la maîtrise volontaire de certains processus vitaux dont les corrélations dans le système nerveux central appa-*

raissent sur l'électro-encéphalogramme sous forme de ryth-
mes de basse fréquence alpha et thêta.[...] À ce qu'on sache,
les ondes cérébrales comme telles ne présentent aucune ma-
nifestation sensorielle qui nous permettrait de les détecter.
Ce que l'on détecte et ce que l'on manipule, on ne sait trop
comment, sont des foyers d'attention, des processus de pen-
sée et des impressions subjectives. Dans notre laboratoire,
le programme de maîtrise volontaire se rapporte à la maî-
trise de la pensée, de l'émotion et de l'attention. Quant
à l'orientation des ondes cérébrales, à la maîtrise des
mécanismes reliés aux changements de température, à la
réduction des muscles striés, nous les considérons essentiel-
lement, dans notre travail, comme les corrélations physiolo-
giques de processus psychologiques[47].

En termes moins techniques, cette réponse des Green affirme qu'en utilisant le *biofeedback* il est possible d'entraîner des gens à passer d'un état normal d'éveil de la conscience à ce que nous avons appelé les états d'incubation et d'illumination.

S'il est vrai que nous pouvons apprendre à réussir les percées dont nous avons besoin pour résoudre certains problèmes personnels – ainsi que semblent l'avoir fait les grands compositeurs, poètes et inventeurs –, par quel intermédiaire ce savoir est-il obtenu? Possédons-nous des aptitudes ordinaires dont nous pourrions nous servir, sans l'aide du biofeedback, pour provoquer des percées intuitives extraordinaires?

La relation entre la capacité de concentration sur des images visuelles et la capacité d'induire des états créatifs est l'une des dernières frontières de la psychologie cognitive et de certaines formes de psychothérapie. Le cas de l'inventeur Nikola Tesla semble fournir des preuves à l'appui de l'existence de cette relation.

Presque personne ne connaît son nom. Cependant, si ce n'était des découvertes et des inventions de Nikola Tesla, le ménage moyen de l'ère industrielle serait très différent de ce qu'il est aujourd'hui. Si vous deviez effacer de votre foyer toute trace des contributions majeures de Tesla, il vous faudrait éliminer le réseau électrique d'où vos prises murales puisent le courant qui alimente vos appareils ménagers. Vous devriez aussi éliminer beaucoup de ces appareils, en commençant par votre téléviseur et votre appareil radio, sans parler de l'éclairage fluorescent, au néon.

D'autres objets ou éléments, qui ne sont pas d'usage domestique mais qui sont essentiels à la recherche scientifique, disparaîtraient aussi:

la lampe à bombardement moléculaire, qui mena au microscope électronique et aux accélérateurs de particules, la recherche sur les rayons cosmiques et sur la radioactivité artificielle, les courants électriques à haute intensité utilisés en médecine et dans l'industrie, les armes et les véhicules téléguidés.

Bien que Tesla soit décédé il y a plus de quarante ans, nombre de ses découvertes – qu'on a longtemps crues trop «fantastiques» pour être pratiques – commencent à peine à être étudiées sérieusement en laboratoire: la transmission électrique sans fil, les générateurs solaires et pélagiques, l'utilisation de la planète Terre elle-même en tant que médium de transmission et source d'énergie, la robotique et, en rapport avec notre recherche, l'utilisation et l'entraînement des capacités de visualisation dans le but de stimuler le processus d'invention.

N'importe quel écolier sait que Thomas Edison a inventé l'ampoule électrique; ce qu'on sait moins, par contre, c'est qu'il s'acharnait à trouver un système de distribution d'énergie à courant continu qui aurait nécessité des stations génératrices tous les trois ou cinq kilomètres le long du réseau. C'est une invention de Tesla – la première dynamo et le premier système de transmission à courant alternatif d'utilisation facile – qui rendit possible l'ère de l'électricité et qui permit à des fabricants et à des financiers de faire des milliards. Ce sont ses brevets d'invention qui firent de la radio une idée pratique, même si l'inventeur dont on se souvient aujourd'hui s'appelle Marconi. Bien qu'il ait bénéficié dès le début d'un octroi d'un million de dollars de la part de George Westinghouse pour mener à bien ses recherches en électricité, Tesla mourut pauvre et amer.

L'histoire de cet étrange génie est fascinante en elle-même, mais ce qui donne à Tesla une si grande valeur, en ce qui concerne notre livre, ce sont ses éclairs d'intuition extraordinairement détaillés, qu'il a si bien décrits, ainsi que les techniques de visualisation qu'il cultivait et utilisait à dessein.

Les grandes capacités de visualisation de Tesla se manifestèrent d'abord sous la forme d'une épreuve lorsqu'il était très jeune. Des souvenirs terrifiants le tourmentaient; ils étaient d'une telle clarté qu'il lui semblait voir deux réalités: le monde autour de lui et, simultanément, la reconstitution dans ses moindres détails d'un monde appartenant à son passé. Il lui arrivait d'être assis en classe, par exemple, ou de marcher dans la rue lorsque soudain surgissait inopinément dans son champ de vision une scène de funérailles à laquelle il avait assisté quelques années plus tôt. Cette nouvelle vision, qu'il savait être un souvenir, n'était pas moins authentique – du point de vue de sa perception – que la scène «réelle» qu'il voyait aussi.

Afin de se libérer de ces apparitions affolantes et de préserver sa santé mentale, Tesla entreprit d'augmenter son emprise sur ces épisodes. Comme Robert Louis Stevenson, il comprit qu'il pouvait perfectionner la psychothérapie qu'il s'administrait afin d'écarter ses visions terrifiantes et de s'en faire un outil pour «rêver» ses inventions.

Au début, lorsqu'un souvenir désagréable se présentait à sa vue, le jeune Tesla essayait de le neutraliser en se remémorant un souvenir plus agréable. Il se rendit bientôt compte qu'il lui fallait continuellement trouver des images «fraîches» car, pour une raison inconnue, les images agréables perdaient peu à peu leur pouvoir de conjurer les images désagréables. Comme il était jeune et qu'il n'avait pas encore vu grand-chose du monde, son répertoire d'images neutralisantes fut bientôt épuisé. Lorsqu'il avait fait par trois fois le tour de son répertoire de souvenirs heureux, ceux-ci perdaient tout pouvoir d'écarter les apparitions terrifiantes. Voici ses propres paroles:

> *Instinctivement, je me mis alors à faire des excursions au-delà des limites du petit monde de mes connaissances et je vis des scènes nouvelles. Au début, elles étaient très floues et imprécises et elles s'envolaient dès que j'essayais de concentrer mon attention sur elles; peu à peu, cependant, je parvins à les fixer; elles acquirent de la solidité et de la précision jusqu'à devenir aussi concrètes que des objets réels. Bientôt, je m'aperçus que j'obtenais le soulagement le meilleur lorsque je poussais ma vision de plus en plus loin, tout simplement, enregistrant constamment de nouvelles impressions; c'est donc ainsi que je me mis à voyager, toujours en esprit, bien sûr! Tous les soirs (et même parfois durant le jour), lorsque j'étais seul, je partais en voyage; je voyais de nouveaux endroits, de nouvelles villes ou de nouveaux pays; j'y habitais; je rencontrais des gens et je liais de nouvelles amitiés, je faisais de nouvelles connaissances et, aussi incroyable que cela puisse paraître, elles m'étaient aussi chères que celles de ma vie réelle, et leur manifestation n'en était pas moins intense[48].*

Il continua à perfectionner cette aptitude jusque vers l'âge de dix-sept ans, moment où il envisagea sérieusement de se mettre à inventer. Il fut enchanté de découvrir qu'il était capable de visualiser avec une grande facilité des inventions possibles. Il n'avait pas besoin de faire de dessins ou de modèles ni de faire des expériences, seul l'œil de son esprit devait se mettre au travail. Il commença à élaborer ce que plus

tard il en vint à considérer comme une approche beaucoup plus efficace
de matérialisation des inventions que ne l'était le vieux procédé d'apprentissage par essais et erreurs, ou par dessins et expériences.

Tesla prit la peine de noter soigneusement qu'il considérait que sa
méthode était tout aussi «réelle» et beaucoup plus puissante que tout
autre outil plus analytique et moins «subjectif» du métier d'inventeur.
Près d'un demi-siècle avant l'invention de l'ordinateur, il découvrait
ce que les programmeurs modernes ont appelé «la modélisation et la
simulation». Il se rendit compte qu'il pouvait construire des engins
hypothétiques, les modifier et même les faire fonctionner par sa seule
visualisation:

> *Il m'est tout à fait indifférent de faire fonctionner ma turbine
> en pensée ou de la tester dans mon atelier.* **Je constate
> même s'il y a un mauvais équilibre.** *Il n'y a aucune diffé-
> rence, les résultats sont les mêmes. De cette façon, je peux
> rapidement élaborer et perfectionner un concept sans tou-
> cher quoi que ce soit. Une fois que j'ai apporté à l'invention
> toutes les améliorations possibles auxquelles je pouvais pen-
> ser et que je ne lui vois plus de défauts, je donne une forme
> concrète à ce produit final de mon esprit. Immanquable-
> ment, mon engin fonctionne tel que je l'avais conçu et l'ex-
> périence se déroule toujours telle que je l'avais planifiée. En
> vingt ans, il n'y a jamais eu une seule exception[49].*

Un jour, lorsque Tesla était étudiant, il se passa un fâcheux incident
dans une salle de cours. On avait importé une dynamo, du type de celles
qui étaient disponibles à l'époque et on en faisait la démonstration
devant la classe. Le jeune inventeur, qui maîtrisait déjà à un haut degré
ses capacités de visualisation et qui se considérait comme versé en
génie électrique, fit remarquer qu'on pourrait fabriquer une dynamo
plus efficace à partir de principes légèrement différents. Le professeur
donna alors un cours sur l'impossibilité de la proposition du jeune
Tesla. Ce défi le stimula:

> *Je commençai par me représenter une machine à courant
> direct en opération et je suivais le flot changeant du courant
> dans l'armature. Ensuite, j'imaginai un alternateur et j'exa-
> minai de la même façon les processus qui s'y produisaient.
> Après, je visualisai des systèmes qui comportaient des mo-
> teurs et des alternateurs et je les fis fonctionner de diverses
> façons. Les images que je voyais étaient parfaitement réelles
> et tangibles. Je passai tout le restant du semestre ainsi... en*

efforts intenses mais vains, et j'en vins presque à la conclu-
sion que le problème était insoluble.[...]

Lorsque je m'attaquai de nouveau au problème, c'était
presque avec le regret que la lutte allait bientôt finir. J'avais
un tel surplus d'énergie! Lorsque j'avais entrepris la tâche,
ce n'était pas par suite d'une simple résolution de ma part,
comme celles que la plupart des hommes prennent. Non,
pour moi, c'était un vœu sacré, une question de vie ou de
mort. Je savais que si j'échouais, j'en mourrais. À ce mo-
ment-là, je sentis que j'avais gagné le combat. La réponse
se trouvait quelque part dans les recoins de mon cerveau,
mais je ne pouvais pas encore l'exprimer ouvertement[50].

Bien que le jeune inventeur anticipait une percée intuitive, la solution se présenta à lui de façon tout à fait inattendue alors qu'il se
promenait dans un parc avec un ami en récitant de la poésie. En observateur fidèle de ses propres processus mentaux, Tesla prit même la
peine de noter que le poème qu'il récitait juste avant que se produise
l'illumination était le *Faust* de Goethe. Alors que le soleil se couchait,
le passage suivant lui vint à l'esprit:

La lueur se retire, le jour de labeur est terminé,
Elle se hâte là-bas, vers de nouveaux champs de vie à explorer.
Pourquoi des ailes ne m'enlèveraient-elles pas du sol
Pour que je puisse suivre sa trace, en haut, si haut!...
Ô rêve glorieux! quoique maintenant les gloires s'effacent.
Hélas! les ailes qui élèvent l'esprit ne peuvent m'aider
À me procurer des ailes pour élever mon corps.

Plus tard, il écrivit ce qui suit:

Alors que je récitais ces mots inspirés, l'idée me vint comme
en un éclair et la vérité me fut révélée. À l'aide d'un bâton,
je dessinai sur le sable les diagrammes que je présentai six
*ans plus tard devant l'*American Institute of Electrical Engi-
neers *(l'Association américaine des ingénieurs en électrici-*
té) et mon compagnon les comprit parfaitement. Les images
que je voyais étaient d'une précision et d'une clarté merveil-
leuses; elles avaient la solidité du métal et de la pierre,
tellement que je lui ai dit: «Tu vois le moteur, ici? Regarde
bien, je vais l'inverser.» Je ne peux vous décrire les émo-
tions que je ressentais. Pygmalion, lorsqu'il a vu sa statue
prendre vie, ne pouvait être plus ému que moi. J'aurais pu
tomber par hasard sur un millier de secrets de la nature que
je les aurais tous échangés contre celui-ci que j'ai dû lui

arracher contre toute attente et au péril de ma vie... Pendant un certain temps, je me laissai aller totalement à la joie d'imaginer des machines et de concevoir des formes nouvelles. J'étais dans l'état de bonheur mental le plus complet de toute ma vie. Les idées m'arrivaient en un flot ininterrompu et ma seule difficulté consistait à les retenir. Les pièces des appareils que je concevais étaient pour moi réelles et tangibles jusque dans leurs moindres détails et jusqu'aux plus petites marques et aux moindres signes d'usure. Je prenais plaisir à imaginer des moteurs qui fonctionnaient continuellement, car c'est ainsi qu'ils présentaient le spectacle le plus fascinant à l'œil de mon esprit. Lorsqu'un penchant naturel se développe et devient un désir passionné, c'est avec des bottes de sept lieues qu'on avance vers son but. En moins de deux mois, j'avais élaboré pratiquement tous les types de moteurs et toutes les modifications du système qui me sont aujourd'hui attribués[51].

Les solutions créatives, générées par les processus de perception de l'esprit se situant hors du champ conscient, affleurent souvent au conscient sous forme d'images. Selon les adeptes contemporains de la psychologie cognitive, l'imagerie paraît faire partie intégrante de la façon de fonctionner de notre cerveau.

Un autre indice important du rôle de l'imagerie dans la créativité nous est donné par Kekule lorsqu'il dit: «[l'œil de mon esprit est] **devenu plus perspicace par la répétition de maintes visions.**» Bien que d'autres personnages comme Tesla aient été beaucoup plus conscients de la façon d'utiliser cette vision, de l'améliorer et de l'appliquer à des problèmes techniques, Kekule était un observateur assez avisé pour avoir noté qu'une certaine forme de processus d'apprentissage quasi conscient avait lieu au cours des ans, à mesure que ses visions s'acheminaient vers un concept de structure qui fut cohérent.

À une époque plus récente, les psychologues qui travaillaient dans le domaine de la créativité, de la mémoire et de la visualisation ont redécouvert les clés de ce genre d'entraînement mental et il existe à l'heure actuelle maintes disciplines et écoles qui peuvent aider à peu près n'importe qui à acquérir une certaine habileté à «voir» des images avec l'œil de l'esprit, ainsi que le faisaient Tesla et Kekule. De la même manière, des scientifiques ont découvert des indices permettant à n'importe qui d'avoir accès à un certain nombre de phénomènes ou d'états qui semblent associés aux percées créatives profondes ou qui semblent y conduire.

Chapitre III

DU CÔTÉ DE LA LUMIÈRE

LIMITES INTÉRIEURES ET CROYANCES INCONSCIENTES

Croire, choisir, savoir, de façon inconsciente

Pourquoi n'y a-t-il pas de Beethoven, Gandhi ou Einstein dans chaque famille? S'il est vrai qu'il y a en chacun de nous une capacité naturelle à effectuer des percées de créativité de forme supérieure, qu'est-ce qui en cache la clé? Qui nous empêche de découvrir ces talents et de nous en servir?

Parmi les croyances inconscientes profondes et généralisées, il y a toutes celles qui concernent les potentiels et les limites de l'être humain, les nôtres comme ceux des autres. Ces limites ont tendance à se confirmer avec l'expérience, non pas parce qu'elles sont réelles, mais parce qu'on y croit. Certains phénomènes bien connus sont exploités couramment durant les séances d'hypnose: une personne hypnotisée, à qui on aura suggéré de «percevoir» un «mur solide» là où il n'y en a pas, «percevra» ce mur de façon tellement réaliste que ses capillaires en éclateront et que sa main montrera des contusions pour avoir «frappé» ce mur.

Par des suggestions d'un autre genre, on pourra faire accomplir au corps des exploits qu'il ne pourrait accomplir en temps normal, par exemple former un pont rigide entre deux chaises ou soulever un objet très lourd.

Les modèles les plus couramment acceptés en ce qui concerne les capacités humaines – et les croyances générales concernant les limites de ces capacités – tels qu'ils sont perçus par la société et «approuvés» par la science, sont fondés, pour la plupart, sur une série de postulats implicites qui n'ont jamais été contestés jusqu'à tout récemment. En voici quelques-uns:

1. «L'esprit est une fonction des composantes physiques du cerveau, et uniquement une fonction du cerveau. En définitive, la compréhension scientifique du comportement humain peut être formulée en des termes qui se rapportent aux processus physiques du cerveau.»

2. «En dernière analyse, ce n'est que par leurs sens physiques que les gens peuvent acquérir des connaissances.»

3. «Au bout du compte, toutes les propriétés qualitatives peuvent être réduites à des propriétés quantitatives; en d'autres mots, la notion de couleur peut être réduite à une relation entre des longueurs d'ondes et des événements à l'intérieur du cerveau, alors que l'amour, la haine et la conscience seront un jour assimilés à des réactions chimiques entre sécrétions glandulaires, et ainsi de suite. Ce qu'on appelle aujourd'hui la conscience ou la perception des pensées et des sentiments n'est en réalité qu'un effet secondaire de ces processus physiques et biochimiques du cerveau.»

4. «Il y a une distinction très nette entre le monde objectif, que n'importe qui peut percevoir, et l'expérience subjective, perçue par un seul individu dans l'intimité de son esprit.»

5. «Le concept de "personne libre" est une explication préscientifique du comportement, le comportement étant déterminé par les forces de l'environnement qui affectent les individus, en interaction avec les tensions internes caractéristiques de l'organisme biologique humain. Selon le point de vue de la science du comportement, la liberté psychique et la liberté de choix sont des illusions. La "liberté" est un comportement dont la science n'a pas encore trouvé la cause.»

6. «L'individu moyen possède peu ou pas de génie ou de talent, et son aptitude à l'inspiration est proportionnelle au quotient intellectuel qu'il a eu la chance (ou la malchance) de recevoir à la naissance.»

7. «La croyance en des talents métapsychiques, comme la perception extrasensorielle, les expériences hors du corps, etc., sont des vestiges de superstitions provenant d'une époque moins perfectionnée; ces talents n'existent pas, sauf en tant qu'hallucinations, illusions ou désirs pris pour des réalités.»

Chacune de ces affirmations semble assez raisonnable et elle est compatible avec la science à son meilleur; les témoignages que nous examinons dans ce livre les mettront cependant toutes les sept en question. Peut-être les considérez-vous non pas comme des «croyances», mais comme des «faits», de la même façon que vous auriez pu prétendre, il y a quelques décennies, que l'affirmation «quelque chose ne peut être à la fois une onde et une particule» était un «fait» et non une «croyance».

L'histoire nous a montré à maintes reprises l'évolution possible de l'opinion sur les limites humaines et que ces limites elles-mêmes pouvaient changer de façon radicale. En Europe, pendant de nombreux siècles, aucun «fait» n'était considéré comme plus fermement établi que celui de l'incapacité innée des paysans à apprendre à lire. Au XVe siècle, on inventa l'imprimerie, et la proportion de la population sachant lire et écrire fit un bond, passant d'une élite peu nombreuse à une large section de la population ordinaire. À l'époque de Samuel Johnson, la capacité de faire de simples additions mathématiques passait presque pour un art ésotérique. Boswell, biographe de Johnson, a fait remarquer la difficulté qu'avait Johnson à apprendre cette chose mystérieuse, lui qui était sans contredit l'un des hommes les plus instruits de son époque.

Beaucoup plus que nos croyances conscientes, ce sont nos croyances inconscientes qui touchent le plus profondément nos vies et nos comportements. Il semble de plus en plus évident que si nous voulons atteindre des états favorisant les percées intuitives, nous devrons amorcer un changement radical dans nos croyances, tant conscientes qu'inconscientes, en repoussant nos limites personnelles. De plus, il semble qu'il soit possible de **reprogrammer** de façon délibérée nos croyances inconscientes. Mais pour **cela**, il y a un préalable, c'est de **savoir** que c'est possible.

L'influence des croyances commence dès la perception, qui est le principal outil dont nous disposons pour juger la réalité extérieure. De tous les stimuli qui se rapportent aux récepteurs sensoriels de la vue, de l'ouïe, du toucher, de l'odorat et du goût, seule une infime proportion atteint notre perception consciente. Une espèce d'«observateur intérieur» ou de mécanisme inconscient choisit parmi eux ceux qui devront atteindre la perception et dirige les autres vers une autre partie de l'esprit. Cette sélection est influencée par les attentes des gens (surtout lorsqu'ils sont conditionnés par des croyances provenant d'expériences ou d'apprentissages antérieurs) et par ce qu'ils **veulent percevoir** ou qu'ils **croient devoir percevoir** ou ne **pas** percevoir.

Il semblerait que les effets des croyances et des attitudes se font sentir même sur la pupille de l'œil, qui tend à se dilater (limitant ainsi la perception de la lumière) lorsqu'on nous présente quelque chose que nous voulons voir, et à se rétrécir (diminuant ainsi l'entrée des impressions visuelles) lorsqu'il y a devant nous quelque chose que nous ne désirons pas voir. Des phénomènes semblables semblent s'appliquer aussi aux autres sens.

Nos processus d'interprétation – notre façon d'organiser nos expériences sensorielles ainsi que les méthodes que nous avons apprises et qui nous permettent d'attribuer un sens à ce que nous percevons – subissent aussi l'influence de nos croyances. Lorsque dans une pièce obscure, par exemple, on nous montre, en les éclairant, une carte à jouer plus grande que la normale et un ballon de football plus petit que la normale, tout en plaçant la carte à jouer beaucoup plus loin que le ballon, les deux objets nous semblent de la bonne grosseur, la carte nous semblant plus près et le ballon plus loin. Une autre expérience bien connue consiste à faire défiler rapidement une série de cartes dont les combinaisons de couleurs ont été interchangées (cœurs noirs et trèfles rouges); les sujets perçoivent alors souvent ce qu'ils s'étaient attendus à voir (cœurs rouges et trèfles noirs)[1].

L'exemple que l'on cite le plus fréquemment afin de démontrer que nous voyons ce que nous nous attendons à voir est le suivant: on a constaté que les enfants pauvres percevaient les pièces de monnaie comme plus grandes que ce que perçoivent les enfants qui ont des parents fortunés. Des sujets affamés, quant à eux, perçoivent, sur des photos imprécises (tellement imprécises, en fait, qu'elles représentent de vagues taches) plus d'objets se rapportant à la nourriture que d'autres sujets bien nourris, etc.

L'environnement culturel est l'un des fabricants de croyances les plus puissants. Les gens qui sont nés dans des cultures différentes perçoivent le monde de façon radicalement différente. Lors de l'expédition anthropologique de Cambridge au détroit de Torres, en 1898, on découvrit que les aborigènes n'étaient pas dupes des illusions d'optique qui réussissaient toujours à tromper les Européens. Malinowski constata que les habitants des îles Trobriand, qui croyaient que toute caractéristique héréditaire provenait du père, étaient tout à fait incapables de voir chez un enfant une ressemblance avec la famille de la mère.

Des recherches expérimentales et cliniques approfondies ainsi que diverses observations anthropologiques ont contribué à corroborer l'hypothèse selon laquelle, dans une certaine mesure, nous voyons uniquement ce que notre culture nous permet de voir, et nous ne savons que ce qu'elle veut que nous sachions.

Les résultats de certaines recherches sur l'hypnose sont particulièrement surprenants. Grâce à une suggestion hypnotique, nous pouvons voir quelque chose que personne d'autre ne voit, ou encore nous pouvons ne pas voir ce que tous les autres voient très clairement; nous pouvons également voir des limitations là où il n'y en a pas ou bien manifester une force physique ou des aptitudes mentales extraordinaires. Ce que cela sous-entend est particulièrement troublant lorsque nous reconnaissons la ressemblance entre l'«état de suggestibilité» qui caractérise l'hypnose et la puissance des suggestions émanant d'une culture. Nous ignorons dans quelle mesure nous sommes tous hypnotisés de façon à percevoir une version particulière de la réalité qui nous est communiquée par notre culture.

Avec le temps, ce consensus culturel change de diverses façons, autant dans ses aspects conscients qu'inconscients. Certaines croyances qui sont plus près de la «surface», bien qu'elles soient reliées à nos sentiments les plus profonds par rapport à nous-mêmes, peuvent être modifiées par l'apport de la science et de l'éducation. En 1492, la majorité des gens instruits «savaient» que la Terre était plate et qu'elle était au centre de l'univers. Lorsque les marins de l'époque contemplaient l'horizon, ils y voyaient un endroit d'où ils pourraient bien tomber de la terre. D'aucuns, tel Christophe Colomb, soupçonnaient que ce «savoir» n'était pas factuel, mais qu'il s'agissait d'une croyance erronée.

Des croyances encore plus profondes et moins senties au niveau conscient se forment très tôt dans la vie et peuvent ne jamais changer: ce sont les croyances fondamentales se rapportant à notre identité en tant qu'être humain et à notre relation avec le reste de l'univers. Leur modification ne surviendrait qu'à l'occasion d'un traumatisme psychique majeur. «Illumination», «satori», «samadhi» et «impression de naître à nouveau» sont parmi les nombreuses expressions qu'on a utilisées pour nommer ces expériences singulières dont la puissance peut modifier de fond en comble les croyances inconscientes les plus profondes.

À vrai dire, non seulement nous **croyons** de façon inconsciente, mais encore nous **choisissons** de façon inconsciente. Un de ces comportements inconscients consiste à bloquer, pour nous protéger, toute information ou toute expérience qui, si elle parvenait à notre perception consciente, viendrait contredire notre système de croyances inconscient (ce que les psychothérapeutes appellent le déni, ou refus de reconnaître la réalité), ou encore entraînerait la nécessité de changer ces croyances (ce qu'ils appellent la «résistance»). Selon cette hypothèse, lorsque nous rencontrons un savoir susceptible de modifier notre personnalité (qui est essentiellement un système de croyances), un censeur intérieur, qui se trouve au plus profond de notre inconscient, considère ce savoir comme une menace et tente de l'ignorer.

Le psychologue Abraham Maslow a fait remarquer que lorsqu'il s'agissait de nous connaître nous-mêmes, nous étions tous ambivalents. Consciemment, nous voulons savoir; inconsciemment, toutefois, nous nous donnons beaucoup de mal afin de nous empêcher de savoir. Il a identifié cette barrière qui va à l'encontre de la connaissance de soi comme «le besoin et la peur de savoir». Selon Maslow, nous avons peur de connaître nos aspects inquiétants et désagréables (que Jung a appelés avec justesse «l'ombre»), mais nous craignons encore plus de «rencontrer le divin en nous»[4].

Nous sommes ambivalents par rapport au désir de nous connaître. Nous résistons à ce savoir que nous désirons du plus profond de nous-mêmes. Nous pensons vouloir voir la réalité telle qu'elle est, avec honnêteté. Mais les illusions que nous entretenons font partie d'un système de croyances inconscient. Toute attaque contre ces illusions est perçue (inconsciemment) comme une menace. Ainsi, bien qu'elle soit bénéfique à long terme, toute tentative de dissipation de ces illusions provoquera de la résistance. Il est possible que nous désirions réellement découvrir nos possibilités les plus élevées et les développer. Cependant, dans la mesure où cette découverte nous oblige à chasser certaines illusions, nous résisterons à ce désir sincère. En réalité, nous y résisterons en utilisant les concepts et les arguments «scientifiques» les plus convaincants.

Cette attitude repose en partie sur le fait que notre culture nous a enseigné de façon systématique à ne pas faire confiance à notre propre esprit. La théorie de l'évolution selon Darwin est un pur produit de l'époque victorienne et, bien que notre compréhension des processus évolutifs se soit beaucoup raffinée depuis lors, une idée persiste encore dans notre culture, celle que la civilisation n'est qu'une «mince couche de vernis» entre la partie de notre esprit que représente notre *ego* conscient et social et ces souvenirs inconscients d'une «nature aux dents et aux griffes encore rouges» qui grouillent, tapis près de la surface, telles des pulsions animales à peine maîtrisées.

Le concept freudien selon lequel les règles de la vie civilisée sont en butte à des forces sexuelles et agressives est venu ajouter des connotations sinistres et chargées d'émotions à l'interprétation victorienne de l'évolution, comme l'ont fait toutes ces histoires de gens qui auraient «perdu la tête» pour avoir témérairement persisté à sonder les profondeurs de leur esprit. Il vaut mieux ne pas trop regarder là-dedans; si vous devez le faire, assurez-vous que ce soit sous la surveillance d'un psychiatre, de peur que ce vous y trouviez ne vous rende fou. Bien sûr, si l'on croit dur comme fer qu'il faille craindre le royaume de l'inconscient et s'en méfier, on se prépare sans aucun doute à vivre quelques expériences désagréables.

Il doit sûrement y avoir quelque chose d'étrange et même d'insensé dans cette idée qui veut qu'on ne puisse se fier à son propre esprit. Tous les soirs, nous nous endormons et une partie de nous se souvient comment respirer. À chaque pas que nous faisons, nous lançons une jambe dans l'espace et nous nous penchons vers l'avant, nous fiant à ce que notre pied se pose au bon endroit et nous empêche ainsi de tomber sur le nez. D'ailleurs, apprendre à marcher consiste pour une part à apprendre à maîtriser les mouvements et, pour les neuf autres parts, à se faire soi-même confiance.

À bien y penser, la plupart des gestes que nous posons au cours d'une journée normale exigent une grande confiance dans les capacités de notre esprit. Nous assumons la conduite d'un véhicule pesant des milliers de kilos et nous manœuvrons à travers la circulation des heures de pointe; pendant tout ce temps, nous faisons confiance à notre capacité de percevoir avec précision et de prendre à la seconde près des décisions de vie ou de mort.

Cette prédisposition culturelle à la méfiance envers notre esprit inconscient (en même temps que nous comptons sur lui) sous-entend que toute tentative de nous révéler à nous-mêmes suscitera une résistance subtile et ferme. Le seul fait de lire les paragraphes précédents, qui sont relativement inoffensifs, pourra soulever des objections que l'on peut attribuer à de la résistance, à cause de l'intensité des émotions qui leur sont associées: «Il y a vraiment des gens qui perdent la tête !» ou «La société courrait à sa ruine si nous ne maintenions pas un pouvoir rationnel sur nos esprits inconscients», et ainsi de suite.

La connaissance intérieure: un sujet tabou

La science est une méthode qui consiste à amasser et à valider des connaissances. C'est une méthode qui jouit d'une crédibilité extraordinaire à cause de toutes les merveilles technologiques qu'elle a accomplies. Mais la science, lorsqu'elle prend le sens que nous lui donnons lorsque nous disons «non scientifique», devient une **idéologie, un système de croyances institutionnalisé** et, comme tout autre système de croyances, elle a ses dogmes et ses tabous. L'un de ces tabous est intimement lié à la résistance que nous manifestons, en tant qu'être humain, devant la connaissance de nous-mêmes.

On a provoqué, chez les habitants du monde occidental du XXe siècle, une transe culturelle d'un type particulier qui consiste à avoir enchâssé dans l'institution de la science, en le camouflant, le vieux et puissant tabou de la connaissance intérieure non autorisée. La science moderne s'est développée dans une société en pleine **industrialisation,** qui attachait une grande valeur aux connaissances contribuant à produire des technologies mécaniques. Cette insistance mena à l'examen de toute connaissance en fonction de son utilité dans la prévision et la gestion du monde naturel.

Il ne devrait pas être impensable de se demander si cette insistance n'aurait pas contribué à créer un préjugé caché, à savoir que la croyance scientifique dans le **réductionnisme** (l'idée selon laquelle la meilleure et la seule façon de connaître une chose est de la réduire en ses parties) et dans le **positivisme** (croyance selon laquelle on ne peut étudier que les phénomènes qui se mesurent de façon concrète) a empêché toute étude sérieuse de certains aspects de la conscience humaine qui pourraient s'avérer fondamentaux pour tous. Mais on n'a pas vraiment approfondi de telles questions, quelque valables qu'elles auraient pu être. Dans bien des cas, ceux qui s'y sont aventurés en ont été énergiquement dissuadés par l'orthodoxie scientifique.

Puisqu'il nous est facile d'observer que les autres cultures passées et actuelles ont aussi leurs préjugés et leurs formes d'aveuglement – des sociétés qui tolèrent l'esclavage ou le cannibalisme jusqu'à celles qui vénèrent les chats ou vivent dans la peur des éclipses –, il est raisonnable de supposer que notre société a probablement aussi ses propres préjugés culturels. Mais quiconque a derrière lui une longue carrière scientifique, pendant laquelle on lui a constamment inculqué la conviction que la science conventionnelle était le plus sûr chemin vers la vérité, constatera avec stupéfaction que la science elle-même (ou la croyance irraisonnée en sa puissance illimitée) pourrait avoir de sérieux préjugés.

Nous avons tous bien ri à l'histoire de l'ivrogne qui, ayant perdu son trousseau de clés dans une ruelle sombre, est allé le chercher sous le réverbère au coin de la rue «parce que la lumière était meilleure ici». Dans une large mesure, la recherche scientifique a regardé «là où la lumière était la meilleure», où le savoir pouvait être mesuré et quantifié, où les hypothèses pouvaient être vérifiées à partir d'expériences soigneusement menées et pouvant être répétées à volonté, où les modèles déterministes et les explications réductionnistes s'adaptaient aisément. Il se trouve que nous avons appris beaucoup de choses utiles à la lumière de la science, mais cela ne veut pas dire que le monde se trouvant à l'extérieur de ce cercle lumineux ne pourrait pas nous offrir quelque chose de valable une fois qu'on l'aura illuminé d'un concept d'investigation scientifique élargi.

Nous ne devons pas nier la validité de la science en tant que moyen de prévoir et de gérer certains aspects de l'univers. Cependant, ainsi que nous le verrons plus loin, des scientifiques, parmi les plus éminents, commencent à se demander si d'autres sortes de savoir plus difficiles à soumettre aux critères de la précision et de la gestion ne seraient pas d'une importance capitale à ce point de notre histoire.

L'un des aspects les plus inexplicables de l'histoire des sciences est celui d'avoir passé sous silence, jusqu'à un certain point, tout ce qui touchait à la conscience humaine, surtout le rôle qu'ont joué les états extraordinaires de conscience pendant lesquels se sont souvent produites de grandes percées créatives. Ce n'est certainement pas parce que le sujet était de peu d'importance; c'est manifestement une question d'importance majeure si nous voulons comprendre la conscience, la motivation et le bien-être humains. Mais ce fut toujours un sujet délicat à traiter.

À cause de son extraordinaire pouvoir de favoriser le consensus, la «nouvelle méthode de penser», comme l'ont appelée certains réformateurs européens à ses tous débuts, paraissait transcender toutes les autres idéologies. Pour les chercheurs, le parti pris positiviste devint un code de conduite tacite qui indiquait, par les attitudes que partageait toute une société, ce qui était «scientifique» et ce qui était «non scientifique».

C'est dans ce sens que le mot «scientifique» est devenu un euphémisme pour le mot «convenable».

Malgré un consensus universel concernant la connaissance scientifique du monde extérieur, on n'a jamais pu conclure un tel accord sur
une façon de valider publiquement la connaissance qu'apporte une
expérience intime, en particulier une expérience d'intuition profonde.
En effet, il n'existe aucun accord manifeste à propos du contenu d'une
telle connaissance, ni à propos de son utilisation par les individus ou
les sociétés, si cette connaissance ne concorde pas avec l'image que se
font de la nature humaine et de ses capacités les sociétés industrielles.
Il est assez étrange de constater que ce désaccord entre scientifiques
contraste vivement avec la récente convergence de vues qui semble
exister, sur le même sujet, entre diverses traditions spirituelles du monde entier.

Le positivisme a pris toute sa force avant que se développent la
psychologie et l'anthropologie, et avant que la science vienne valider
l'influence qu'exercent les croyances inconscientes. Des recherches
récentes, portant sur les croyances et les systèmes de croyance, ont été
effectuées en anthropologie et en psychologie. Elles sont arrivées à
certaines conclusions, conclusions que même cette communauté pour
qui l'objectivité et la recherche de la vérité sont des raisons d'être n'a
pas accepté d'emblée et avec enthousiasme (c'est un peu pour les
mêmes raisons que les gens résistent à la connaissance de soi qui
menace leurs illusions).

Lorsqu'on traite des questions touchant à l'esprit et à l'âme dans un
tel système, un problème se pose: la difficulté de pouvoir regarder de
façon objective toute âme ou tout esprit autres que les siens propres.
Cette difficulté se présente sous plusieurs formes: il y a le problème
relié à la façon de traiter les rapports personnels d'expériences subjectives; le problème de la quasi-impossibilité de reproduire les phénomènes relatifs à la conscience; le problème que pose l'interférence de
l'observateur; le problème de la fiabilité des données lorsqu'on a af-
faire à des sujets sensibles et susceptibles d'être menés par leurs choix
conscients et inconscients; le problème de l'unicité individuelle; la
question de l'importance accordée à l'intention et au sens; la question
de trouver une base de validation publique juste de ce savoir. Avec
raison, les premiers scientifiques ont commencé par examiner les aspects de la nature sur lesquels il était assez facile d'obtenir l'approbation des observateurs.

Avant même la consolidation de la méthode scientifique au XVIIIe
siècle, ou son mariage avec la technologie industrielle au XIXe, la
connaissance de type positiviste suscitait déjà un consensus mondial:

c'est cette connaissance qu'il fallait chercher et valider. C'est ainsi que s'élabora, dans les sciences physiques et biologiques, un ensemble de connaissances cohérent jouissant d'un accord quasi universel. En raison même de cet accord, nous ne sommes pas obligés de parler d'une biologie américaine, de mathématiques allemandes, de physique socialiste ou d'astronomie capitaliste.

Lorsque la science était encore jeune, d'importants facteurs psychologiques et culturels ont été conjugués pour maintenir les mystères de la conscience humaine hors de ses frontières. Cela relevait en partie d'une volonté de maintenir une distinction claire entre le mode d'investigation scientifique et le dogmatisme religieux du passé. Au moment où elle émergea dans l'Europe du XVIIᵉ siècle, la science rencontra une vive opposition religieuse; l'autorité de l'Église était alors prééminente. En conséquence, une entente quasi territoriale fut établie selon laquelle la science s'occuperait du corps et du monde physiques alors que l'Église s'intéresserait à l'âme et à la psyché.

Mais au cœur même de l'hésitation de la science à englober la connaissance «intuitive» ou «métaphysique», se trouve non pas une difficulté d'ordre méthodologique, ni une théorie scientifique, ni même un ensemble de conclusions de recherches expérimentales, mais une attitude philosophique, connue sous le nom de **positivisme**, qui fut élaborée il y a plus d'un siècle. Selon cette hypothèse, toute connaissance de la réalité doit, pour être valable, se situer exclusivement dans le domaine de l'expérience sensorielle directe et orientée vers l'extérieur («positive»). Cette croyance tacite, en partie inconsciente aujourd'hui, qui est au centre de notre système scientifique veut que **seul** ce genre d'expérience soit vérifiable et qu'elle soit donc l'unique point de départ d'une connaissance («scientifique») valable.

Évidemment, la méthode scientifique n'est en aucun cas «mauvaise». Elle n'est tout simplement pas très appropriée, dans sa forme actuelle, pour sonder les secrets de l'esprit humain, malgré la croyance généralisée que le progrès inexorable de la science amènera la résolution de tous les mystères de la nature humaine. La plupart de ceux qui ont essayé d'étudier certains de ces mystères se sont heurtés au problème inexprimé mais absolu qu'était le refus d'admettre la nécessité d'aller voir hors du cercle lumineux des données mesurables, renouvelables, prévisibles et vérifiables.

Étant donné que nos lecteurs ont été, comme nous, élevés dans une société qui a une grande vénération pour la tradition scientifique, la plupart éprouveront de la difficulté à accepter notre proposition selon

laquelle la science, telle qu'elle existe aujourd'hui, contribuerait à per-
pétuer un préjugé culturel limitatif et nuisible. Nous n'insisterons pas
pour vous faire voir ce préjugé. Nous nous contenterons de poser la
question: «Comment pouvons-nous savoir qu'il n'y a pas de préjugé?»
ou, comme le disait le célèbre neurophysiologiste Warren McCulloch:
«Ne mordez pas mon doigt. Regardez plutôt là où il pointe.»

Puisque la méthode scientifique repose sur la raison et sur l'accumulation mathématique des faits, et puisque c'est ainsi que nous avons
appris à juger de la réalité d'une proposition, nous pourrions nous
attendre à ce que cette méthode soit elle-même le résultat d'une com-
pilation rationnelle froide et sèche.

Mais curieusement, de bons arguments peuvent être présentés en
faveur de la proposition selon laquelle la méthode scientifique a été,
dans une mesure très significative, le résultat non pas de la logique mais
d'un rêve causé par la fièvre, exactement le genre d'expériences que
nos préjugés culturels et scientifiques nous ont incités à éviter. Nous
raconterons ce rêve dans le but de soulever la question suivante: «Et
s'il était vrai, qu'est-ce que cela supposerait?»

L'homme qui rêva la science

Il est extrêmement rare que des historiens puissent mettre le doigt
sur le moment et le lieu précis où s'est amorcé un tournant culturel
majeur, et plus rare encore qu'ils tombent d'accord sur le sens de
certaines découvertes philosophiques. Pourtant, les historiens modernes
s'entendent sur le fait que, il y a trois siècles et demi, un jeune soldat-
philosophe a réussi, en une journée de réflexion suivie d'une nuit de
rêves, à réformer de fond en comble toute la structure du savoir occidental en posant les fondations d'une nouvelle philosophie des sciences
et des mathématiques, et d'une nouvelle façon de «penser» le monde.

En 1619, René Descartes a établi quatre règles devant servir à
appliquer sa méthode à la découverte de la vérité (les éléments lui en
avaient été révélés dans des visions et il leur donna forme par son
labeur):

1.   Ne rien accepter comme vrai à moins que je ne sois certain que
     ce le soit.

2.   Diviser chacune des difficultés à étudier en autant de parcelles
     qu'il est possible de le faire.

3.   Commencer par le plus simple et le plus facile et remonter pas à
     pas vers le plus complexe.

4.   Faire des dénombrements si complets et des révisions si générales
        que je sois assuré de n'avoir rien oublié.

Ces règles ainsi que le *Discours de la méthode* dans son entier
constituent, dans l'histoire de la pensée, un grand tournant qui est
l'œuvre d'un seul homme. À partir des pensées et des écrits de quelques autres personnages de différents pays mais de la même époque –
dont Copernic, Galilée et Francis Bacon –, Descartes jeta les fondations
du rationalisme moderne. L'influence que produisit son œuvre sur le
monde de son époque a été résumé dans un livre de Jane Muir qui
s'intitule *Of Men and Numbers*[*]:

> *La vérité se tenait au tournant, comme une statue recouverte
> d'un voile attendant que les hommes la découvrent. Toutes
> les causes et tous les effets, des comètes aux battements de
> cœur, pourraient maintenant être découverts et, dans les
> mots de Descartes lui-même, les hommes deviendraient
> bientôt «les maîtres et les possesseurs de la nature».*

> *C'est à une échelle épique que rêvait Descartes. Il avait
> découvert une nouvelle méthode magnifique pour discerner
> la vérité, une méthode différente de toutes celles dont
> s'étaient toujours servi les hommes. Elle permettrait d'ap-
> pliquer la méthode mathématique à tous les domaines de la
> vie. Pas à pas, en usant de logique, on pourrait mettre à nu
> tous les secrets de la nature. Et avec la connaissance vien-
> drait le pouvoir.*

> *Aujourd'hui, trois cents ans plus tard, alors que les hommes
> ont réussi à faire tomber la pluie, pousser des plantes, dis-
> paraître des maladies mortelles, la maîtrise de la nature ou
> la compréhension de l'univers – de l'atome à la Lune – ne
> sont plus des idées tellement nouvelles ou magnifiques. Mais
> il y a trois cents ans, l'idée que l'homme puisse un jour
> maîtriser la nature était tout à fait inimaginable ou sacri-
> lège, ou les deux à la fois. C'était s'arroger la puissance de
> Dieu. Descartes, pourtant, avec une poignée d'autres hom-
> mes – parmi lesquels Francis Bacon est le plus célèbre –
> osa penser de cette façon hautement originale. Et peu à peu,
> tout doucement, l'homme s'est vraiment rendu maître et
> possesseur de la nature.*

---

[*]   *Des hommes et des nombres*, Dodd Mead, 1966, p. 47.

Il arrive très rarement que toute une civilisation modifie sa façon de voir à l'instigation d'une seule personne; Descartes est l'une de ces personnes. D'autres ont apporté des améliorations importantes à sa «méthode», mais c'est lui qui a eu l'idée révolutionnaire d'appliquer à toute quête de vérité une seule et même méthode acceptée de tous. D'autres encore entreprirent la réforme du système de connaissance de l'époque, détournant l'attention de la logique et de la théologie pour la diriger vers l'observation directe de la nature. La grande unification des sciences que Descartes avait prédite fut réussie au-delà de tous les rêves les plus fous de ce prophète original, et nous verrons un peu plus loin à quel point ses rêves pouvaient être extravagants.

Le succès de sa méthode, surtout lorsqu'on l'employa selon les objectifs de Francis Bacon – maîtriser la nature en lui «arrachant ses secrets» par une utilisation disciplinée de l'esprit humain –, devint le cadre idéologique de la science et mena tout droit à ces technologies merveilleuses d'efficacité qui servirent à construire tout l'univers qui gravite autour d'elle. Ensemble, la méthode, la réforme, l'unification et le but pratique ont constitué ce que l'on a appelé la «philosophie carté-sienne». De bien des façons, ce sont les actions de ceux qui adoptèrent cette conception de l'univers qui ont construit le monde dans lequel nous vivons aujourd'hui.

Maintenant que les problèmes de la société industrielle occidentale sont de plus en plus criants, et qu'apparaissent les effets secondaires désagréables, et possiblement mortels, du pouvoir qu'exerce sur la na-ture une science elle-même non maîtrisée, le vieux concept de «l'hom-me à la conquête de la nature» subit les attaques d'une certaine critique. Plusieurs vont même jusqu'à accuser la pensée analytique cartésienne d'être la cause première de tous nos problèmes. Descartes lui-même – homme plutôt introverti mais ne souffrant aucunement de fausse mo-destie – aurait bien ri d'apprendre que des gens discuteraient de l'im-portance de ses idées trois siècles et demi plus tard.

René Descartes naquit en 1596, d'une famille française noble. À l'âge de dix ans, il entreprit d'étudier ce qui constituait alors la totalité des connaissances occidentales: logique, éthique, métaphysique, littéra-ture, histoire, science et mathématiques. Étant donné qu'il y avait eu très peu d'adeptes de la science expérimentale dignes de mention de-puis la chute de Rome, une grande part de son éducation consistait à mémoriser ce qu'avaient dit les Grecs et les Romains. Descartes n'était pas tout à fait convaincu que c'était là tout ce qu'il y avait à connaître dans le monde. À l'âge de dix-huit ans, il déclara que le système d'éducation dans son entier n'était qu'une farce, puisqu'en huit années d'études, la seule certitude qu'il avait acquise était celle de sa propre ignorance et des limites des systèmes connus quant à la cueillette et la justesse des connaissances.

À cette époque, lorsqu'un jeune gentilhomme français n'étudiait pas les classiques, il étudiait le droit. C'est ce que fit Descartes à Poitiers pendant deux ans. Dès qu'il obtint sa licence, il déclara que le droit était tout aussi pauvre intellectuellement que tout le reste du savoir occidental et il partit pour Paris où il obtint un certain succès, en jouant.

Quiconque rejette par deux fois le fruit de nombreuses années d'études – parce que inapte à satisfaire sa soif de connaissances – tient ses propres capacités intellectuelles en très haute estime. À la longue, Descartes en vint à penser que si personne ne songeait à faire progresser les idées au-delà des connaissances d'Aristote, il devrait le faire lui-même.

Renonçant à sa vie mondaine décadente, aussi abruptement qu'il l'avait fait pour ses études, Descartes se retira, à l'âge de vingt ans, afin d'explorer par lui-même les frontières de la connaissance. Il disparut littéralement, sans laisser d'adresse. Dès le début, sa façon de procéder était très peu orthodoxe et elle aurait offensé maints défenseurs de la méthode scientifique moderne: il avait en effet gardé la vieille habitude de flâner au lit une bonne partie de la journée, à réfléchir; une petite faiblesse qu'il conservera tout au long de sa vie. On a même dit que, plus tard, il inventa la géométrie analytique en observant une mouche qui marchait au plafond.

Après deux années de ce régime de reclus, un de ses vieux amis réussit à retracer le gentilhomme-philosophe allongé et le persuada de revenir dans la société. Mais ce fut de courte durée, car les autres jeunes aristocrates qui faisaient partie de son cercle pouvaient difficilement apprécier les progrès qu'il estimait avoir accomplis dans son projet de pensée. Selon lui, le système que ses professeurs avaient essayé de lui faire passer pour le savoir était déficient. Plusieurs formes d'exploration de l'inconnu étaient évoquées dans les livres qu'il lisait, et quelques brins de savoir y étaient disséminés çà et là. Il n'existait cependant aucune méthode qui aurait permis de recueillir ces connaissances et d'en saisir la signification.

Comme c'était la coutume pour les gentilshommes de son âge et de sa classe, Descartes se porta volontaire dans l'armée du prince de Nassau (avouant à un ami qu'il ignorait de quel côté il devrait se battre et contre qui) et il fut envoyé en Allemagne où la guerre de Trente Ans faisait rage. Bien que les circonstances extérieures de sa vie aient brusquement changé, son périple d'exploration intellectuelle ne cessait de le faire pénétrer de plus en plus profondément en territoire inconnu.

À ce point de sa vie, Descartes effectuait des percées monumentales en mathématiques et il faisait des progrès constants, mais il n'arrivait pas à des percées réelles dans sa quête d'une méthode pour trouver la connaissance. De toute évidence, le service militaire n'était pas une raison pour suspendre ses activités intellectuelles. Cantonné pour l'hiver dans la ville d'Ulm en attendant la reprise des hostilités au printemps, Descartes continua d'avancer vers ce moment où il serait frappé par la foudre noétique.

Le soir du 10 novembre 1619, Descartes se trouvait dans une pièce surchauffée, brûlant d'une fièvre d'«enthousiasme» pour cette aventure intellectuelle dans laquelle il s'était engagé. Il écrivit une grande partie de son journal en latin (et cela vaut la peine de noter que le sens de *enthousiasmos*, racine d'enthousiasme, est «transport divin»[*]). Cette nuit-là, il fit trois rêves remplis d'images d'une signification tellement renversante qu'il prit la peine d'en faire une description écrite des plus détaillées.

Pour le lecteur d'aujourd'hui, le contenu des trois rêves peut sembler banal, mais pour Descartes, ces images énigmatiques étaient la clé de sa quête d'un savoir nouveau.

Dans un premier épisode, des vents violents l'emportaient loin d'une église, vers un groupe de gens que la tempête ne semblait pas incommoder. Descartes s'éveilla alors et il pria afin d'être protégé des mauvais effets du rêve. Se rendormant, un bruit ressemblant à un immense coup de tonnerre le remplit de terreur et, rêvant qu'il était éveillé, il vit une pluie d'étincelles envahir sa chambre. Dans le troisième et dernier rêve de la série, Descartes se vit tenant à la main un dictionnaire et quelques feuilles de papier, dont l'une contenait un poème qui commençait par les mots suivants: «Quelle voie suivrai-je dans la vie?» Un inconnu lui tendit alors une partie de vers et seuls les mots «Est et Non» attirèrent le regard du rêveur.

À la fin du troisième rêve se produisit un état de conscience encore plus extraordinaire: un rêve à l'intérieur d'un rêve. Descartes rêva qu'il s'éveillait, pour se rendre compte qu'il avait rêvé la pluie d'étincelles, et il rêva qu'il interprétait ce rêve!

---

[*]   Racine grecque (N.d.T.)

Selon l'interprétation qu'il avait rêvée, Descartes s'expliqua à lui-même que le dictionnaire représentait l'unité future de la science, «toutes les sciences différentes regroupées», la liasse de poèmes symbolisait la relation entre la philosophie et la sagesse; «Est et Non» représentaient «le vrai et le faux dans les réalisations humaines et dans les sciences profanes».

Dans son journal, Descartes révéla que ces rêves avaient pour lui le sens général suivant: il était lui-même la personne dont le destin était de réformer le savoir et d'unifier les sciences; la recherche de la vérité devrait être son unique profession et les pensées des mois précédents – sur le savoir, les méthodes et le système d'unification – seraient appelées à devenir les bases d'une méthode nouvelle pour la recherche de la vérité.

Ce que René Descartes écrivit dans son journal ce jour-là est devenu célèbre. Il y proclame avec confiance qu'il a fabriqué un outil universel pour la recherche de la vérité et que pour répondre à son insatisfaction face à l'histoire de la pensée occidentale telle qu'elle avait existé jusque-là, il avait posé les bases d'une «science admirable» qui pourrait repousser les frontières des méthodes d'investigation existantes.

«Je commence à comprendre les principes de base d'une grande découverte... toutes les sciences sont étroitement reliées comme en une chaîne; on ne peut en saisir une dans son entier sans embrasser en même temps toute l'encyclopédie»; voilà ce qu'il écrivit lorsqu'il délaissa ses rêves pour entreprendre l'œuvre qui nous parvint comme le *Discours de la méthode* mais dont le titre originel était *Projet de science universelle destiné à élever notre nature à son plus haut degré de perfection.*

Si, en ce 10 novembre 1619, le jeune et brillant aristocrate n'avait pas fait ces trois rêves bizarres, le cours de la science et de la culture occidentale eussent été manifestement différents. Mais c'est en Allemagne, par un soir d'hiver, au cours d'une accalmie dans les combats d'une guerre particulièrement violente, que se rencontrèrent, l'espace d'un instant, dans l'esprit d'un être humain particulier, les champs extérieur et intérieur du savoir. De cet instant découle une portion étonnamment vaste du monde que nous habitons aujourd'hui.

Le rêve de Descartes constitue un épisode important dans l'histoire secrète de l'inspiration, car il représente un événement marquant dans l'institutionnalisation du tabou entourant la connaissance intérieure et, assez ironiquement, il est en même temps un exemple parfait du pouvoir potentiel de cette même connaissance. Bien que les idées qui se sont manifestées à ce moment semblent avoir été abordées dans un état modifié de conscience et qu'elles mettent en cause des moyens non rationnels de «connaissance», cette révélation eut pour conséquence directe le développement d'une science positiviste rationnelle et réductionniste, la même institution qui remit plus tard en question la validité de la «connaissance subjective».

Il n'y eut jamais de controverse, même parmi les historiens les plus conservateurs, autour du fait que les rêves de Descartes se soient produits à la date inscrite dans son célèbre journal. Selon ses propres dires, il attribue l'inspiration de sa «science admirable» à ces rêves. Il alla même jusqu'à avancer que ce rêve avait été l'événement le plus décisif de sa vie et il fit le vœu d'aller en pèlerinage à Notre-Dame-de-Lorette (en passant par Venise), en guise d'action de grâce pour ces conseils surnaturels.

À la réflexion, il est assez étrange que les origines oniriques de la pensée moderne ne soient qu'un post-scriptum dans le grand livre de l'histoire. Alors qu'on acceptait facilement les idées les plus utiles de Descartes, les réactions quant à leur source furent d'une négativité sauvage. Descartes lui-même nota qu'il accordait une aussi grande importance à ses images de rêve qu'à ses calculs et à ses opérations logiques en tant qu'outils dans l'élaboration de sa méthode. Mais bien peu de ses contemporains acceptaient l'anomalie de ce savoir reçu en rêve.

Lorsque parut pour la première fois *La vie de M. Descartes* par Baillet, Auguste Comte, l'initiateur du positivisme, fit référence à cette nuit fatidique comme à un «épisode cérébral». Christian Huygens, cet imposant personnage scientifique de l'époque, poussé par le tout aussi monumental Gottfried Leibniz, écrivit ce qui suit: «Le passage dans lequel il raconte à quel point son cerveau était surstimulé et dans un état favorable aux visions, et où il dévoile le vœu qu'il fit à Notre-Dame-de-Lorette dénote une grande faiblesse.» Baillet lui-même tenta de réduire l'embarrassante illumination à un cas d'épuisement nerveux: «Il se fatigua à un point tel que son cerveau surchauffa et qu'il tomba dans une espèce d'extase qui affecta son esprit déjà exténué, le prédisposant à recevoir des visions et des rêves.»

Qu'il nous suffise de faire remarquer que, bien avant la nuit de la révélation, Descartes s'était engagé dans une longue période de réflexion préparatoire, que ses intuitions se présentèrent en une série d'images dont l'une était celle de la foudre, et que le message concernait non seulement des sujets généraux et abstraits comme la recherche de la vérité, mais encore qu'il répondait à la question relative à ce que le rêveur devait faire de sa vie.

Si nous nous sommes attardés sur ce récit, c'était pour attirer votre attention sur ces instants non rationnels qui ont jeté les fondations mêmes de la science. En outre, le fait que cette nouvelle méthode dont a rêvé Descartes ait évolué pour devenir un système de croyances, connu aujourd'hui comme la science contemporaine, est important pour notre propos. La science n'est pas un édifice statique, bâti sur des faits superposés comme autant de briques; elle est en fait **une façon de regarder le monde**, une perspective qui **change** de temps à autre. Et, jusqu'à tout récemment, cette réalité était loin d'avoir la faveur populaire dans le monde scientifique.

Ce n'est qu'en 1962, avec la publication de *The Structure of Scientific Revolutions* (La structure des révolutions scientifiques) de Thomas Kuhn, que les aspects psychologiques du processus scientifique furent soumis à un examen critique. Dans son livre, Kuhn remettait en question l'opinion dominante de l'époque selon laquelle le progrès scientifique ne serait qu'un processus cumulatif. Il le fit en introduisant la notion de «paradigme». Dans le sens où il l'entendait, les paradigmes sont des ensembles d'hypothèses générales que partagent les scientifiques (et d'autres) à propos du sens des problèmes qui les préoccupent. Bien que pour le scientifique, le citoyen ou la société, le «paradigme dominant» ne soit pas énoncé de façon consciente, il n'en demeure pas moins qu'il constitue une façon fondamentale de percevoir, de penser, de juger et d'agir, associée à une vision particulière de la réalité.

Un paradigme dominant n'est à peu près jamais énoncé de façon explicite; il existe en tant que compréhension tacite et indiscutée, transmise culturellement d'une génération à l'autre, par l'expérience directe plutôt que par l'enseignement. On ne peut définir un paradigme avec précision, en deux ou trois phrases bien choisies. En réalité, on ne peut pas l'exprimer en mots. Il représente ce que les anthropologues espèrent arriver à comprendre après avoir vécu plusieurs années au sein d'une culture étrangère, ce que, dans une société donnée, les indigènes perçoivent avec leurs yeux mais qu'ils jugent avec leurs sentiments. Un paradigme dominant est plus englobant qu'une idéologie ou qu'une vision universelle, mais il l'est moins qu'une culture entière.

D'autres sociologues et historiens, tels Lewis Mumford, Arnold Toynbee et Fred Polak, dont nous discuterons des idées dans les chapitres suivants, ont montré de quelle façon des paradigmes affectant une civilisation entière pouvaient subir des transformations subites et violentes. L'effondrement du paradigme de l'ère industrielle et son remplacement par un autre entraîneraient des modifications radicales dans les valeurs et les institutions en vigueur dans notre société. À un niveau plus profond, un tel changement modifierait notre perception fondamentale de la réalité.

Rappelons-nous notre définition du paradigme social: «la façon fondamentale de percevoir, de penser, de juger et d'agir, associée à une vision particulière de la réalité». C'est à cette modification dans la vision de la réalité qu'on reconnaît les grandes transformations fondamentales des civilisations, qui ne se produisent que très rarement au cours de l'histoire.

Nous avons remarqué une relation étroite entre trois types de changement de paradigme qui semblent être en train de se produire. En premier lieu, un changement de paradigme se produit dans les sciences qui étudient la nature humaine, leur façon de voir le monde n'excluant plus ces expériences profondes difficiles à quantifier mais qui semblent être la source des valeurs auxquelles nous tenons le plus. En deuxième lieu, il y a le changement de paradigme qui se produit à l'intérieur des individus – l'expérience de percée intuitive – et qui souvent précède et accompagne l'obtention d'un savoir et de capacités supérieurs.En troisième et dernier lieu, la transformation la plus importante, celle qui touche notre société dans tout son système et qui, pensons-nous, est très étroitement apparentée aux deux autres.

Chapitre IV

OUVRIR LA PORTE DE L'ESPRIT

LA TROUSSE À OUTILS DES PERCÉES INTUITIVES PERSONNELLES

Percées intuitives personnelles et transformation sociale

Une fois que nous avons légèrement entrouvert la porte de l'esprit et que nous avons laissé la lumière y entrer à flots, le sens de la vie se révèle à nous, en silence. Que la porte reste ouverte une minute ou une heure, nous avons le temps d'en découvrir le secret, et aucune lassitude ni aucun malheur ne pourront plus nous ravir ce précieux savoir...

Ceux d'entre nous qui ont jeté un coup d'œil furtif par la porte de notre être sommes stupéfiés. Nous reculons de surprise devant les insondables possibilités du moi supérieur. En tant qu'être spirituel, l'homme possède une capacité de sagesse infinie, des ressources de bonheur incroyables.

Paul Brunton, *The Secret Path*

Les histoires se rapportant à des inspirations ou à des percées intuitives sont fascinantes et la quantité même des témoignages disponibles (dont nous n'avons cité qu'une fraction) démontrent qu'à maintes et maintes reprises, d'heureuses gens ont trouvé le passage menant aux vastes ressources créatives de ces états.

Dans les chapitres précédents, nous avons suggéré des raisons pour lesquelles la plupart des gens ne sont habituellement pas conscients de leur potentiel: les tabous sociaux rattachés au savoir intérieur, le besoin et la peur de connaître ressentis par les gens, les préjugés que nos systèmes social et scientifique entretiennent contre l'examen de ces possibilités, et ainsi de suite.

Mais il est possible de se fabriquer ou de réunir une trousse d'outils personnels en vue de faire des percées intuitives. Un large éventail d'outils d'apprentissage et de techniques de reprogrammation sont à notre disposition, à partir de la relaxation et de l'imagerie mentale, jusqu'au travail sur les rêves, au dialogue intérieur et à l'affirmation de soi. Le monde occidental connaît ces outils depuis des siècles, bien qu'il les ait largement ignorés. Une validation scientifique croissante de ces techniques et un intérêt accru dans le grand public les ont rendues plus accessibles à ceux qui veulent entreprendre le voyage intérieur.

Bien que certains de ces outils soient antérieurs de quelques milliers d'années au paradigme de Wallas, ceux dont nous allons maintenant discuter semblent avoir été créés selon sa conception, ce qui suggère l'existence d'un niveau de recherche créative tellement avancé et à une époque tellement reculée que cette idée même menace les frontières de notre système de croyances. Même un examen sommaire de certains textes – les *sûtras* du yoga de Patanjali, les textes mystiques ésotériques du christianisme, du judaïsme, du bouddhisme et de l'islamisme – nous montre que de toute évidence ces outils ne sont pas une invention exclusive des temps modernes.

L'imagerie guidée, premier outil de notre trousse, nous aide à comprendre et à utiliser le langage de l'inconscient, de sorte que nous puissions d'une part le reprogrammer, dans le but de rendre notre vie plus efficace et, d'autre part, saisir ce qui «sortira» (*output*) lorsque se produira l'illumination.

Le second outil est un proche parent du premier, c'est l'**affirmation** qui consiste à reprogrammer le processeur d'idées et d'images inconscient par la répétition mentale et vocale des idées et des images que nous désirons faire accepter comme données de départ (*input*) par notre esprit.

Le troisième outil, la **relaxation vigilante**, permet d'induire, selon le jargon médical, une réaction de détente, ce qui facilite ainsi le «mode d'incubation» – en débranchant l'esprit et en faisant taire les pensées superficielles qui pourraient distraire l'inconscient profond dans son travail – et favorise le «mode de sortie» (*output*).

Le quatrième outil, le **travail sur les rêves**, nous amène directement au cœur du processeur d'idées, soit l'inconscient profond, et il nous indique comment exploiter cette mine et extraire les pépites de sagesse qui s'y trouvent.

Curieusement, ces outils sont aussi simples qu'efficaces. Ils ne requièrent ni grands efforts ni discipline particulière ni pratique laborieuse. On dirait que l'inconscient tente de nous en faciliter le plus possible l'accès et que les difficultés que nous rencontrons habituellement proviennent de nos résistances psychologiques et des limites de nos croyances collectives.

Qu'ils soient utilisés isolément ou collectivement, ces outils ont toujours constitué les clés ou les préliminaires de percées intuitives chez d'innombrables individus à travers les siècles. Il n'y a aucune raison de ne pas les faire vôtres.

Entraîner l'œil de l'esprit par la visualisation et l'imagerie

En ce qui concerne la mémoire et l'imagination, le symbolisme et l'allégorie, nos capacités sont entièrement conditionnées par notre sens de la vue. C'est la vue qui domine dans ce genre d'enchaînement logique et dans la façon dont nous pensons les choses qui se présentent à notre esprit. Et je persiste à dire «visuel», «vision» et «visionnaire»; «image», «imagerie» et «imagination». [...] Nous ne pouvons dissocier l'importance toute spéciale de l'appareil visuel de l'homme de son exceptionnelle aptitude à imaginer, à faire des plans, et à effectuer toutes ces choses qu'on peut inclure dans l'expression «agir selon son libre arbitre». Cette expression veut évidemment dire: visualiser différentes possibilités et faire un choix parmi elles. Selon moi[...] le problème central de la conscience humaine repose sur la capacité à imaginer.

Jacob Bronowski, «The Mind As an Instrument for Understanding», *The Origins of Knowledge and Imagination*

L'imagerie nous met immédiatement sur la piste de la nature du processus créateur. Que notre civilisation fasse une équation entre création et imagination n'est pas une coïncidence. La capacité d'imaginer, d'évoquer des images ou des visions de choses qui sortent de la réalité normale, a toujours été considérée comme la marque d'un esprit créateur. Donc, si nous apprenons à mieux imaginer et à mieux voir des images, nous faisons le pas le plus important qui nous amènera à être plus créatifs.

En tant que façon d'aborder le monde, l'image est plus ancienne et plus globale que le langage ou le symbolisme verbal. On pense que les peintures rupestres les plus anciennes remontent à l'époque où l'*Homo sapiens* commençait à émerger en tant qu'espèce distincte. L'examen des fossiles indique que bien avant qu'apparaisse l'appareil anatomique nécessaire au langage parlé, l'organe de la vue était déjà hautement développé, et la communication visuelle constituait un outil de développement important pour l'évolution de l'espèce humaine.

Les gestes et les postures servaient à transmettre des messages d'intentions pacifiques, de transactions ou de commerce, de faim, de désirs personnels, etc. Et, peut-être parce qu'elle a été le premier et le plus ancien moyen dont nous disposons pour décrire le monde, à nous-mêmes et aux autres, l'image conserve encore un immense pouvoir.

Puisque la vision est le mode de perception prédominant de notre espèce et puisqu'une large partie du cerveau semble lui être consacrée, les scientifiques travaillant sur la cognition sont très intéressés par l'influence que semble avoir la vision sur le mode de structuration de la perception par le cerveau, quand bien même ces perceptions proviendraient de la psyché plutôt que du monde extérieur. Tout comme l'«œil de chair» qui semble structurer la perception par déduction, l'«œil de l'esprit» semble, lui aussi, imposer une espèce de structure à l'information qui est générée de l'intérieur du cerveau.

Lorsque Bronowski écrivait que l'œil «interprète le monde par un procédé déductif», il faisait allusion aux résultats de recherches se rapportant à la façon dont notre système visuel prend des décisions à propos de ce que nous regardons, décisions qui, pensons-nous, devraient normalement faire partie du domaine des choix conscients[1]. À l'époque où nos ancêtres se balançaient de branche en branche dans la forêt vierge, des décisions vitales devaient être prises (quoi éviter, quoi attraper) très rapidement, trop rapidement, en fait, pour que l'œil puisse enregistrer les caractéristiques particulières d'un objet et transmettre une décision aux bras et au corps à temps pour qu'ils puissent effectuer l'action voulue. La survie exigeait le développement d'un mécanisme cérébral pouvant identifier instantanément les objets les plus communs – petites ou grosses branches, feuilles, troncs, autres primates – à partir de leurs caractéristiques les plus grossières.

Par exemple, les détecteurs sensoriels de l'œil sont disposés de façon à pouvoir discerner automatiquement les contours et les lignes de démarcation (ce qui nous permet de distinguer une branche sur fond de firmament ou de feuillage), sans avoir recours à une assistance importante des facultés supérieures du système nerveux. Cette tendance de l'œil à discerner les limites est responsable de certaines illusions d'optique qui parviennent à tromper presque tout le monde.

Ces particularités de la vision soulèvent un point important pour notre propos: notre attention, comme d'autres caractéristiques de notre conscience, est structurée, de manière généralement inconsciente, par notre appareil visuel. Ce qui ne veut pas dire que tout le processus visuel, ni même sa plus grande partie, s'accomplisse avant que les stimuli soient transmis au cerveau.

Cependant, de la même façon que l'œil fait des déductions sur un objet et sa nature à partir de sa forme et de son contour, le cerveau tend à percevoir une affinité entre des idées, des concepts et des sensations lorsque leurs formes générales et leurs contours lui paraissent semblables, et ce, sans jamais prendre la peine d'en examiner attentivement les «traits distinctifs» afin de vérifier s'ils s'harmonisent ou non.

Le cerveau opérant lui-même selon le processus déductif, la création d'une image mentale semblable à l'objet réel le fera réagir comme s'il se trouvait devant l'objet réel. Ainsi que l'écrivait Roger N. Shepard dans un récent numéro de l'*American Psychologist* : «L'imagerie mentale a la remarquable capacité de se substituer à la perception réelle, les sujets posant les mêmes jugements, qu'ils soient ou non en présence des objets[2].»

Ses expériences et celles de ses collègues ont démontré que l'image d'un objet imaginaire produisait sur le mental des effets qui s'apparentaient à ceux que produit l'image d'un objet réellement perçu. Ce phénomène pourrait expliquer, du moins en partie, l'efficacité de l'imagerie active et de l'affirmation, car si on est capable de s'imaginer une chose comme réelle, l'esprit semble accepter le résultat imaginé comme réalité.

L'imagerie est le langage de l'inconscient et une pratique délibérée des techniques d'imagerie et de visualisation stimule directement la puissance de l'inconscient.

Ce canal de communication fonctionne dans les deux sens: si les images sont les messagères de l'esprit profond chargées d'apporter les inspirations à la surface de la conscience, elles sont aussi la forme que doivent prendre les messages transmis par l'esprit conscient aux parties les plus profondes de l'inconscient. À ce qu'il semble, l'imagerie est le «langage» du processeur d'idées inconscient. Par sa faculté de transmission des messages, elle s'avère l'outil le plus efficace de notre trousse.

Jung ne fut pas le seul psychothérapeute à avoir vu très tôt au-delà de la pathologie et envisagé la continuation d'une certaine forme de croissance une fois la «santé» rétablie. Dès 1911, le psychanalyste italien Roberto Assagioli travailla à partir de l'hypothèse selon laquelle les ressources intérieures et le principe directeur nécessaires pour atteindre la totalité de l'être se trouvaient déjà naturellement dans la psyché. Il appela **psychosynthèse** la méthode qu'il mit au point pour contacter et seconder les processus intérieurs naturels qui peuvent nous guider.

La psychosynthèse est toujours bien présente en tant que mouvement international de psychothérapie, et on la définit encore fondamentalement comme un moyen de coopérer avec la tendance naturelle des individus à harmoniser leurs différents aspects avec un niveau de développement toujours plus élevé. Elle combine plusieurs techniques comme l'imagerie dirigée, le dialogue éveillé, la méditation, les activités artistiques, la tenue d'un journal, le mouvement, et d'autres méthodes ayant pour but d'entrer en contact avec les aspects transpersonnels du moi supérieur.

En psychosynthèse, l'imagerie mentale est un outil particulièrement efficace lorsqu'il s'agit d'utiliser l'imagination, guidée par l'intellect et la volonté, afin d'explorer les aspects inconscients de la personnalité. On maintient délibérément la connexion entre les facultés rationnelles conscientes et les aspects inconscients plus profonds, de façon à apprendre la technique du «passage des vitesses» ou comment passer d'un état à l'autre. On peut ainsi jeter un pont entre les différentes parties de la conscience.

Dernièrement, dans la revue *Synthesis*, Martha Crampton, directrice du *Canadian Institute of Psychosynthesis* (l'Institut canadien de la psychosynthèse), décrivait une technique simple permettant d'utiliser l'imagerie mentale afin d'amorcer un dialogue avec l'inconscient:

> *Les techniques d'imagerie mentale peuvent jouer un rôle intégrateur valable en établissant le contact aussi bien entre le conscient et l'inconscient qu'entre les dimensions rationnelles et agissantes de notre personnalité.*
>
> *Il existe un large éventail de techniques possibles. Certaines seront utilisées au mieux avec une personne expérimentée*

servant de guide, alors que d'autres pourront être utilisées efficacement sans aide. Parmi celles-ci, on trouve une technique aux applications très variées: «les réponses de l'inconscient». De façon générale, on utilise cette méthode pour obtenir de l'information, recevoir de l'aide ou acquérir une meilleure compréhension des processus intérieurs qui sont les nôtres. L'idée principale consiste à formuler une question, à la poser à son inconscient et à laisser la réponse émerger sous forme d'image mentale. Cette réponse émergera spontanément et, la plupart du temps, avec une facilité surprenante. Il est important de ne pas rejeter les images qui semblent hors de propos. D'habitude, si on leur accorde une attention suffisante, leur sens devient clair. Lorsque se présentent toute une série d'images n'ayant aucun rapport entre elles, c'est souvent la première qui sera la plus significative[3].

Pour ceux qui n'ont aucune difficulté à voir des images avec l'œil de l'esprit, une technique semblable pourra offrir une réponse directe et immédiate lors de la recherche d'un guide pour une exploration intérieure. L'exercice suivant, répété pendant un certain temps, aidera ceux pour qui la visualisation est difficile en renforçant la capacité de leur esprit à voir des images, à imaginer, littéralement, et à enrichir leur imagination.

Le scénario que nous présentons ci-dessous est un exemple du genre d'imagerie qui s'avère très utile dans les premières étapes de l'entraînement à la visualisation. Ce voyage imaginaire a pour but d'ouvrir la porte au flot d'images et de commencer à éveiller l'aptitude à faire surgir des images utiles. Il se veut un guide, un modèle et non une prescription stricte. À mesure que vous maîtriserez l'art de la visualisation et que vous vous perfectionnerez à partir des sources que nous vous indiquons ici, vous voudrez sûrement poursuivre vos expériences selon les méthodes de votre «génie intuitif» personnel. Vos messagers intérieurs vous suggéreront peut-être même de nouveaux moyens de modifier ou d'élargir cette gymnastique de l'imaginaire.

Au début, vous devriez demander à un ami de vous lire le texte qui suit, ou encore, vous pourriez l'enregistrer sur un magnétophone à cassettes. Il est souvent utile de faire jouer doucement, en trame de fond, votre musique préférée la plus apaisante (instrumentale, non vocale). Plus tard, lorsque vous aurez confié l'enchaînement des images à votre mémoire, vous pourrez vous passer d'aide extérieure et accomplir votre voyage image par image en vous fiant à votre mémoire. Pour commencer, détendez-vous simplement et fermez les yeux.

Imaginez que vous êtes étendu sur un lit de mousse, douce et odorante, sous un grand arbre, sur le flanc d'une colline qui domine l'océan. Le ciel est clair, l'océan est calme. L'air est à la température du corps. À chaque respiration, vos poumons s'emplissent d'un air frais et pur qui vous apaise et vous revitalise tout à la fois. Ne comptez pas vos respirations, n'en modifiez pas le rythme, mais soyez-y attentifs, vous les sentirez alors devenir plus profondes et plus détendues. Bien que votre «œil de chair» soit fermé au monde extérieur, l'œil de votre esprit est bien éveillé et vigilant. Chaque respiration vous rend plus léger, et votre paysage intérieur se précise de plus en plus.

Vous prenez une grande respiration et vous découvrez que vous flottez au-dessus du sol, sans effort. Vous flottez autour de l'arbre et vous pouvez voir ce qui était auparavant derrière vous, dans la direction opposée à celle du paysage marin. Au loin, un pic solitaire, tout enneigé, vous attire.

Vous commencez à flotter en direction du pic lointain, puis vous remarquez sur un contrefort un sentier qui se dirige tout droit vers la montagne. Plus vous prenez de la vitesse, plus la montagne se rapproche. Vous pouvez distinguer des escarpements et des rochers à pic à mesure que vous flottez vers eux. Tous vos sens semblent s'aiguiser, une sensation de bien-être et de joyeuse anticipation vous envahit en regardant la montagne qui se dresse devant vous. Quelles nouvelles découvertes vous réserve-t-elle?

Vous avancez de plus en plus vite et la montagne est de plus en plus proche. Vous êtes parfaitement détendu, vous flottez toujours; maintenant, avec chaque respiration, vous montez, montez... Il n'y a pas d'effort dans cette ascension, ni physique, ni mental... mais vous remarquez que le sentier, la plaine et l'arbre sont loin, très loin en bas derrière vous, alors que les collines atteignent la base de la montagne, là où le sentier monte vers le pic enneigé.

Du haut de la montagne, la verte campagne s'étend à perte de vue et la mer luisante ondule dans le lointain. Au-dessus de vous, le ciel est d'un bleu profond. Vous regardez par-dessus le pic et vous vous rendez compte que vous êtes au-dessus d'un volcan éteint. Dans le cratère, il y a un lac, le plus limpide que vous ayez jamais vu. Il est d'une limpidité telle que vous ne le remarquez qu'au moment où vous repérez une toute petite île boisée, au milieu des eaux cristallines.

Vous descendez vers l'île, vous maintenant à quelques pieds du sol. Sur l'île, sous un arbre minuscule qui ressemble à un vieux bonsaï, une source d'eau claire et fraîche jaillit à gros bouillons d'entre les racines pour descendre en cascade vers le lac. Vous étendant sur le sol, vous jetez un coup d'œil à la source, entre les racines. Lorsque vos yeux s'habituent à l'obscurité, vous remarquez quelque chose tout au fond. Qu'est-ce que c'est? Souvenez-vous bien de ce que vous voyez. Examinez-le, puis laissez-le aller.

Buvez à la source, puis éloignez-vous de l'arbre. Toujours en flottant, vous quittez l'île en remontant le long du cratère, puis vous redescendez de l'autre côté de la montagne. Sur une colline bordant le massif principal, arrêtez-vous un instant afin de regarder une petite vallée que vous n'avez encore jamais vue. Que voyez-vous? Descendez-y. Quelles personnes ou quelles choses y voyez-vous? Ces personnes ont-elles quelque chose à vous dire, à vous montrer, à vous donner? N'oubliez pas de les remercier de leurs cadeaux, et préparez-vous à retourner dans votre «autre» monde.

Lorsque vous serez prêt à repartir, imaginez-vous revenant sous le grand arbre, sur le flanc de la colline qui domine la mer. Imaginez que le soleil se couche tranquillement. Alors que la nuit commence à tomber, prenez une grande respiration puis ouvrez les yeux. Essayez de fixer dans votre conscience extérieure les impressions de votre voyage, puis, immédiatement, notez par écrit vos impressions ou dessinez les images qui vous restent à l'esprit.

Les images qui vous apparaîtront lors de ce premier voyage constitueront souvent des indices sur vos sentiments les plus profonds, des solutions à vos problèmes actuels, ou des auxiliaires sur le chemin qui vous mènera à une maîtrise totale des techniques de visualisation. Il arrive cependant que le sens des images n'apparaisse que plus tard, au moment où d'autres images viennent fournir le contexte approprié.

Ne vous découragez pas s'il ne se produit rien de spectaculaire au début. Répétez simplement l'exercice tous les jours, jusqu'à ce que vous vous sentiez à l'aise et que les images deviennent vivantes. Après tout, l'apprentissage du langage de l'inconscient vaut bien un peu de pratique et quelques efforts. Ainsi, lorsqu'il vous parlera, vous pourrez le comprendre et communiquer avec lui. En réalité, c'est plus facile qu'il n'y paraît, tout ce que vous avez à faire étant d'«imaginer» une percée.

L'affirmation: comment programmer et reprogrammer le processeur d'idées inconscient

Dernièrement, on a redécouvert en psychologie et en médecine une autre des lois profondes de la psyché que les anciens connaissaient et qu'ils avaient élaborée pour en faire une technique mentale d'une haute efficacité.

On utilise des techniques semblables dans certains séminaires offerts aux cadres d'entreprises ou autres. Qu'on l'appelle «créativité dans la résolution de problèmes», «croissance des cadres», «comment réussir», «imagerie active», ou, plus communément, «affirmation de soi», le procédé est simple. On apprend à la personne à imaginer le succès, quelle que soit la forme que prenne ce mot pour elle, et, par le fait même, à attirer ce succès. On consacre la majeure partie du séminaire à inciter les participants à croire à ce procédé au point de vouloir l'essayer.

On parvient ainsi à changer de façon volontaire des croyances inconscientes. Toutefois, le procédé est très différent de celui qu'on utilise pour modifier des croyances conscientes. Ce dernier nous est d'ailleurs très familier et nous l'appelons «éducation».

La modification du programme de l'inconscient (ou reprogrammation) repose sur des caractéristiques de l'esprit que nous avons déjà mentionnées, à savoir que celui-ci réagit à ce qui est imaginé de façon vivante, de la même manière qu'il réagit à ce qui se passe réellement.

«Ce n'est ni aussi difficile ni aussi mystique qu'il y paraît, écrivait Maxwell Maltz dans *Psychocybernétique*. Vous et moi, nous le faisons chaque jour de notre vie. Qu'en est-il, par exemple, d'une grande inquiétude à propos de résultats futurs éventuellement défavorables, accompagnée de sentiments d'anxiété, d'insuffisance et peut-être même d'humiliation? À toutes fins utiles, nous éprouvons par anticipation les mêmes émotions que celles que nous aurions ressenties si nous avions véritablement échoué. Nous nous brossons un portrait de l'échec, non pas d'une façon vague et personnelle, mais vivante et détaillée. Nous nous repassons ces images d'échec, encore et encore. Résultat? Une tendance à échouer[4].»

«D'autre part, ajoute encore Maltz, la personne qui a de la chance ou du succès connaît un petit secret que je vous dévoile à l'instant: appelez à vous le sentiment du succès, captez-le, évoquez-le. Lorsque vous aurez vraiment la sensation du succès, de la confiance en vous-même, vous agirez avec succès.[...] Définissez votre but, le résultat final que vous voulez atteindre. Imaginez-le d'une façon claire et réelle. Ensuite, essayez simplement d'éprouver la **sensation** que vous éprouveriez si le résultat était un fait accompli.[...] Votre mécanisme interne est alors orienté en fonction du succès: il vous guidera dans le choix des mouvements musculaires appropriés (et des modifications à apporter); il vous fournira des idées créatrices; il fera tout ce qui sera nécessaire pour que le résultat devienne un fait accompli.»

Les entraîneurs des athlètes font un usage régulier des techniques d'affirmation. Une pratique de saut à la perche, par exemple, pourrait consister, pour l'athlète, à se relaxer sur un divan et à s'imaginer le plus clairement possible qu'il réussit à passer la barre, encore et encore, plus haut qu'il ne l'a jamais fait auparavant. Cette technique élimine les croyances négatives à propos des limites physiques et prépare l'athlète en vue d'une performance réussie sur le terrain. Quelques entraîneurs de tennis, tel Tim Gallwey, enseignent la «partie de tennis intérieure», c'est-à-dire l'art de s'en remettre à l'esprit inconscient «qui, lui, sait déjà comment jouer au tennis»[5].

L'utilisation de ce type d'imagerie affirmative dans la guérison est une vieille tradition et il vaut la peine de noter que les médecins modernes utilisent toujours comme emblème les deux serpents entrelacés d'Esculape, le dieu qui guérissait par le rêve. Chez les chamans et les guérisseurs populaires du monde, l'utilisation des images est le facteur clé qui déclenche les forces d'autoguérison des patients. Mais, plus près de nous, deux pionniers dans le domaine de la thérapie médicale par l'imagerie ont présenté une théorie et des données démontrant l'efficacité des techniques d'imagerie active, ou d'affirmation de soi, en médecine; il s'agit de Dennis T. Jaffe, du *UCLA's Center for Health Enhancement, Education and Research* et de David E. Bresler, professeur d'anesthésiologie et directeur de *Pain Control, UCLA Hospital and Clinics*. Ils ont comparé cette technique au phénomène mystérieux connu comme l'effet placebo, par lequel des substances n'ayant aucune valeur thérapeutique, telles que la farine et le sucre, ont produit des effets physiologiques bénéfiques mesurables chez les patients qui pensaient prendre de «vrais médicaments»:

Ce compte rendu illustre une autre utilisation thérapeutique importante de l'imagerie mentale, c'est-à-dire la visualisation d'images positives futures de façon à provoquer des changements positifs au niveau physique. Le fait d'imaginer un résultat futur positif constitue une technique importante pour contrer les images, les croyances et les attentes néga-

> *tives initiales que peut avoir un patient. Essentiellement,*
> *cette technique transforme un effet placebo négatif en un*
> *effet positif.[...]*

> *En imaginant le résultat final qu'une personne recherche –*
> *la santé complète, un objectif concernant la carrière ou la*
> *vie en général –, sans effort de la volonté et sans se forcer*
> *à le désirer, l'esprit est amené dans cette direction. C'est*
> *d'autant plus important lorsque la personne s'imagine ou*
> *anticipe un résultat négatif. Par son pouvoir, la suggestion*
> *positive sème la graine qui modifie la trajectoire de l'esprit*
> *– et à travers l'esprit, le corps – vers une issue positive[6].*

Le docteur Carl Simonton, oncologue et radiologiste, fait aussi partie de ceux qui ont osé faire le saut et appliquer les techniques de l'imagerie affirmative à la mobilisation active des mécanismes de défense du corps. À une époque où il était membre de l'*U.S. Air Force*, Simonton s'intéressa de près à certains patients qui semblaient survivre à des cancers médicalement incurables, et même à en inverser l'évolution. Lorsqu'il s'aperçut que les patients qui se considéraient comme des lutteurs acharnés et forts survivaient plus longtemps que ceux qui se voyaient comme des victimes passives et faibles, il commença à soupçonner que des facteurs psychologiques jouaient un rôle dans les «rémissions spontanées». Simonton se demandait si on pouvait prendre des mesures actives pour changer de mauvaises attitudes en modifiant la façon dont les patients se voyaient, et si de tels changements affecteraient l'évolution du cancer[7].

Brièvement, disons que la thérapie que mirent au point le docteur Simonton et son épouse, la psychologue Stephanie Mathews-Simonton, comportait deux volets. Dans un premier temps, on donnait au patient autant d'informations pertinentes concernant sa maladie qu'il était en mesure de comprendre et qu'il voulait connaître. Ensuite, après lui avoir donné une série de leçons sur des techniques de relaxation, on lui demandait de visualiser ses propres cellules T et de les imaginer fortes, féroces et capables de terrasser la maladie, comme des requins, de preux chevaliers armés de lances au laser, des chasseurs à réaction, etc. Puis on lui demandait d'imaginer les cellules cancéreuses comme des êtres faibles.

Bien qu'il soit encore trop tôt pour porter un jugement concluant sur l'efficacité de leur méthode (qu'ils ont toujours menée conjointement avec la radiothérapie et la chimiothérapie traditionnelles), leurs premières études semblent avoir donné des résultats généraux positifs, dont nombre de cas individuels de réussites spectaculaires. Leur travail fut très controversé à ses débuts, mais aujourd'hui, une spécialité encore toute jeune, la psychoneuro-immunologie, suggère l'existence de mécanismes physiologiques par lesquels la visualisation parviendrait à soutenir le système immunitaire.

Oui, il est possible de modifier des croyances, de changer des vies et d'accomplir des exploits – graduellement ou dans l'espace d'un éclair – par un procédé d'une telle simplicité que personne n'y croit avant d'avoir été convaincu de l'essayer.

Lorsqu'on demande à un athlète de pratiquer le saut à la perche en s'étendant sur un divan, les yeux fermés, ou à un patient atteint du cancer de visualiser ses cellules T comme victorieuses, ceux-ci éprouvent d'abord des doutes quant à l'efficacité de la méthode proposée, de la même façon que les personnes qui s'entraînent au *biofeedback* ont de la difficulté à concevoir qu'elles pourront réellement diriger leurs ondes cérébrales. Il est presque inévitable que l'on doute qu'une simple répétition d'affirmations puisse aider à résoudre des problèmes personnels.

Mais on peut surmonter cette résistance. Inconsciemment, nous devrions tous savoir comment vivre; de prime abord, cette affirmation nous semble incroyable, on nous a tellement bien appris le contraire. Bien sûr, nous savons comment faire fonctionner cette machine complexe qu'on appelle le corps humain; mais les animaux, avec leurs comportements instinctifs complexes, semblent savoir inconsciemment comment vivre leur vie.

Prenons un exemple. Lorsque nous étions plus jeunes, nous nous sommes à peu près tous demandé si, le temps venu, nous saurions maîtriser l'art de faire l'amour. Certains ont lu de nombreux manuels sur le sexe, d'autres ont tenté de se trouver un professeur. Mais il arrive un moment où nous découvrons que nous savions déjà inconsciemment comment faire l'amour; nous n'avons qu'à écouter ce savoir intérieur. De la même manière, nous savons déjà comment utiliser notre intuition profonde.

Ainsi, pour modifier d'anciennes croyances inconscientes concernant nos limites et nos potentiels, ou pour en programmer de nouvelles, comme «Je suis capable de réussir une percée», nous n'avons qu'à imaginer les nouvelles croyances de façon précise, par la visualisation ou la verbalisation. Si nous persistons à le faire pendant quelque temps, le nouveau système de croyances remplacera graduellement l'ancien pour devenir une partie instinctive de notre vie.

Non seulement l'affirmation peut-elle reprogrammer ou modifier des croyances portant sur nos limitations et nos potentiels, mais encore peut-elle servir à programmer de nouvelles idées dans le cerveau, telle l'affirmation de la réussite.

Ainsi que nous l'avons mentionné dans le deuxième chapitre, plus le signal que nous envoyons au cerveau est fort – par exemple sous la forme «d'une résolution intérieure intense et d'une intention ferme», d'une «demande fervente» et d'une «sollicitation directe» –, plus grande sera l'importance qu'il accordera au problème, réservant à l'émotion une place aussi privilégiée que celle laissée à l'étude ou à la réflexion dans la préparation d'une percée intuitive personnelle. Évidemment, l'affirmation inclut, par définition, «résolution intense». Donc, l'intention est essentielle. On pourrait résumer le tout en disant qu'il s'agit de l'intention et de la décision de remettre à l'intuition profonde tous ses problèmes, associées à l'affirmation que c'est là tout ce que nous avons à faire et ce que nous voulons faire. En essayant de vous imaginer le sens le plus complet et le plus large de chaque affirmation, affirmez ce qui suit plusieurs fois par jour, tous les jours, pendant six mois:

«Il m'est **possible** de connaître la solution de ce problème», ou «Il m'est **possible** de connaître la réponse à mes questions les plus profondes.»

Vous pouvez aussi modifier l'affirmation selon vos désirs, la modeler selon vos besoins propres afin de réussir une percée qui vous soit personnelle.

Vous pourriez dire: «J'ai une haute estime de moi-même, à tous points de vue» ou «J'éprouve une tendresse chaleureuse pour les autres et je sens qu'eux et moi ne sommes qu'un», ou encore «Je suis persuadé que tout ce que j'entreprends est déjà réussi.» (Rappelez-vous cette affirmation du *Nouveau Testament*: «Tout ce que vous demanderez par la prière, croyez que vous l'avez obtenu et vous l'obtiendrez.») Ou: «Je suis en parfaite santé et je suis efficace en tout», ou encore «Mon esprit profond m'indique comment résoudre tous les problèmes.»

Réussir des percées, c'est, bien souvent, aussi facile que cela, et c'est loin d'être un domaine ésotérique réservé à ceux qui sont parvenus à maîtriser, par une discipline rigoureuse, des techniques et des méthodes de penser complexes.

La relaxation vigilante: pour préparer le canal

*On constate actuellement, dans le monde occidental, un in-
térêt croissant pour les états modifiés de conscience, volon-
taires et non pharmacologiques, à cause de leurs prétendus
bienfaits: améliorer la santé physique et mentale ainsi que
la capacité de gérer la tension et le stress. Les personnes qui
vivent ces états prétendent avoir des sentiments de créativité
accrue, d'absolu et d'immortalité; elles ont le sentiment
d'être investies d'une mission, dans le sens évangélique du
terme, et elles apportent que toutes leurs souffrances physiques et mentales disparaissent.[...] Il existe des données
subjectives et objectives à l'appui de l'hypothèse selon laquelle une réponse intégrée du système nerveux central, «la
réaction de détente», est à la base de cet état modifié de
conscience.*

Herbert Benson, John F. Beary et Mark P. Carol,
«The Relaxation Response», *Psychiatry*

Les scientifiques occidentaux en sont venus à comprendre le pouvoir de la relaxation comme moyen de «débrancher» l'esprit et d'ouvrir
la porte à la connaissance et à la maîtrise de soi, non pas par l'étude
comparative des religions ou des différentes disciplines psychothéra-
peutiques, mais par des investigations dans le champ de la médecine.
La découverte de cette «réaction de détente» s'appuyait sur des décennies de recherche sur sa contrepartie, la «réaction de riposte ou de
fuite» et la réaction de stress qui lui est associée.

La réaction de riposte ou de fuite est un vestige d'un stade passé de
notre évolution où la survie individuelle d'un organisme reposait sur
son habileté à identifier les situations qui menaçaient sa vie et à y réagir
instantanément. Prenons le cas de nos ancêtres, à l'époque où ils ne
comptaient guère parmi les créatures les plus féroces à errer dans les
plaines africaines. À l'approche d'un animal ou d'un autre humain, ils
devaient choisir en une fraction de seconde entre trois solutions possibles: s'enfuir, se battre ou accepter le nouvel arrivant. Lorsque la partie
du cerveau qui détecte les dangers flairait quelque chose de louche dans
l'environnement immédiat, des réactions physiologiques puissantes dé-
clenchaient un état d'hypervigilance qui préparait le corps soit pour un
combat mortel, soit pour une fuite salutaire.

La décision quant au choix de la solution à privilégier se prenait à
un niveau cognitif supérieur alors que les réactions corporelles face à

cette décision avaient lieu à un niveau beaucoup plus instinctuel. Les hormones adrénaline et noradrénaline étaient libérées dans le sang de façon à mobiliser les molécules de glucose qui devaient fournir l'énergie nécessaire à des efforts physiques soudains, violents et de courte durée, tout en préparant le corps en fonction de blessures possibles, en accroissant le facteur coagulant du sang afin de minimiser les risques d'une hémorragie mortelle.

La réaction de riposte ou de fuite demeure une force dominante chez l'espèce humaine. De nos jours, lorsque nous sommes devant des situations potentiellement menaçantes – qu'il s'agisse d'une légère escarmouche au bureau, de la pression reliée à un examen, d'une critique sévère, ou autres –, il est très rare que nous ripostions ou que nous prenions la fuite, mais la sécrétion d'adrénaline et de noradrénaline est quand même déclenchée, produisant à la longue un effet nocif. Lorsqu'ils sont en excès dans l'organisme, les produits chimiques qui facilitent la coagulation du sang lors de blessures peuvent provoquer une accumulation de dépôts graisseux dans les artères, ce qui représente une des causes majeures des troubles circulatoires. À mesure que la pression sanguine augmente, le risque d'éclatement des vaisseaux affaiblis s'accroît de façon considérable.

Au début du siècle, un médecin chercheur du nom de Hans Selye découvrit que la réaction de riposte ou de fuite est, dans la vie moderne, l'une des sources de stress parmi les plus importantes et les plus fréquentes. L'intérêt de l'étude de Selye réside dans la relation qu'il découvrit entre l'attitude mentale et la réaction physiologique. Bien que la réaction biologique face aux menaces soit inconsciente, instinctive et impondérable, le fait de décider qu'une situation particulière est menaçante (déclenchant ainsi la sécrétion des hormones de la riposte ou de la fuite) dépend en grande partie de l'état d'esprit et du système de croyances de celui qui perçoit la situation.

Dans ce classique qu'est *Le stress sans détresse*, Selye explique ce qui se passe en termes clairs et précis pour tous:

> *Si vous rencontrez un ivrogne chancelant qui vous abreuve d'injures mais qui est tout à fait incapable de vous faire le moindre mal, il ne vous arrivera rien [...] si vous passez votre chemin sans vous en occuper. Cependant, si vous [...] vous battez, ou si vous vous préparez à vous battre, le résultat pourra être désastreux. Vous subirez alors une décharge d'hormones du type adrénaline, qui augmenteront votre pression sanguine et vos pulsations cardiaques; votre sys-*

tème nerveux tout entier se mettra en alerte et se tendra en vue du combat.

Si vous êtes un candidat potentiel aux maladies coronariennes (à cause de l'âge, de l'artériosclérose, de l'obésité ou d'un taux de cholestérol élevé), vous pourriez mourir d'une hémorragie cérébrale ou d'une crise cardiaque. Dans ce cas, quel serait le meurtrier? L'ivrogne ne vous a même pas touché. Ce serait un suicide biologique! La mort aurait été causée par un mauvais choix de réactions[8].

De nos jours, on reconnaît généralement l'importance du stress sur le plan médical, mais au moment où Selye et d'autres commencèrent leurs recherches, cette hypothèse remettait en question les frontières de la croyance scientifique. Puisqu'à ce moment, on n'avait aucune preuve de l'existence d'un mécanisme physiologique par lequel des états d'esprit pouvaient affecter le corps, Selye dut consacrer près d'un demi-siècle à ramasser suffisamment de preuves pour convaincre les cliniciens de la validité de son travail. Actuellement, les documents de recherche sur le stress et ses composantes comportementales sont impressionnants, tant par leur nombre que par leur rigueur.

Ces dernières années, la recherche, en médecine comme en psychologie, s'est orientée vers les méthodes utilisées pour remplacer des réactions malsaines par des attitudes plus saines. C'est d'ailleurs dans le contexte d'une exploration thérapeutique des techniques antistress que le rôle de la relaxation fut soumis, pour la première fois, à l'examen minutieux de la science.

La réaction de détente, c'est ainsi qu'on nomme un ensemble de processus physiologiques innés, bien définis, qui viennent contrebalancer les effets potentiellement nocifs de la réaction de riposte ou de fuite. L'expression fut inventée au cours d'une recherche menée à la *Harvard Medical School* par une équipe médicale sous la direction du docteur Herbert Benson, un éminent cardiologue, directeur de l'*Hypertension Section* du *Beth Israel Hospital*, à Boston. Leurs études ont démontré l'existence d'une réaction faisant appel à des processus métaboliques, respiratoires et glandulaires et qui semble non seulement contrebalancer les effets nocifs du stress, mais encore promouvoir des états de santé maximale qui dépassent largement ceux qu'éprouvent normalement les êtres humains.

Cette réaction n'est pas seulement l'inverse de la réaction de riposte ou de fuite, mais, comme elle, elle produit un état de vigilance face à certains types de phénomènes. Il s'agit d'un état d'éveil au monde intérieur, aux symboles, aux signes et aux prodiges de l'inconscient.

Les études de Benson, décrites dans son livre *The Relaxation Response*, démontrent qu'on peut provoquer cette réaction par des moyens psychologiques, en utilisant l'esprit pour détendre le corps. Si les effets potentiellement nocifs de la réaction de riposte ou de fuite résultent d'un «mauvais choix de réactions», les effets bénéfiques de la relaxation se manifestent lorsqu'on choisit la bonne réaction. Bien qu'il s'agisse d'une recherche médicale, il s'est avéré que les moyens par lesquels les gens pouvaient apprendre à provoquer cette réaction étaient connus des plus vieilles religions du monde: «La technique de base pour provoquer la réaction de détente est extrêmement simple. On en connaît les éléments et on les utilise dans un grand nombre de cultures dans le monde depuis des siècles. Historiquement, c'est dans un contexte religieux qu'on avait l'habitude de provoquer la réaction de détente [9].»

La méthode de relaxation que Benson a mise au point comporte quatre éléments principaux:

1. Un environnement calme.
2. Un mécanisme mental.
3. Une attitude passive.
4. Une position confortable.

Si le lecteur ne fait l'expérience d'aucune des autres méthodes dont nous discutons dans ce livre, il tirera quand même de grands avantages – sur le plan de la santé mentale et physique, et sur celui de la créativité – en se réservant un peu de temps pour mettre régulièrement en pratique les éléments de la méthode de Benson.

Lorsqu'il n'y a aucun bruit strident ni aucun mouvement soudain, il y a bien moins de probabilités que ne se déclenche la réaction de riposte ou de fuite. Le premier élément de la méthode de Benson, l'environnement paisible et calme, réduit la probabilité que le détecteur de danger logé dans le cerveau soit devant une activité qui puisse attirer son attention, puisque l'on a choisi un environnement où la stimulation sensorielle est réduite de façon significative.

En outre, cette quiétude extérieure nous rappelle la quiétude intérieure nécessaire si nous voulons entendre la petite voix silencieuse de l'inconscient, émergeant à travers les couches superficielles de la conscience.

Même lorsque nous sommes tranquillement assis, le courant de la conscience est loin d'être au repos. Des souvenirs, des pensées vagabondes, des perceptions internes, des images – ce que certains professeurs de méditation appellent le «bavardage intérieur» – viennent à tour de rôle nous distraire de notre objectif initial qui est de calmer l'esprit. Par sa nature, le cerveau est agité et constamment en action, scrutant l'environnement, intérieur et extérieur, à la recherche de perceptions ou d'informations qui pourraient être nocives ou bénéfiques.

Le deuxième outil de Benson, le mécanisme mental, est une méthode par laquelle on concentre son attention sur un objet particulier afin de stabiliser, de calmer le bavardage incessant du conscient (mental), ce qui aide à «débrancher» le cerveau.

Dans les religions orientales, cette technique de concentration de l'attention consiste souvent en un *mandala* (motif visuel symétrique) ou en un *mantra* (son ou mot particulier dont la constante répétition aide à libérer l'esprit). Dans la méditation clinique, système mis au point par Benson et d'autres cliniciens, à l'intention de patients souffrant d'hypertension et pour lesquels la relaxation était une nécessité d'ordre médical, on utilise un mot d'une syllabe, comme le mot **un** lui-même, afin d'éviter toute connotation religieuse que possèdent la plupart des *mantras* traditionnels.

Le troisième élément, l'attitude passive, est d'une importance capitale quoique subtile, car c'est peine perdue d'essayer de se relaxer par un effort de volonté tel que l'effort lui-même devienne source de stress. Le paradoxe qu'il y a à s'obliger à «laisser les choses se produire d'elles-mêmes» constitue souvent la première frustration, la première barrière que doive traverser le débutant. L'exercice n'a pas pour objet de modeler les pensées par la force, mais de les observer jusqu'à ce qu'elles s'apaisent d'elles-mêmes.

Bien qu'il paraisse aller de soi, le quatrième élément, la position confortable, est recommandé de façon explicite par Benson afin de contrer la notion – largement répandue en Occident – selon laquelle la méditation nécessiterait des contorsions corporelles. En Asie, la position du lotus est considérée comme très confortable parce que les gens sont habitués à s'asseoir ainsi. En Amérique et en Europe, les gens sont plutôt habitués à s'asseoir sur une chaise. Cette technique consiste donc à commencer par s'installer physiquement de la façon la plus confortable possible, sans être couché toutefois, ce qui pourrait conduire au sommeil.

Ce que ces études scientifiques ont confirmé d'important, c'est que la relaxation peut provoquer des états de conscience qui ouvrent la porte aux états que l'on associe habituellement aux percées et aux expériences créatrices.

Diverses écoles de psychologie, qui sont passées d'une obscurité relative à une certaine notoriété, considèrent le corps comme le gardien de l'inconscient, et la relaxation comme un moyen d'échapper au censeur intérieur se tenant à la porte de la conscience de veille. Les travaux de Wilhelm Reich, Ida Rolf, Moishe Feldenkrais, Alexander Lowen et autres, ont montré la profonde relation existant entre la relaxation physique profonde et la libération d'une énergie psychique enfouie ou réprimée du type de celle que l'on rencontre dans les états favorables aux percées. Alors que les psychanalystes des écoles freudienne et jungienne insistent pour dire qu'on ne peut libérer les côtés cachés de la psyché que par des processus psychologiques tels que l'association libre et le travail sur les rêves, ces «psychologues du corps», ainsi qu'on en est venu à les appeler, sentaient que la relaxation physique directe des tensions enfouies profondément dans le corps favoriserait un processus identique.

Les premières découvertes dans ce domaine sont le résultat des efforts déployés pour faire se relaxer des patients se plaignant de tension exceptionnelle dans certaines parties du corps. Le massage, associé à la relaxation consciente des parties concernées entraîna la libération d'un flot d'images et de souvenirs refoulés. Voici le cas d'un ouvrier dont le bras était à ce point ankylosé qu'il ne pouvait plus travailler; on lui apprit petit à petit à relaxer les muscles de ce bras. Lorsqu'il y parvint, l'ouvrier fit remarquer à son psychanalyste qu'il s'était souvenu, soudainement, d'épisodes de cruauté mentale que lui faisaient subir ses parents lorsqu'il était très jeune et que cela le rendait tellement furieux qu'il raidissait alors son bras droit avec l'intention de les frapper mais qu'il parvenait à réprimer ce désir en serrant encore plus fort ses muscles pour arrêter son élan. Par la suite, et tout en étant inconscient de son geste, l'homme raidissait ces mêmes muscles chaque fois qu'il réprimait des sentiments semblables dans des situations où il ressentait de la colère ou d'autres émotions fortes, jusqu'à ce que l'effet soit à ce point prononcé qu'il ne puisse plus travailler[10].

Bien qu'ils diffèrent dans leurs explications théoriques et dans leurs approches thérapeutiques, les psychologues dont l'orientation est plutôt corporelle s'accordent pour dire que ces modèles de tension musculaire, ou blindage, sont le moyen par lequel les éléments psychiques refoulés sont emprisonnés ou bloqués dans la musculature du corps. Cette école utilise la relaxation comme un outil menant à la croissance émotive.

D'autres psychologues adoptèrent des approches différentes, mais tout aussi valables, dans la relaxation des tensions profondes. Dans deux de ces écoles, le **Training autogène** et la **Relaxation progressive**, une recherche rigoureuse et des décennies de thérapie ont démontré que la seule pensée de la nourriture pouvait déclencher la salivation et que des images de relaxation pouvait provoquer une détente musculaire, un relâchement de la tension.

Au début du XXe siècle, le docteur J. H. Schultz instaura le **training autogène**, grâce auquel le patient apprend à passer par différents états corporels qui correspondent à des modifications d'états de conscience. Si les patients réussissaient, par la concentration, à sentir leurs mains plus chaudes ou leurs membres plus lourds, ils étaient sur la voie de l'autohypnose. Ce n'est pas une technique que l'on peut maîtriser de façon instantanée, mais elle n'est pas non plus très difficile. Les lecteurs qui aimeraient en faire l'expérience n'ont qu'à s'asseoir, à fermer les yeux, à respirer profondément et à se détendre durant quelques minutes. Ensuite, ils répètent silencieusement: «Mes mains sont chaudes, mes bras sont lourds.» Pour bien des gens, il est plus facile de penser à la chaleur et à la lourdeur que de se concentrer sur quelque chose d'aussi abstrait que la «relaxation»[11].

La **relaxation progressive**, dont le pionnier a été le docteur Edmund Jacobson dans les années 1930, consistait, elle aussi, à concentrer son attention sur la musculature du squelette de son corps, créant ainsi un nouveau canal de communication entre la volition et les états de relaxation. Jacobson prétendait que parvenir à la relaxation durant les heures de veille était une question d'auto-apprentissage et, comme Schultz, il nota l'étroite corrélation existant entre ce que les gens percevaient par l'œil de leur esprit et ce qui se produisait dans leur corps[12].

Dans l'une de ses premières expériences, Jacobson démontrait avec finesse le pouvoir de l'esprit sur les muscles. Après que ses patients eurent appris les rudiments de sa technique de relaxation profonde, il leur demandait d'imaginer qu'un de leurs doigts frappait sur le manipulateur morse d'un télégraphe alors qu'en réalité ils le maintiendraient immobile. Au moyen d'un moniteur plutôt rudimentaire, tels qu'ils existaient à l'époque, il réussit à démontrer que le groupe précis des muscles du bras qui devaient commander le mouvement imaginaire du doigt manifestaient des soubresauts tout au long de l'exercice. On démontrait ainsi de façon expérimentale comment des actions n'existant «que dans l'esprit» pouvaient avoir sur le corps des effets mesurables.

Jacobson élabora toute une série d'exercices, à l'intention des praticiens, dont le but était d'illustrer et de démontrer la différence expérientielle existant entre la tension et la relaxation. Si, par exemple, vous serrez le poing pour le relâcher ensuite, vous vous donnez une occasion d'observer et d'étudier attentivement la façon naturelle qu'a votre corps de se relaxer. En contractant et en décontractant systématiquement des groupes de muscles de votre corps, selon une certaine progression – en commençant par vos orteils et en remontant vers vos jambes, votre tronc, votre poitrine, vos bras, vos doigts, votre cou, votre visage, votre cuir chevelu, et ainsi de suite –, vous atteignez un état de détente profonde pendant lequel le conscient est subjugué, apaisé, et pendant lequel peut se faire entendre la petite voix silencieuse de l'inconscient.

Déchiffrer les images de la nuit: capter l'énergie du rêve

Nous passons le tiers de notre vie à dormir; il est donc tout à fait naturel de nous demander ce qui se passe lorsque nous sommes dans cet état.

Il n'y a pas très longtemps que les scientifiques occidentaux (à l'exception des psychanalystes) osent affirmer ce que nous avons toujours su, en notre for intérieur, à savoir que les rêves surviennent vraiment; la plupart ne s'y intéressaient même pas. Ce n'est qu'au cours des années 1950 que des adeptes de la psychologie expérimentale ont prouvé qu'il existait, selon leurs propres termes, un lien entre nos rêves nocturnes et des phénomènes physiologiques réels. Les chercheurs, Kleitman et Aserinsky, qui travaillaient sur le sommeil à l'Université de Chicago, ont en effet mis en corrélation l'apparition de mouvements oculaires «rapides» et un rythme particulier des ondes cérébrales chez des sujets ayant rapporté avoir rêvé[13].

Mais la recherche sur la physiologie du rêve ne pose jamais la question la plus pressante: les rêves ne sont-ils que des envolées de l'imagination, des résidus insensés de notre vie éveillée, ou sont-ils des visiteurs nocturnes, des maîtres déguisés? Si les images des rêves sont véritablement des messages de l'inconscient, de quelle façon apprend-on à les lire? Comment ramène-t-on leurs réponses dans la vie éveillée?

Une chose est certaine: lorsque nous rêvons, nous cessons d'être conscients (à une exception près: lors du «rêve lucide» que nous étudierons un peu plus loin). Nous nous retrouvons au royaume de l'inconscient, qui peut alors s'adresser à nous directement, sans interférences provenant de distractions extérieures, du bavardage mental ou des exigences corporelles. N'est-ce pas là la raison pour laquelle c'est «en rêve» que nous recevons la plupart de nos inspirations, illuminations, révélations, idées, percées et symboles?

L'interprétation des rêves représentait l'un des piliers de la théorie freudienne. Mais là où Freud ne se préoccupait des images que dans la mesure où elles étaient des messages déguisés (habituellement de nature déplaisante ou défendue) que le «censeur des rêves» empêchait de parvenir au conscient, Jung, pour sa part, s'intéressait beaucoup plus aux images qui pouvaient servir de signes, d'indices, de messages que l'inconscient essayait de nous faire parvenir de la seule façon dont il fût capable de le faire et uniquement au moment où il maîtrisait totalement la situation.

Bien que leur interprétation du sens des rêves repose sur des bases théoriques différentes, les freudiens et les jungiens sont d'accord sur le fait que les symboles oniriques sont très personnels et qu'une période d'entraînement supervisé est nécessaire afin de pouvoir interpréter adéquatement les messages reçus en rêve. Il est impossible d'écrire un dictionnaire des rêves, car chaque symbole revêt un sens différent selon le rêveur.

En premier lieu, toutefois, nous devrons apprendre à nous **souvenir** de nos rêves. Bien que, chaque nuit, nous fassions l'expérience de plusieurs épisodes de rêves assez longs, nous ne nous en souvenons, pour la plupart, plus au réveil. Une fois que nous aurons maîtrisé cette technique, cependant, nous pourrons entamer le processus d'interprétation.

Le travail sur les rêves est devenu un outil important de la psychanalyse à cause précisément de la nature très personnelle de ces scénarios nocturnes. Que l'on se fie ou non aux conseils que dispensent les livres, les gourous ou les thérapeutes, une fois que l'on reconnaît l'importance des rêves dans la transmission des messages de l'inconscient, on ne peut refuser d'en admettre la sagesse.

Les psychologues explorateurs qui ont remplacé les psychanalystes classiques commencèrent à utiliser les outils de travail sur les rêves pour sonder d'autres formes d'explorations de la psyché. Les psychologues gestaltistes et les différents praticiens de la psychologie humaniste élargirent le thème de la croissance positive introduit par Jung. Ce n'est que dans la deuxième moitié du présent siècle que les nouvelles générations d'explorateurs de rêves prirent connaissance des méthodes utilisées par les Grecs et les Tibétains. Il existe maintenant un «*underground* du rêve» considérable, peuplé de thérapeutes non traditionnels, de psychologues et d'amateurs intéressés qui ont déterré de vieilles sources et qui ont redécouvert les techniques contemporaines concernant le rêve.

De façon générale, toute méthode de travail sur les rêves, qu'elle soit synthétique ou expérimentale, commence par les cinq étapes suivantes:

1.   **Le stade du «Maintenant, j'écoute»** ou l'intention consciente de nous souvenir de nos rêves et de concentrer notre attention sur eux.

2.   **Apprendre à nous mettre à l'écoute et à recevoir,** ou s'exercer à nous rappeler la façon de nous souvenir de nos rêves. Rédiger un journal de nos rêves, nous joindre à un groupe de discussion sur les rêves, en parler avec les personnes qui partagent notre quotidien sont des outils à notre disposition pour apprendre à nous mettre à l'écoute de nos rêves et de leur signification et pour apprendre à les recevoir.

3.   **Le décodage et la clarification,** en nous servant de notre imagerie onirique personnelle. Essayer d'apprendre la grammaire, la syntaxe et le vocabulaire de la source d'où proviennent les messages imagés. Relire les épisodes d'anciens rêves, les interroger; dessiner des images vues en rêve, les partager avec d'autres, ce qui aide à comprendre le sens des symboles et des présages dont nous aurons été témoins.

4.   **Le rêve lucide,** ou apprendre à agir avec l'*ego* qui rêve. C'est la première des étapes les plus avancées. Affronter les personnages oniriques que nous fuirions normalement, apprendre à changer des rêves de chute en rêves de vol sont quelques techniques appropriées à ce stade.

5.   **L'intégration des messages à la vie quotidienne,** ou apprendre à nous guider nous-mêmes. Lorsque nous connaissons le langage de nos rêves et que les messages de l'inconscient commencent à révéler leur signification, nous atteignons le dernier stade du travail sur le rêve. Ou peut-être avons-nous fait le premier pas véritable?

Pour guider à travers les premières étapes celui qui veut étudier ses rêves, il existe maintenant d'innombrables séminaires, thérapies, groupes de support, cassettes, livres et professeurs. Les suggestions qui suivent et qui portent sur ces premières étapes ont été recueillies dans trois ouvrages qui sont parmi les meilleurs et les plus connus: *Living Your Dream*, de Gayle Delaney, *Creative Dreaming* de Patricia Garfield, et *Dream Power*, de Ann Faraday.

1. Conservez votre matériel d'enregistrement (calepin ou magnéto-cassette) tout près de votre lit.

2. Enregistrez la date avant de vous endormir.

3. Répétez-vous, ou encore écrivez dans votre journal, juste avant de vous endormir, votre intention de vous souvenir d'un rêve.

4. Pendant votre rêve, essayez de poser des questions. «Pourquoi me poursuis-tu?» serait approprié lorsqu'il s'agit d'un personnage menaçant, et «Qu'est-ce que cela veut dire?» lorsqu'il s'agit d'une situation incompréhensible.

5. Retournez dans votre rêve lorsque vous êtes éveillé. Si vous oubliez de poser une question pendant un rêve, essayez de le reconstituer dans votre esprit et posez-vous les mêmes questions lorsque vous êtes éveillé.

6. Enregistrez chaque pensée, expression, mot, image ou émotion dont vous puissiez vous souvenir, soit au beau milieu de la nuit, soit dès votre réveil.

7. Dès votre réveil, consultez les notes que vous avez écrites pendant la nuit.

Le travail sur les rêves est un peu plus difficile que les techniques de relaxation et sa maîtrise requiert un peu plus de temps. Si vous mettez en pratique tous les jours les quatre éléments de la méditation clinique, vous sentirez une amélioration notable au bout de quelques semaines, et même de quelques jours. Quelquefois, le travail sur les rêves peut demander des semaines et même des mois avant qu'on puisse discerner un certain progrès. Cependant, il arrive assez souvent que le procédé fonctionne dès la nuit du premier essai, car les messagers de vos rêves ont hâte de capter votre attention et ils répondent souvent de façon rapide et spectaculaire à vos premières tentatives d'établir le contact.

Lorsque les chercheurs qui étudiaient le sommeil ont confirmé qu'il existait un rapport entre les mouvements oculaires et le rythme particulier des ondes cérébrales d'une part et les rapports verbaux des rêveurs d'autre part, ils ont fourni un moyen objectif de vérifier la prétention subjective selon laquelle un certain état avait été atteint. Mais ce *monitoring* ne fournit aucune preuve quant à la description du contenu d'un rêve. Par définition, si on réveille un sujet afin qu'il décrive son rêve, on sort ce même sujet de l'état qu'on voulait lui faire décrire.

En 1980, Stephen La Berge entreprit des recherches sur le rêve lucide au *Sleep Center* de la *Stanford University School of Medicine*. Abordant son exploration d'une façon empirique autant qu'expérimentale, La Berge enseigna à des gens à faire des rêves lucides à volonté tout en communiquant, à l'intérieur de ces mêmes rêves, avec des observateurs extérieurs. Par la suite, on utilisa ces rêveurs pour mener des expériences exploratoires rigoureusement surveillées – et qu'on n'aurait jamais crues possibles auparavant – sur la nature de l'état du rêve.

Dans les laboratoires sur le sommeil, on peut enregistrer à l'aide de moniteurs divers phénomènes physiologiques, dont la respiration, le pouls, les ondes cérébrales, l'activité musculaire, le mouvement des yeux. La Berge réussit à utiliser ces données physiologiques comme un «signal» lancé de l'intérieur du rêve à l'intention d'observateurs extérieurs. En utilisant une combinaison de serrements de poing très légers et de mouvements d'yeux stéréotypés, La Berge et d'autres sujets purent envoyer des signaux de type morse alors qu'ils étaient toujours dans un état de rêve. L'état de conscience particulier que nécessite ce genre de communication à travers la barrière du sommeil est assez paradoxal puisque le sujet est, en un certain sens, à la fois endormi et éveillé.

La recherche sur le rêve et la conscience, tout importante qu'elle soit pour une compréhension globale de l'esprit humain, n'est en aucun cas la seule application possible du rêve lucide. La Berge considère le rêve comme un outil thérapeutique des plus puissants. Voici son commentaire.

> *Dans notre façon habituelle de rêver, nous agissons selon des habitudes; les événements surviennent comme par hasard et nous sommes ballottés par des impulsions qui échappent à notre pouvoir. Cette manière de rêver est une expérience totalement passive. Mais dans le cas où nous savons que nous sommes en train de rêver, nous pouvons agir intentionnellement et intervenir activement, ce qui permet d'entrevoir un remarquable regroupement de possi-*

*bilités de gestion des rêves, où il nous serait **possible** de déterminer ce qui se passe dans nos rêves, qu'il s'agisse de nous laisser aller à nos fantaisies les plus extravagantes jusqu'à réaliser nos aspirations spirituelles les plus élevées.*

*Beaucoup de personnes font des cauchemars, ou des rêves chargés d'anxiété, pendant lesquels se joue une espèce de conflit qu'elles n'ont pu parvenir à résoudre intérieurement. Une fois que vous aurez appris à vous rendre compte que vous êtes en train de rêver, au lieu d'agir selon votre vieille habitude de fuite ou de peur, qui avait elle-même donné naissance à ce rêve, et de fuir à toute vitesse loin de ces formes cauchemardesques, vous pourriez volontairement faire demi-tour, leur faire face et ainsi **transformer** ce qui vous arrive. Cette attitude aura un sens même si le décor est celui d'un rêve[14].*

Ce «judo du cauchemar», ainsi que l'appelle La Berge, est un exemple d'«intégration consciente intentionnelle» d'une partie du moi qui veut attirer l'attention, d'un aspect qui est comme «une ombre dans l'inconscient, si vous préférez». Ceci pourrait être le signe d'un problème que nous avons mais dont nous ne sommes pas tout à fait conscients; par le rêve lucide, nous pouvons en prendre conscience et le faire passer au niveau conscient. Voici ce que La Berge raconte:

Dans un de mes rêves, je me retrouvai dans une salle de cours, au beau milieu d'une bagarre; les gens se lançaient des meubles et se bousculaient. Un colosse de trois mètres de haut m'avait agrippé et je me débattais afin de pouvoir fuir ce monstre. C'est à ce moment que je compris que je rêvais. Au milieu de la scène je me dis: «Qu'est-ce que j'ai créé là? Un monstre!»

Je constatai que c'était ma création, que j'en étais responsable, mais je voulais quand même m'enfuir. Je savais que la solution résidait dans l'acceptation et qu'il me suffisait de dire: «D'accord, tu es à moi» pour qu'il se transforme; je l'avais déjà fait au cours d'expériences antérieures. Mais, quand je le regardai, je sentis de la répulsion et je voulus tout simplement m'enfuir. Je réussis cependant à trouver de l'amour dans mon cœur et je dis des mots d'amour et d'acceptation à mon monstre. Je le sentis alors se fondre en moi et la bagarre disparut. Je m'éveillai en me sentant merveilleusement revivifié.

Le rêve lucide se produit très rarement, mais les expériences et la recherche de La Berge démontrent qu'ils sont possibles pour quiconque manifeste un désir sincère de s'éveiller à ses rêves. Le procédé mis au point par La Berge et ses collègues, après une longue période d'essais et d'erreurs, est relativement simple et il peut être mis en pratique par quiconque désire explorer cet aspect de lui-même. Le procédé qu'il appelle *MILD* (pour *Mnemonic Induction of Lucid Dreams*: induction mnémonique de rêves lucides) fonctionne de la façon suivante:

1. Le matin, je m'éveille spontanément d'un rêve.

2. Après avoir mémorisé le rêve, je passe dix ou quinze minutes à lire ou à faire toute autre activité exigeant une vigilance totale.

3. Ensuite, pendant que je suis étendu et en train de me rendormir, je me dis: «La prochaine fois que je rêverai, je veux me rappeler que je suis en train de rêver».

4. Je visualise mon corps en train de dormir dans mon lit, avec des mouvements rapides de mes yeux indiquant que je suis en train de rêver. En même temps, je me vois dans le rêve que je viens de répéter (ou dans un autre, si je ne me souviens d'aucun à mon réveil), constatant que je suis bien en train de rêver.

5. Je répète les étapes 3 et 4 jusqu'à ce que je sente que mon intention est bien affermie.

Lorsqu'il doit expliquer sa recherche devant un auditoire, La Berge commence souvent son exposé par des questions qu'il pose aux gens afin de savoir s'ils sont certains d'être éveillés. Voici un exemple:

Actuellement, vous tenez ce livre dans vos mains et vous promenez votre regard sur la page. Vous êtes probablement assis, bien que vous puissiez être couché ou debout. Une chose est certaine, vous savez que vous êtes éveillé.

Mais êtes-vous bien sûr de l'être? Se pourrait-il que vous soyez en train de rêver que vous êtes en train de lire ce livre, auquel cas vous vous réveilleriez tôt ou tard pour découvrir que vous êtes dans votre lit?

Selon La Berge, notre système de croyances culturel tient pour acquis que le sommeil et l'éveil sont deux états distincts et opposés, et qu'il est impossible de les combiner (en d'autres mots, nous ne pouvons rêver lorsque nous sommes conscients ou être conscients lorsque nous rêvons). C'est cette croyance qui, la plupart du temps, empêcherait, selon lui, les gens de faire des rêves lucides.

Le docteur La Berge avait bien remarqué l'analogie entre le rêve lucide et la métaphore de l'illumination (comme étant un éveil à l'intérieur de l'état d'éveil), mais sa principale préoccupation consistait à établir des critères scientifiques pour l'étude approfondie du rêve lucide. Au cours d'une entrevue avec les auteurs, cependant, La Berge fit remarquer que si une personne pouvait apprendre à s'éveiller à un rêve, il existait une possibilité qu'on puisse «s'éveiller à l'éveil».

La description d'un rêve comme celui de La Berge tend à confirmer la véracité de ce qu'affirmaient les sages. Il se pourrait qu'il existe un état de conscience qui, comparé à la conscience d'éveil ordinaire, serait comme le rêve lucide par rapport au rêve ordinaire: **un état où l'on exerce consciemment son pouvoir d'agir volontairement à la création de sa réalité propre.** Le rêve lucide fait la preuve qu'il est possible de «voir en couleurs» quand, auparavant, on avait toujours vu «en noir et blanc», et il montre aussi à toutes les parties de la psyché comment on se sent lorsqu'on s'éveille à une nouvelle dimension de la conscience, plus riche et plus complète, (une des façons de faire une percée).

La haute créativité: percée ultime

Le processus créateur [...] c'est l'émergence dans l'action d'un nouveau produit relationnel émanant de l'unicité de l'individu d'une part, et des matériaux, des événements, des êtres et des circonstances de sa vie d'autre part. [...] Le moteur principal de la créativité paraît être [...] la tendance de l'homme à s'actualiser, à réaliser ses potentialités.

Carl Rogers, *On Becoming a Person*

La plupart d'entre nous avons tendance à attendre des situations exceptionnelles pour appliquer à nos problèmes le processus de recherche de solutions créatives. Nous tentons d'abord de trouver une réponse, de résoudre le problème au moyen de la partie rationnelle analytique de notre esprit et ce n'est qu'en cas d'échec que nous nous tournons vers le côté créatif intuitif.

Lorsque nous confions à l'esprit conscient le soin de choisir les problèmes à présenter au processeur d'idées inconscient, notre système de croyances inconscient impose alors une censure automatique sur une foule de questions importantes, nous empêchant par le fait même d'utiliser au maximum nos capacités intérieures.

Si cela est vrai, et puisqu'il semble n'y avoir aucune limite aux capacités de l'inconscient profond, pourquoi alors ne pas lui soumettre toutes les questions, y compris celles du genre: «Que devrais-je faire de ma vie?» ou «Comment devenir moi, le plus parfaitement possible?» ou encore «Que devrais-je faire du moment qui vient?»

De toute évidence, l'expérience d'une percée n'est pas réservée aux génies et aux visionnaires, et les outils servant au travail sur la conscience ne sont pas non plus réservés aux artistes et aux inventeurs. Toute expérience pouvant résoudre nos problèmes les plus profonds possède aussi le pouvoir de changer notre façon de mener notre vie. «De quelle façon devrais-je vivre ma vie?» Voilà une question fondamentale qui surgit dans toutes les sociétés qui aient jamais existé. Ce qui change avec les époques, ce sont les sortes de réponses fournies et les types d'autorité de qui nous les acceptons: le roi, l'Église et, plus près de nous, la science et la société. Mais une source est demeurée constante à travers toute l'histoire et des gens de toutes les époques sont venus y puiser, pour leur propre bénéfice et pour celui du monde entier.

Si nous devons en croire les sages, nous aurions à l'intérieur de nous des professeurs, des aides, des guides **intérieurs** prêts à répondre à la moindre demande d'assistance de notre part. Ce savoir n'est pas nouveau. Ce qui est nouveau, cependant, c'est d'avoir maintenant la possibilité, en même temps que le besoin, de le diffuser le plus largement possible. En Europe, au début de l'ère industrielle, savoir lire et écrire était un privilège réservé à une élite; grâce à l'invention de la presse typographique, ce savoir devint un outil que se partagea la grande majorité de la population. Il en va de même aujourd'hui, il ne faudra donc plus limiter à un petit nombre l'accès au spectre le plus élevé du potentiel humain. L'état actuel de la connaissance nous le permet et les circonstances planétaires présentes l'exigent.

L'idée même d'avoir en soi des capacités supérieures attendant qu'on les découvre est un concept révolutionnaire. Lorsque des groupes remettent en question leur croyance en la légitimité de l'autorité dont ils prennent conseil, la nature même du groupe est susceptible de changer de façon radicale, passant de la société féodale à une société démocratique, par exemple.

La dernière grande transformation de l'opinion publique, quant à l'origine présumée des valeurs et des conseils, survint il y a environ mille ans. La perspective moyenâgeuse de l'au-delà se transforma alors en une vision laïque du monde, à la fois pragmatique et orientée vers l'ici-bas, ce qui créa la Renaissance, la révolution industrielle et le monde dans lequel nous vivons actuellement. De nos jours, l'intérêt évident et généralisé que manifestent les Occidentaux pour les disciplines contemplatives orientales prouve qu'un grand nombre de personnes sont prêtes à réadmettre dans leur vision de soi et des autres le concept de capacités humaines de niveau supérieur.

Parmi les vestiges de notre ancien système de valeurs, un vieux message refait surface, habillé au goût du jour, à savoir: **il existe un guide, un mentor dont l'autorité est tout à fait digne de confiance, c'est le moi supérieur, le soi en chacun de nous.** C'est pour engager un dialogue avec lui que certains psychothérapeutes ont utilisé avec succès l'imagerie dirigée. Il nous faut d'abord bâtir une image du moi supérieur qui nous soit acceptable, et qui servira à diriger, à symboliser le dialogue.

Selon Jaffee et Bresler, la méthode la plus simple et la plus efficace pour établir une voie d'aller-retour entre le conscient et l'inconscient est celle-ci, qu'ils recommandent d'ailleurs:

> *L'une des techniques spectaculaires que nous avons utilisée est celle dite du «guide intérieur». [...] En créant un guide intérieur et en agissant avec lui, la personne apprend à recueillir d'importantes informations provenant de son inconscient et à se familiariser avec des parties d'elle-même qui, jusque-là, avaient été inaccessibles à sa perception consciente. [...]*

Cette technique utilise l'imagerie mentale comme moyen d'exploitation de l'imagination, sous la supervision de l'intellect et de la volonté, pour explorer des aspects inconscients de la personnalité. On essaie de maintenir délibérément un lien entre les facultés rationnelles conscientes et les aspects inconscients plus profonds, de sorte que l'on puisse apprendre à passer d'un état à l'autre, à «effectuer le passage des vitesses de la conscience». De cette façon, on établit un pont entre les différentes parties du moi.

Quels que soient leurs antécédents culturels ou religieux, la plupart des gens n'éprouveront aucune difficulté à assimiler ce type de sagesse au personnage d'un **vieux sage**, ainsi que le faisait remarquer Jung. Pour ce qui est de Stuart Miller, expert en matière de psycho-synthèse, il décrivait ainsi l'utilisation de l'image, dans le but d'amorcer un dialogue intérieur:

À l'instar de maintes traditions anciennes, supposez que vous ayez en vous une source de compréhension et de sagesse qui sache qui vous êtes, qui vous avez été et ce que vous pourriez devenir de meilleur dans l'avenir. Cette source est en harmonie avec le but ultime de votre épanouissement. Elle peut diriger vos énergies de façon à vous faire réaliser une intégration croissante, ainsi qu'une harmonisation et une unification de votre vie.

Après avoir fait cette supposition, fermez les yeux, prenez quelques grandes respirations, et imaginez que vous voyez le visage d'un vieux sage (homme ou femme) dont les yeux reflètent beaucoup d'amour pour vous. (Si vous éprouvez de la difficulté à visualiser ce visage, commencez par imaginer la flamme d'une bougie brûlant doucement, régulièrement, puis laissez la figure apparaître au centre de la flamme.)

Engagez le dialogue avec cette vieille personne sage, de la façon qui vous semblera la plus appropriée. Servez-vous de la présence et de l'aide du sage pour vous aider à mieux comprendre les questions, les choix, ou tout problème qui vous préoccupe en ce moment. Prenez tout le temps dont vous avez besoin et poursuivez ce dialogue. Lorsque vous avez fini, notez par écrit ce qui s'est passé et prenez soin d'élaborer ou de commenter à fond toute perception que vous pourriez avoir eue [15].

Selon le docteur Miller, la théorie que sous-tend cet exercice consiste à créer un contexte symbolique ou imaginaire, de façon que les symboles qui voudraient surgir de l'inconscient puissent être perçus plus facilement puisqu'ils n'auront ni à se mêler aux mots qui envahissent habituellement notre inconscient, ni à prendre leur forme, ni à se battre contre eux.

Une autre méthode de création d'un canal pour les messages venant de l'inconscient fut découverte par Joseph E. Shorr, un psychologue qui pratique une forme de thérapie appelée **thérapie psycho-imaginative**. Shorr demanda à des centaines de ses patients de faire différents exercices de visualisation dont il avait déjà éprouvé l'utilité en psychothérapie, pour les diagnostics et pour les traitements.

L'un de ces exercices était particulièrement révélateur, selon Shorr; c'était celui qu'on appelait «les trois portes». Le principe est très simple. D'abord, détendez-vous puis imaginez-vous debout devant trois portes chacune ouvrant sur l'autre. Prenez votre temps et imaginez-vous ouvrant chacune d'elles à tour de rôle. Prenez bien note de ce que vous voyez, de ce que vous faites et de ce que vous ressentez.

Après avoir observé les réponses de ses patients durant plusieurs mois, Shorr tira la conclusion suivante qu'il consigna dans un rapport intitulé Discoveries About The Mind's Ability to Organize and Find Meaning in Imagery (Découvertes concernant la capacité de l'esprit d'organiser des images et d'y trouver un sens):

> *Chez environ 90 % des personnes qui ont réagi à la situation imaginaire des «trois portes», les première et deuxième portes semblaient conduire aux niveaux plus profonds de l'inconscient de la personne, ce qui était corroboré par ce qu'ils voyaient, faisaient et ressentaient lorsqu'ils franchissaient la troisième porte.*

> *Il est maintenant évident que pour des centaines de participants, on a pu obtenir une vision extrêmement claire de leur inconscient à partir de leurs réactions à l'ouverture de la troisième porte (ce qui semble se vérifier chez 90 % d'entre eux). Inversement, environ 5 % ont attribué à la première porte une importance semblable à celle qui a habituellement été attribuée à la troisième.[...]*

> *Il y a un tout petit groupe de personnes qui ont dû franchir une quatrième porte pour pouvoir avoir accès à des matériaux au contenu très fortement inconscient. Seule l'expérience concrète de notre imagerie propre et de celle des autres pourra nous fournir des éclaircissements qui, j'en suis persuadé, existent dans l'imagerie des «trois portes»*[16].

Ces exercices – les portes, le vieux ou la vieille sage, ou tout autre moyen permettant de visualiser un dialogue – peuvent stimuler de profondes découvertes par ou sur le moi intérieur, ou moi supérieur.

Tout ceci semble nous mener au-delà de la créativité (peu importe le niveau qu'elle atteint sur le spectre) vers des considérations psychologiques et philosophiques. Les valeurs et les conseils, bien que se rapportant tangentiellement à la résolution de problèmes et à la créativité (et nous ramenant paradoxalement, encore une fois, de la conscience aux questions d'ordre culturel et social), font partie d'une réalité d'un tout autre ordre, non?

Si nous parvenons à résoudre le problème et à répondre à la question qui consiste à savoir «comment mener notre vie de la meilleure façon possible» et si nous mettons ce savoir à profit, comme nous le ferions pour toute autre espèce de percée, ne pourrions-nous pas dire alors que, dans un sens ultime, nous sommes en train de **créer** notre vie?

Ne s'agirait-il pas là de la «créativité supérieure»?

De l'ultime percée?

Chapitre V

LA PETITE VOIX INTÉRIEURE

VERS UNE NOUVELLE SCIENCE DE LA RELIGION

> *Toutes les grandes religions connues*
> *(excepté le confucianisme, si on le considère comme une religion)*
> *tirent leur origine, leur caractère intrinsèque,*
> *leur essence, leur noyau universel*
> *d'un moment d'illumination, de révélation*
> *ou d'extase vécue dans l'intimité et la solitude,*
> *par quelque prophète ou visionnaire*
> *à la sensibilité particulièrement vive.*
> *Ces grandes religions se proclament elles-mêmes*
> *des «religions révélées»*
> *et chacune fonde sa validité, son ministère*
> *et son droit à l'existence*
> *sur la codification et la propagation,*
> *à la masse des êtres humains en général,*
> *de cette expérience*
> *ou de cette révélation mystique singulière*
> *d'un prophète solitaire.*
>
> Abraham Maslow, *Religions, Values and Peak-Experiences*

Deux cours sur les miracles

Jane Roberts s'assit avec son mari devant la table Ouija qu'elle venait d'acheter. Presque aussitôt et sans efforts, elle entra en transe, subissant des modifications spectaculaires dans sa voix et dans l'expression de son visage. Elle devint ainsi l'un des médiums les plus connus du XXᵉ siècle, le «*channel* d'une autre personnalité qui n'est plus "dirigée" dans la réalité présente».

À partir de cette expérience initiale, Jane Roberts et son mari, Robert Butts, ont tenu plus de mille sessions pendant lesquelles Jane a

subi des modifications physionomiques bien visibles, tout en empruntant la voix et la personnalité d'un être qui disait s'appeler Seth.*

Plus que tout, c'est le style des propos de Seth qui caractérise sa
personnalité très spéciale.

Au cours de sessions dont on a enregistré ou transcrit le déroulement, lorsqu'on lui a permis d'occuper la «réalité dirigée» de Jane, Seth
a répondu aux questions, agissant en tant que conseiller psychique; il a
décrit avec intensité sa perception métaphysique des «réalités multiples», la «nature simultanée du temps», notre moi multidimensionnel
qui attend d'être réinclus dans le tout, et la continuation de l'existence
de la personnalité à travers le temps et sur une très large échelle. La
description de la vie faite par Seth est beaucoup plus élaborée et beaucoup plus complète que ne l'est le concept populaire de la réincarnation, bien qu'elle lui soit apparentée.

De façon générale, Seth démontre de grandes connaissances dans
des domaines allant de l'histoire à la psychologie, jusqu'à certains
champs techniques de la physique, sujets avec lesquels Jane Roberts est
elle-même peu familière. Le contenu des propos de Seth soulève la
question suivante: ce qu'il dit concernant son identité est-il vrai, ou
Jane Roberts n'est-elle pas tout simplement une auteur exceptionnel-
lement douée qui serait soit victime d'illusions, soit coupable d'escroquerie. (Il existe une troisième possibilité: une source profonde de
connaissances prendrait une coloration «de type Seth» lorsqu'elle sort
en bouillonnant de l'inconscient de Jane.)

À partir des discussions portant sur les systèmes de la réalité, les
entretiens de Seth convergent vers un thème central: l'importance des
systèmes de croyances individuels, sociaux et universels, ainsi que
l'illusion, commune à tous les individus et à toutes les sociétés, selon
laquelle chacun pense que son système de croyances particulier représente la «réalité».

Presque tous les écrits publiés jusqu'à maintenant sur Seth traitent
du thème des systèmes de croyances, de leur alternance, de leurs mutations et de leur détection. Il y est question de la façon dont les
croyances peuvent affecter (et modifie effectivement) nos manières de
percevoir et de vivre, et jusqu'à quel point nous pouvons aussi affecter

---

* Pour plus de renseignements sur Seth et ses enseignements, consultez *Seth, la*
réalité personnelle, tomes 1 et 2 publiés aux Éditions de Mortagne.

les gens qui nous entourent, individus ou groupes, par nos croyances de base:

> *Selon ce que vous dites, vous acceptez d'abord les croyances de vos parents, ceci [...] ayant rapport avec une expérience de mammifères. Le simple fait de suspendre volontairement certaines croyances pendant un moment, tout en vous permettant d'en accepter d'autres, vous permet d'accomplir des prouesses physiques que vous auriez considérées autrement comme impossibles.[...] Par les temps qui courent, c'est presque un exploit psychologique que d'en venir à comprendre que vous créez votre propre expérience et votre propre monde, l'accumulation de preuves ayant l'effet contraire étant tellement grande à cause de votre mode habituel de perception[1].*

Parlant comme un certain nombre de chercheurs de la médecine moderne, Seth fait le commentaire suivant à propos de la relation qui existe entre nos états psychologiques et les maladies:

> *Elles sont un sous-produit du processus d'apprentissage que vous avez vous-même créé, elles sont très neutres en elles-mêmes.[...] La maladie et la souffrance sont le résultat d'une mauvaise orientation de l'énergie créatrice. Elles font toutefois partie de la force créatrice. Elles ne proviennent pas d'une source différente que celle, disons, de la santé et de la vitalité. La souffrance n'est pas bonne pour l'âme, à moins qu'elle ne vous enseigne à arrêter de souffrir. C'est là son utilité.*

Quant à ses commentaires sur la créativité, ils ressemblent étrangement aux conclusions récentes de certaines recherches de laboratoire:

> *La créativité de votre espèce est aussi le résultat d'une sorte de spécialisation du rêve qui vous est particulière. Elle équivaut à – s'élève à – un état d'existence unique en soi, pendant lequel vous combinez les éléments de la réalité physique avec ceux de la réalité non physique. Il s'agit presque d'un seuil entre les deux réalités, et vous avez appris à maintenir votre intention physique sur ce seuil juste assez longtemps pour acquérir, pendant un bref instant, une espèce de vigilance que vous utilisez pour tirer de la réalité non physique les éléments créatifs précis dont vous avez besoin.*

Quoi que nous pensions de Seth, cette «voix de l'au-delà», qu'il soit un fragment disparate de la personnalité de Jane essayant de se fusionner au tout ou qu'il soit pure folie, il nous laisse sur une pensée troublante qui ridiculise tout ce en quoi nous croyons:

> *Si l'univers existait tel qu'on vous a appris à le voir, je ne serais sûrement pas en train d'écrire ce livre.*
>
> *Aucune voie psychologique ne pourrait relier mon monde au vôtre. Il n'existerait aucune extension de votre moi qui vous permettrait de franchir la distance psychologique vous séparant des seuils de cette réalité qui constitue mon environnement mental. Si l'univers était structuré tel qu'on vous l'a dit, la probabilité de mon existence serait de zéro dans votre esprit. Ruburt (sic)* n'aurait pu suivre aucune voie officieuse qui l'aurait mené au-delà des croyances officielles de son temps. Il n'aurait jamais reconnu l'impulsion initiale de parler à ma place, et jamais on n'aurait entendu ma voix dans votre monde.*

Jane s'intéressait à la perception extrasensorielle, et c'est son expérience avec la table Ouija qui causa l'émergence de Seth. Supposons maintenant que vous soyez un psychologue diplômé, spécialiste de la recherche, et que vous ne croyiez aucunement à toutes ces balivernes métapsychiques. Un soir où vous êtes tranquillement en train de vous détendre à la maison, une voix intérieure vous intime soudain l'ordre suivant: «Ceci est un cours sur les miracles. Nous vous prions de noter.»

C'est précisément ce qui est arrivé au docteur Helen Schucman, par un beau jour du milieu des années 1960:

> *J'étais psychologue et professeur, conservatrice par mes théories et athée dans mes croyances, et je travaillais dans un milieu prestigieux, hautement érudit. Soudain, il m'arriva quelque chose qui déclencha toute une suite d'événements que je n'aurais jamais pu prévoir. [...] Le directeur du département annonça tout à coup [...] qu'il était fatigué des sentiments d'agressivité et de colère que reflétaient nos attitudes et il décréta «qu'il devait bien y avoir une autre façon». Comme si on m'en avait donné le signal, j'acceptai de l'aider à la trouver. Selon toute apparence, le Cours fut cette solution. [...]*
>
> *Trois mois ahurissants précédèrent l'écriture comme telle, trois mois pendant lesquels mes amis me suggérèrent de*

---

* Pour Seth, Jane Robert est un homme qui porte le nom de Ruburt. (N.d.T.)

> *noter par écrit les rêves hautement symboliques et la des-*
> *cription des images étranges que je recevais. Bien que je me*
> *fusse peu à peu habituée à l'inattendu, j'eus quand même*
> *une grosse surprise lorsque j'écrivis: «Ceci est un cours sur*
> *les miracles.[...]» C'est ainsi que la voix se présenta à moi.*
> *Elle ne produisait aucun son, mais semblait me donner une*
> *dictée intérieure très rapide[2].*

À ce moment, Helen téléphona à un collègue pour lui demander s'il pensait qu'elle était en train de perdre la raison. Pour la rassurer, celui-ci lui dit qu'il n'en était rien et que si la voix revenait, elle devrait prendre en sténographie ce qu'elle lui dirait et que lui-même dactylographierait le tout le lendemain. Ensemble, ils décideraient alors s'ils devaient garder cette transcription, la cacher ou la détruire. De toute façon, l'ami ne voyait pas quel mal il y aurait dans tout cela puisque la voix semblait déterminée à se faire entendre, malgré le scepticisme de l'auditrice.

C'est ainsi que commença ce qui devait devenir un manuscrit de mille cinq cents pages.

Le docteur Schucman et son collègue, le docteur William Thetford, faisaient partie du personnel de l'Hôpital presbytérien de l'Université Columbia. Dans l'atmosphère d'orthodoxie et de scepticisme scientifique qui y régnait, toute révélation publique de leur entreprise n'aurait rencontré que dérision et hostilité. C'est ainsi que les docteurs Schucman et Thetford, tout en utilisant dans leur vie personnelle ce qu'ils en étaient venus à appeler «le Cours», gardèrent l'unique exemplaire du manuscrit enfermé à clé dans le tiroir d'un classeur, à l'abri des regards indiscrets, jusque dans les années 1970.

Il y resta jusqu'au début de 1975; on le montra alors à Judith Skutch, une espèce de superviseur des chercheurs en parapsychologie. L'appartement de celle-ci, situé sur Central Park West à New York, était devenu le centre nerveux d'une activité croissante dans le domaine de la recherche métapsychique moderne.

Tout comme le directeur de département du docteur Shucman, Judith Skutch ressentait, depuis un certain temps, ce qu'elle décrivait comme un «vide croissant», un «sentiment d'insatisfaction». Peu de temps avant de découvrir le Cours, elle avait fait un rêve où elle tentait désespérément de retrouver ce qu'elle appelait la «carte pour retourner chez moi», carte qui s'était perdue d'une façon ou d'une autre. Ses sentiments atteignirent une telle intensité qu'elle «fit quelque chose qui ne me ressemblait pas du tout: je priai l'univers de venir à mon aide».

Par une certaine coïncidence, elle dînait avec Schucman et Thetford quelques jours plus tard, afin de discuter d'une recherche pour une approche plus holistique de la santé.

Au beau milieu du repas, Judith Skutch se tourna vers Helen Shucman et, saisie d'une impulsion soudaine, elle demanda à celle-ci si elle «avait entendu une voix intérieure». Helen Schucman et William Thetford suggérèrent de quitter la cafétéria sur-le-champ et de se retrouver à leur bureau. Lorsqu'ils y arrivèrent, William Thetford referma la porte à clé, tira les rideaux et, après avoir raconté brièvement la genèse du manuscrit, il ouvrit le tiroir et en remit la transcription à Judith Skutch. Selon ce qu'elle en raconte, après en avoir lu le premier paragraphe, elle sut immédiatement que c'était là la «carte de chez elle» qu'elle avait cherchée.

Lorsque Judith Skutch avait posé sa question impulsivement, Helen Schucman et William Thetford n'avaient pas été surpris puisqu'ils avaient «senti» que c'était elle, la femme dont la voix avait parlé. En effet, la voix intérieure de Helen Schucman avait affirmé au début de 1975 que «le temps était arrivé» et qu'une femme viendrait qui saurait quoi faire avec le manuscrit.

Mais ce qu'il y a d'encore plus étrange, c'est la façon dont Saul Steinberg en vint à lire le manuscrit, lui qui devait plus tard le publier. Quelques décennies plus tôt, son beau-frère Paul, alors qu'il était étendu sur son lit, tard un soir, s'était soudainement retrouvé près du plafond de sa chambre, dans un coin, en train d'observer son propre corps tout en bas. Pendant qu'il le regardait, il vit sa chair tomber de son corps, puis se rassembler à nouveau, et il entendit une voix qui lui disait: «Ceci est pour te montrer que tu n'es pas ton corps. Il est important que tu comprennes ceci, car dans vingt ans, tu auras un rôle important à jouer dans la mise au monde du document spirituel le plus important de ton époque.»

Paul Steinberg avait oublié cet incident depuis longtemps. Mais soudain, vingt ans plus tard, lors d'une conversation avec Judith Skutch sur un sujet tout à fait étranger à celui-là, il lui lança: «Êtes-vous la femme au manuscrit que je dois voir?» C'est sur ces mots que la mémoire lui revint. Elle dit qu'elle l'ignorait, mais elle se dirigea vers la bibliothèque et lui remit le manuscrit à la reliure noire, *A Course in Miracles* (Un cours sur les miracles), afin qu'il l'emporte chez lui.

Quel est le contenu de *Un cours sur les miracles*? Fondamentalement, il s'agit d'un texte et d'une série de 365 exercices psychospirituels, un pour chaque jour de l'année. Se fondant en grande partie sur la puissance de l'affirmation, il fournit une façon grâce à laquelle certaines personnes pourront trouver leur propre «maître intérieur» pour les guider, un peu comme nous l'avons mentionné dans le chapitre précédent. Mais son but principal ne vise pas l'illumination ou le salut individuel, car à cause de notre interdépendance inhérente, personne n'est totalement libre à moins que tous les autres ne le soient.

Le principe sous-jacent est le même que celui des enseignements de Seth ou des constatations de la psychologie moderne: ce sont nos croyances intérieures qui créent la réalité que nous percevons et nous sommes prisonniers de nos fausses croyances.

Puisque les croyances occasionnent les problèmes, la solution consiste à remplacer ces croyances inconscientes par l'affirmation de nouvelles.

La décision la plus cruciale est d'accepter de se faire diriger par cette partie de nous-mêmes qui connaît le chemin vers la santé, la réalisation de soi et le succès, soit la toute petite voix intérieure de l'inconscient.

La peur fera cependant obstacle au processus. La peur est un choix inconscient reposant sur de fausses croyances. Vous pouvez choisir différemment. Mais vous pouvez apprendre qu'il n'y a rien à craindre.

La peur naît d'un manque d'amour ou d'un manque d'acceptation de l'amour parfait. L'amour est l'état naturel où sont anéantis (ou reprogrammés) les choix de peur, de culpabilité et de doléances. L'amour sans réserve est aussi le principal moyen d'éliminer la peur, la culpabilité et les doléances.

Depuis la publication du Cours, des savants, des avocats, des dirigeants de fondations, des hommes d'affaires, des psychologues, des ménagères et bien d'autres personnes ont tiré parti de ses exercices et témoigné de leurs bienfaits. Parmi les résultats qu'elles ont obtenus, citons l'élimination des sentiments d'anxiété, de peur, de dépression et de culpabilité; l'apparition d'un sentiment de lien profond avec l'univers; un sentiment de bien-être, de paix et d'amour; une créativité accrue; une impression fréquente de «choses qui s'arrangent», de «chance», de «synchronicité», de «miracles», si vous préférez.

Nous vous avons proposé ces deux exemples, Seth et le *Cours sur les miracles*, non pour vous prouver l'existence d'entités désincarnées provenant d'autres réalités, mais à cause de leurs similarités évidentes (à certains égards) avec les exemples de créativité et d'intuitions profondes que nous avons vues plus tôt. Ils servent à amplifier et à illustrer une fois de plus l'affirmation selon laquelle le spectre de la créativité humaine réunit, d'une certaine façon, les actions de la vie quotidienne, familières, mais mystérieuses tout de même (le fonctionnement de la mémoire et l'utilisation du langage, les petits pressentiments, les intuitions mineures) aux grandes perceptions intuitives (les percées scientifiques, les inspirations artistiques et même les révélations les plus profondes des grandes traditions spirituelles du monde).

La révélation: percée mystique?

Au cours des siècles, on a donné divers noms au phénomène qu'ont vécu Jane Roberts et Helen Schucman. Ces dernières années, on a remplacé par l'expression plutôt neutre de «*channeling*» ce que l'on appelait auparavant médiumnité ou inspiration divine. Ces deux termes sous-entendent que l'on reçoive de l'information, des mots ou des images, souvent sur des sujets d'ordre cosmique, métaphysique ou spirituel, qui vient de quelque part en utilisant une espèce de conduit. Ce **quelque part** peut prétendre être une entité désincarnée ou un être existant dans d'autres dimensions.

Pour les fins de notre discussion, supposons que ce «quelque part» soit cette faculté de l'esprit humain que nous avons appelée le processeur d'idées inconscient. Le «conduit» devient alors à tout le moins, un «*channel*» de communication entre des aspects inconscients et conscients de l'esprit.

Des recherches récentes sur le phénomène de la «personnalité multiple» semblent indiquer que cette expression pourrait s'avérer une métaphore des plus acceptables puisqu'elle réduirait l'aversion scientifique au phénomène du «*channeling*». L'expression «personnalité multiple» s'applique à des personnes qui semblent passer d'une personnalité à une autre, cette dernière souvent très différente de la première, et d'une façon générale, ce passage semble échapper à leur volonté consciente. Cette seconde personnalité – ou personnalités, puisque ces résidents à mi-temps sont quelquefois nombreux – est habituellement très différente de la première pour ce qui est des caractéristiques comme la parole et le mode de penser, l'humeur et le tempérament, etc. Ces différences peuvent se manifester par des changements de voix, de genre, de physionomie, de posture et de façons de se mouvoir; par des variations dans les modèles des ondes cérébrales, l'équilibre chimique des liquides du corps, etc. Bien que la personnalité soit difficile à définir et à mesurer en tant que modèle de comportement, il est bien évident que dans une certaine mesure, ces personnalités différentes existent bel et bien.

En établissant la réalité des personnalités alternatives, on ouvrira la porte à un dialogue scientifique sur le «channeling», dialogue qui, jusqu'à maintenant, s'est plutôt fait remarquer par son absence. Le terme «channeling» s'applique habituellement à une source possédant les attributs d'une personnalité, mais qui manifeste en outre une sagesse et un savoir extraordinaires, peut-être même supraterrestres. Dans l'ensemble de la documentation se rapportant aux personnalités multiples, il est clairement établi que certaines de ces personnalités alternatives possèdent des capacités plutôt remarquables. En utilisant la métaphore des personnalités multiples, qui est bien acceptée dans le milieu scientifique, nous pourrons commencer l'exploration scientifique du phénomène de «channeling» sans avoir à buter sur les questions métaphysiques habituelles. On pourra se rendre compte de l'existence de la source canalisée, de sa sagesse manifeste et on pourra l'explorer à loisir en réservant à plus tard les questions portant sur sa nature: cette personnalité alternative serait-elle une personne ayant déjà habité sur la Terre? un être existant dans une dimension ou un espace extraterrestre? ou simplement une excroissance psychologique de la psyché du «channel»? De telles questions pourraient ne jamais être posées dans le domaine de la science, à moins d'être envisagées comme hypothèses de rechange, mais on pourrait malgré tout apprécier les résultats du phénomène de «channeling» et les utiliser au profit de l'humanité. Toute la question de la nature fondamentale de la source du phénomène est laissée en suspens, comme les scientifiques le font pour tout ce qui concerne la nature fondamentale de la conscience et de la personnalité humaine «ordinaire».

Ainsi que nous l'avons vu dans des exemples relatifs au monde scientifique et artistique, ce phénomène se présente généralement sous l'une ou l'autre de deux formes précises. Le terme «channeling» proprement dit se rapporte habituellement à la réception d'une information qui arrive sous forme de mots, souvent comme une espèce de «dictée intérieure» ou d'«écriture automatique», ou même de «voix», empruntant alors les cordes vocales et tous les autres organes vocaux d'une personne, comme ce fut le cas pour Jane Roberts avec Seth. Des expressions plus anciennes telles que l'**illumination** et l'**inspiration** font plutôt référence à une information qui se présenterait sous forme d'images, ou encore il s'agirait d'une compréhension profondément intuitive, non verbale, de type spirituel surtout. Somme toute, les frontières sont très floues entre les définitions des différents termes et il y a chevauchement, sans aucun doute.

Pour ce qui est des traditions mystiques et religieuses du monde, elles semblent toutes avoir été élaborées dans un état tout à fait semblable. Les expériences de révélation qui sous-tendent la genèse de toutes leurs doctrines, de leurs prophéties et de leurs textes sacrés ressemblent par leur description à des expériences de percées intuitives que d'autres personnes ont vécues dans des domaines tout à fait différents. Il est à peu près certain que le «*channeling*» et la révélation, par exemple, sont connexes. On pourrait même dire, à tort ou à raison, que la révélation est un «*channeling*» qui serait de qualité supérieure car, après tout, rien ne perdure des siècles durant, à moins d'être empreint de valeur ou de sagesse.

Tout cela nous amène à un autre état connexe, le mysticisme. Le **moi supérieur** et le **royaume intérieur** dont parlent les grands maîtres bibliques sont-ils apparentés à tous ces phénomènes? S'ils le sont, comment se fait-il qu'une ou des facultés de l'esprit humain puissent produire des expériences aussi disparates?

Si l'on en juge par les récits de certains êtres extraordinaires, il est assez facile de croire que l'esprit inconscient possède des capacités qui débordent amplement le spectre des activités mentales ordinaires. De façon générale, on a considéré des expériences particulièrement créatives de scientifiques ou d'artistes comme étant de grande valeur, bien fondées et inspirées.

Par contre, on en a rejeté certaines sous prétexte de folie ou de schizophrénie, surtout lorsqu'elles étaient de nature religieuse plutôt que scientifique ou artistique. Il est vrai qu'une bonne proportion des personnes à qui ces expériences sont arrivées étaient déséquilibrées, c'est-à-dire qu'elles avaient perdu leur capacité à distinguer entre la vérité et l'illusion. Mais il est bien évident qu'on ne doit pas classer toutes ces expériences parmi les maladies mentales, à moins qu'on n'étende cette classification à tous les fondateurs du christianisme, du judaïsme, de l'islamisme, du bouddhisme et des autres religions du monde.

Mahomet, Moïse et Paul ont entendu la parole de leur Dieu et des nations entières les ont crus. Mais aujourd'hui, nos hôpitaux psychiatriques retiennent en leurs murs des milliers de personnes qui prétendent avoir entendu des voix ou avoir eu des visions. Jeanne d'Arc écouta ses voix et marcha allègrement dans l'histoire. Mais notre époque a été profondément marquée par des destructions individuelles et collectives résultant d'exhortations provenant de voix un peu moins bienveillantes. La vie de milliards d'individus et le sort des nations furent changés par les percées intuitives de Moïse sur le mont Sinaï, de Jésus dans le désert, de Paul sur le chemin de Damas, de Bouddha sous l'arbre Bo et de Mahomet dans sa marche nocturne. Aux yeux du sceptique, les expériences de ces personnages ne sont que des anomalies psychologiques et historiques. Mais nous prétendons, quant à nous, que ne serait-ce qu'en raison de leurs effets sur l'histoire, ces expériences sont des preuves de l'importance de ces phénomènes.

Bien que nous ayons quelquefois tendance à la minimiser, nous connaissons tous l'importance des «écrits inspirés» dans l'histoire des civilisations. La plupart des cultures ont leurs écritures sacrées, et la majorité de ces écrits – la *Bible*, le *Coran*, la *Torah* et les *Vedas* – sont prétendument inspirés, et ils ont été écrits à travers, et non par, les différentes personnes responsables de leur divulgation. La plupart ont été transmis lors d'états extraordinaires de conscience – rêve, vision ou apparition divine – et on croit généralement qu'ils recèlent une sagesse transcendant la perception consciente de leurs transcripteurs.

Ces écrits aux origines mystérieuses ont modelé l'histoire tellement profondément qu'on a peine à imaginer à quel point le monde aurait été différent sans eux. Mais jusqu'à présent, et c'est assez curieux, la science moderne s'est très rarement prononcée sur ce phénomène d'une importance capitale.

Il est assez aisé de comprendre que le scientifique moyen ait éprouvé des difficultés énormes à traiter de ces expériences, en dépit de leur rôle significatif dans l'histoire de l'humanité. Ces phénomènes, peu importe le nom qu'on leur donne, constituent un problème particulièrement épineux pour les penseurs occidentaux ayant un esprit scientifique. Les explications à caractère «occulte»faisant état de la communication avec un monde «spirituel» ne sont pas entièrement compatibles avec les idées courantes concernant la réalité, c'est le moins qu'on puisse dire.

Mais si dans les domaines scientifique et artistique nous acceptons la contribution majeure du processeur d'idées inconscient dans la production de percées intuitives, nous devrons forcément nous poser la question suivante: quelle serait donc la contribution potentielle de l'esprit créatif-intuitif dans la production de percées intuitives pour les domaines spirituel, métaphysique et psychologique touchant les grandes questions comme la nature de la réalité, le chemin vers la réalisation intérieure ou le sens de la vie? La sagesse manifeste de l'inconscient profond, sa mystérieuse compétence englobent-elles aussi ces domaines? De telles expériences ont-elles un rapport avec le fait de se réveiller au grincement d'une porte (expérience tout à fait ordinaire), d'avoir des visions scientifiques ou artistiques (expériences moins ordinaires, mais compréhensibles), ou avec les états provoqués par l'hypnose ou la méditation? Les «inspirations divines» pourraient-elles aussi faire partie du *continuum* de la créativité? Y a-t-il un lien entre les percées intuitives des artistes et des savants, les communications sous transe des médiums, le flot de connaissances du «*channel*» et les révélations religieuses des grands personnages spirituels?

Curieusement, les attitudes et les croyances relatives à la partie «supérieure» du spectre sont paradoxales. En effet, ces expériences qui ont le plus influencé le cours de l'histoire sont justement celles que l'on a le plus de difficulté à croire. Nous avons vu, dans les domaines scientifique et artistique, de quelle façon ceux qui avaient passé pour des cinglés et des illuminés auprès de leurs contemporains furent considérés, quelques générations plus tard, comme des génies et des visionnaires. Il en va de même dans le domaine des expériences d'ordre spirituel, du moins dans certains cas bien connus.

Évidemment, une grande partie de ce qui se veut «matière canalisée» ne provient d'aucune source mystérieuse, ni de l'inconscient profond, ni de l'inspiration divine, ni de l'au-delà, ni d'au-dessus ou d'en dehors. Bien plus, cette matière est souvent le résultat d'une véritable fraude commise à cause de l'appât d'un gain pécuniaire ou psychologique, ou encore c'est le résultat d'une illusion psychologique ou d'une maladie. Nous pourrions cependant dire la même chose de prétendues découvertes ou de certaines recherches effectuées dans le domaine des sciences physiques à la fin du siècle dernier et au début de celui-ci. Même aujourd'hui, parmi les scientifiques à l'emploi du gouvernement ou de l'industrie, il arrive que certains membres d'une corporation prennent certaines positions alors que les scientifiques qui travaillent à leur compte ou dans l'intérêt des consommateurs prennent des positions tout à fait contraires. On doit d'ailleurs souvent passer au crible une bonne quantité d'inepties avant d'en arriver au résidu factuel.

De même, lorsqu'on a pu trier tous les cas de «*channeling*» attribuables à l'escroquerie ou à l'illusionnisme, il reste un certain nombre de croyances et de modèles qui gardent toute leur consistance d'une culture à l'autre et d'une époque à l'autre. Si toutes ces croyances ne s'étaient jamais vérifiées dans la pratique, on les aurait abandonnées depuis fort longtemps. Il se peut que les humains soient superstitieux, mais leurs superstitions elles-mêmes ont un certain fond de vérité lors-qu'elles survivent très longtemps dans une grande partie de la popula-tion (par exemple: passer sous une échelle peut porter malheur). Des millions de gens de toutes les époques ont affirmé avoir amélioré leur vie et leurs relations avec le monde après avoir mis en pratique cer-taines des croyances universelles «canalisées» au cours des ans. Ce qui nous intéresse au plus haut point, c'est le résidu qu'on ne peut rejeter sous prétexte qu'il est le produit de l'imagination, de la maladie ou de l'escroquerie.

Des questions tenaces: l'interprétation et la vérification

Si nous voulons comprendre ces phénomènes, nous devrons d'abord, et c'est très important, trouver un moyen d'établir la diffé-rence entre folie et révélation. Pour rejoindre notre propos plus général sur le spectre de la créativité et l'envergure de l'esprit inconscient, nous devrons répondre à trois questions connexes:

1.   En tant que source de savoir spirituel, religieux et métaphysique, le «*channeling*» est-il un fait véridique?

2.   Que nous dit-il, ou que peut-il nous dire, sur la nature de la réalité ou sur la nature de l'esprit?

3.   Comment peut-on vérifier individuellement la validité de ce genre d'expériences?

La première question se résume essentiellement à ceci: «Pourra-t-on éventuellement bâtir une "science de la religion"?» William James le croyait. Dans *Varieties of Religious Experience*, il écrivit ce qui suit:

> *Je ne vois pas pourquoi une science critique des religions [...] ne pourrait pas susciter une adhésion populaire aussi large que celle que suscite une science physique. Même une personne non religieuse (au sens d'expérience religieuse) pourrait en accepter les conclusions avec confiance, à peu près comme les aveugles acceptent la réalité de l'optique. [...] La science des religions tirerait ses matériaux origi-naux de faits provenant d'expériences individuelles. [...] Comme toutes les autres sciences, elle devrait sans cesse reconnaître que les subtilités de la nature la dépassent et que ses formules ne sont qu'approximations.*

Depuis James, de nombreux auteurs ont fait valoir que les méthodes scientifiques modernes pourraient être appliquées à l'étude des percées mystiques et spirituelles. Parmi ces auteurs, nous retrouvons le père

A.G. Poulain, spécialiste de religion catholique, ainsi que Ken Wilber, auteur de *Eye To Eye* (Les trois yeux de la connaissance).

Se basant sur la terminologie qu'employait, il y a plusieurs siècles, saint Bonaventure, philosophe mystique chrétien, Wilber affirme qu'il existe trois moyens par lesquels les individus entrent en contact avec la réalité. Ce sont: l'œil de chair (les sens physiques), l'œil de raison (l'intellect) et l'œil de contemplation (l'intuition spirituelle)[3].

Parmi ces trois types de connaissances, les deux premières mènent aux sciences telles que nous les concevons le plus souvent. Le monde mesurable, exploré par les sens physiques, est décrit par la science empirique. Les données mentales, explorées par l'intellect, produisent les mathématiques, la logique, la phénoménologie et autres disciplines connexes. Mais qu'arrive-t-il des données de l'expérience transcendantale? Mènent-elles à une science de la religion?

Wilber soutient que le critère de la validité devrait être à peu près le même pour une science de la religion que pour toute autre branche de la science. De la même façon qu'on teste les intuitions scientifiques ou mathématiques (les unes par rapport aux autres et par rapport à d'autres données scientifiques) afin de vérifier leur validité dans la pratique, ainsi devrait-on mettre à l'épreuve les intuitions du domaine spirituel.

Poulain, dans *The Graces of Interior Prayer*, suggère trois critères selon lesquels nous pourrions vérifier la validité d'une expérience spirituelle ou mystique. Cette vision intuitive entraîne-t-elle une conduite vertueuse, une satisfaction profonde et durable, des sentiments de joie, de paix et d'amour, ou des actes qui produisent des résultats heureux? Se compare-t-elle à d'autres expériences similaires, en d'autres mots, avec la tradition? Ce critère est souvent mal interprété. Il ne veut pas dire que la tradition est juste et immuable, mais qu'on doit tenir compte de l'expérience historique. Enfin, la vision s'accompagne-t-elle et est-elle suivie d'un sentiment noétique de vérité profonde qui persiste longtemps après la fin de l'expérience?

Depuis quelques années, des psychologues formés en Occident se sont mis à combiner les méthodes d'observation scientifique avec les préoccupations manifestées par les disciplines plus spirituelles, dans un effort de compréhension accrue des expériences les plus anciennes, les plus respectées, mais aussi les moins bien connues de l'humanité. La nouvelle discipline porte parfois le nom de **psychologie transpersonnelle**, et le «*channeling*» fait partie des phénomènes étudiés.

Arthur Hasting, du *California Institute of Transpersonal Psychology*, est un de ceux qui ont étudié ces phénomènes en profondeur et, en accord avec les auteurs précédents, il identifie dans les visions mystiques et spirituelles trois catégories principales de contenus: 1) des instructions de nature cosmologique devant servir à fonder une religion, 2) des manifestations de potentiels humains insoupçonnés, et 3) une transformation des croyances, de soi-même et de la société.

La première catégorie, et aussi la plus ancienne et celle qui a produit sur l'histoire des effets au moins équivalents à ceux de toute autre découverte scientifique, comportait des éléments interprétés en tant que cosmologie d'une grande précision de même que des instructions concernant la fondation d'une religion. On peut remettre en question la justesse de cette interprétation, mais l'impact de ces révélations sur l'histoire et sur la géographie du monde est incontestable.

La deuxième catégorie, de loin la plus volumineuse, selon presque tous les comptes rendus des sessions de «*channeling*» ou de médiumnité enregistrées tout au long du XIXe siècle, se rapporte à toute une série de questions fondamentales qui ont toujours affleuré dans la conscience de l'humanité: la mort représente-t-elle la fin de la personnalité? La vie humaine a-t-elle un sens ou est-elle due à un hasard aveugle? Dans ce domaine, les messages «canalisés», les révélations et les percées se rapportent à des sujets tels que l'existence de l'âme, la survie de la personnalité après la mort, ou encore ce sont des déclarations ou des manifestations de phénomènes paranormaux, de perception extrasensorielle. Tous, cependant, semblent destinés à suggérer que les humains ont un potentiel de beaucoup supérieur à tout ce que leurs systèmes de croyances pourraient jamais leur permettre de concevoir.

Un troisième type de contenu apparaît dans des exemples assez récents, surtout au cours du dernier quart de siècle, bien qu'il soit lui aussi très ancien. Il touche les questions portant sur l'amélioration de l'humanité et, par conséquent, il se penche sur toute la question de la **transformation**, transformation des croyances, transformation de soi-même, transformation de la société, comme l'indiquent Seth et le *Cours sur les miracles*.

De tout temps, les médiums et les mystiques ont eu des révélations se rapportant aux trois types de contenus; cependant, chacun de ces trois types semble avoir dominé des périodes successives de l'histoire. Par le fait même qu'elles aient été confinées à un éventail de sujets aussi incroyablement restreint sur des dizaines de milliers d'années, ces transmissions indiquent une œuvre dépassant le simple hasard ou l'aberration psychique.

Puisque Wilber et Poulain recommandent de soumettre les éléments «canalisés» aux mêmes critères scientifiques que toute autre forme de connaissances, d'hypothèses ou de théories, nous pourrions commencer par regarder quel genre de lumière la science peut jeter, si elle le peut, sur le contenu de ces catégories. Quel sujet fascinant! Considérons d'abord brièvement l'ordre chronologique de ces trois catégories.

Le «*channeling*», la cosmologie, la physique quantique et vous

Les écrits «canalisés», à partir des plus anciens tels que l'Ancien Testament de la *Bible* judéo-chrétienne, les **canons** bouddhistes et les *sutras* hindous, jusqu'aux plus modernes, qu'ils soient d'Alice Bailey, de madame Blavatsky, de Rudolf Steiner ou d'autres écrivains traitant d'occultisme, comme les manifestations de Seth et du *Cours sur les miracles*, tous paraissent contenir un certain nombre d'affirmations remarquablement semblables sur l'origine de l'univers et sur la nature fondamentale de la réalité physique.

Au début du siècle, les physiciens auraient rejeté chacune de ces affirmations les qualifiant de sottise et superstition. Mais depuis les découvertes fondamentales de la physique quantique, de la relativité, du principe de l'incertitude, de la théorie du *big-bang* ou de la physique des particules élémentaires, la vision du monde que partagent certains théoriciens de la physique, des mathématiques et de la cosmologie comporte une ressemblance croissante et remarquable avec celle qui est véhiculée dans nombre de cas de «*channeling*», de révélation et de visions mystiques. Les scientifiques l'ont d'ailleurs remarqué eux-mêmes et en discutent abondamment dans leurs travaux.

Ils ont attiré l'attention sur certaines des concordances suivantes, dont l'une se rapporte plus particulièrement à la création comme telle.

L'une des plus grandes réalisations de la science du XXᵉ siècle consiste à avoir formulé, sur l'origine de l'univers, des théories qui soient vérifiables et mathématiquement quantifiables. En ce moment même, le modèle cosmologique dominant porte le nom de théorie du *big-bang*. Lorsque, sur la base des preuves amassées en analysant le spectre lumineux des objets aperçus au télescope, on découvrit que toutes les galaxies semblaient s'éloigner les unes des autres, on émit l'hypothèse de la théorie du *big-bang*. Selon cette théorie, toute la matière de l'univers connu avait dû former un amas d'une inimaginable densité, il y a quelque quinze ou vingt milliards d'années, et toujours selon cette théorie, il se produisit une explosion cataclysmique qui amorça l'expansion de l'univers; expansion qui se poursuit toujours.

Une fois qu'ils eurent fait remonter l'évolution du cosmos à ce *big-bang*, les astrophysiciens se livrèrent à d'autres conjectures quant à l'avenir de l'univers. S'il existe une quantité critique de matière dans l'univers – supposition que l'on n'a pas encore vérifiée –, on prétend que le phénomène de gravité parviendra un jour à réassembler la matière qui a explosé de telle sorte que l'incroyable pression gravitationnelle déclencherait une nouvelle explosion cosmique qui ferait recommencer le cycle à nouveau.

Chose curieuse, ces cycles d'expansion et de contraction imaginés par les cosmologues contemporains ont été préfigurés et décrits avec une précision étonnante dans les premiers écrits inspirés. La bible de l'hindouisme, les *Upanishads* sanskrits décrivent en effet les cycles cosmiques comme le «souffle de Brahma». Non seulement ces cycles cosmiques se ressemblent-ils dans leurs moindres détails (phases d'explosion suivies de phases de contraction éventuelles), mais les prédictions qui s'y rapportent ont été faites sur une échelle de temps de centaines de millions d'années, et selon une échelle de magnitude qui sont les mêmes que dans l'hypothèse des astrophysiciens modernes!

Parmi les autres affirmations sans cesse répétées lors des phénomènes de «*channeling*», il y en a une qui concerne le temps: le temps n'est pas ce qu'il semble être et, au sens physique ordinaire où l'on emploie ce mot, il n'existe même pas. Étonnamment, de grands mathématiciens et de grands physiciens ont fait des affirmations semblables sur la nature du temps. Ainsi, la théorie du cycle n'est probablement pas vraie non plus, au sens littéral. La vérité elle-même est probablement plus étrange encore que la science-fiction.

Voici une autre affirmation commune dans les écrits réalisés sur le «*channeling*»: la lumière est une substance fondamentale, primordiale.

Pour trouver des affirmations sur la nature de la lumière et sur son rapport avec la divinité et l'origine du cosmos, nous n'avons qu'à nous tourner vers la Genèse où le premier acte de la création commença avec la lumière. Dans *Le Livre des morts tibétain, on parle de la «claire lumière du vide», «substance» fondamentale dont sont faits l'univers et les humains; la Bhagavad Gita* mentionne la «splendeur de mille soleils», et d'innombrables ouvrages kabbalistiques, bouddhistes, chamaniques, métaphysiques et occultes s'étendent sur le sujet.

La théorie de la relativité d'Einstein et sa célèbre équation $E=mc^2$ reliait la lumière aux deux autres principes cosmiques de base: l'énergie et la matière. Selon les cosmologues, la phrase «Que la lumière soit!» représente, sur le plan scientifique, une description juste des premiers instants du drame cosmique. Et selon une des conjectures théoriques les plus populaires parmi les astrophysiciens contemporains, dans les premières fractions de seconde, extrêmement violentes du cosmos, avant qu'il y ait de la matière, la substance primaire était la lumière, une lumière très différente de toutes celles que nous connaissons aujourd'hui, car elle était des milliards de fois plus dense que toute **matière** connue existant actuellement.

En outre, on dit dans les écrits «canalisés» que l'univers matériel ressemble plus à un tissu de vibrations s'interpénétrant qu'à un amoncellement de blocs solides; d'ailleurs, on y rencontre fréquemment le terme **vibrations**. À travers toute l'histoire, le noyau ésotérique de la religion a toujours soutenu, tout comme les groupes mystiques dans le monde, que l'univers était un tissu de vibrations.

Quant à la vision analytique de l'univers – cette façon de penser mécaniste et réductionniste que l'on appelle souvent le paradigme cartésien –, c'est celle d'une immense horloge dont les éléments seraient inextricablement interreliés, quoique séparés. Ce paradigme mécaniste a été démoli avec l'avènement de la vision quantique qui, dans un certain sens, considère aussi l'univers comme une espèce de tissu cosmique constitué de forces fondamentalement interreliées, tel que l'avaient d'abord décrit les écrits bouddhistes et les révélations religieuses.

Dans *Le Tao de la physique*, le physicien et mystique Fritjof Capra explique ainsi la «vision quantique du monde»:

> *D'après la physique contemporaine, le monde matériel n'est pas un système mécanique composé d'objets séparés, mais il apparaît plutôt tel un tissu de relations complexes. Les particules subatomiques ne sont faites d'aucune substance matérielle; elles ont une certaine masse, mais cette masse est une forme d'énergie. L'énergie est toujours associée à des processus, à l'activité. Les particules subatomiques, donc, sont des faisceaux d'énergie, ou des modèles d'activité. L'idée d'objets séparés est une idéalisation qui est souvent utile mais qui n'a aucune validité fondamentale. Tous les objets ne sont que des modèles dans un processus cosmique indissociable et ces modèles sont intrinsèquement dynamiques, se changeant continuellement les uns en les autres dans une danse continue d'énergie.*

Finalement, la vision «canalisée» est celle-ci: **la conscience n'est pas séparée du monde physique; l'esprit est premier, pas la matière.**

Le principe premier de la révélation de Bouddha est celui de l'illusion du monde tel que nous le voyons: la création du monde est autant le résultat de nos perceptions que la manifestation de forces cosmiques, ce qui place la conscience dans une position beaucoup plus centrale que ne l'auraient jamais pensé les physiciens d'autrefois. Mais dans les années 1920, Werner Heisenberg annonça son principe de l'incertitude en affirmant qu'il est impossible pour la science d'obtenir une information véritablement objective sur l'état et la nature des particules fondamentales qui constituent l'univers. Le fait même d'essayer de les étudier en change inévitablement la position, la direction ou la charge. Ainsi, les éléments constituants fondamentaux de la réalité, qu'on avait cru devoir provenir des observations les plus objectives des sciences physiques, se sont montrés inextricablement influencés par la conscience qui les observe. (Voilà ce qu'est la «nouvelle révolution copernicienne» dont nous avons parlé plus tôt.)

C'est ainsi qu'en tentant de comprendre la constitution de la réalité physique, les hommes de science se sont retrouvés inévitablement de l'autre côté de la frontière séparant le royaume du purement physique de celui du purement métaphysique, ou presque.

Sir James Jeans, anobli pour ses réussites en physique d'avant-garde, résume les conséquences de la découverte d'Heisenberg dans une phrase à la fois poétique et scientifique, mais des plus troublantes: «L'univers, dit-il, commence à ressembler plus à une grande pensée qu'à une grande machine.» Selon Rex Weyler, collaborateur du *New Age Journal* qui mène une étude sur l'opinion naissante des scientifiques américains concernant cette conformité, certains d'entre eux commencent à penser que la réalité émerge d'un «champ unifié de conscience». Dans un article sur la théorie quantique, il est dit, tout simplement: «L'univers est conscient».

Mysticisme: l'ineffable expérience

On retrouve ce concept dans presque toutes les révélations religieuses les plus anciennes, au cœur même de leur philosophie. Michael Murphy, l'un des fondateurs de l'Institut Esalen, qui permit de réunir plusieurs des plus grands maîtres et guides spirituels du monde entier, commente ainsi leur témoignage commun: «La perception centrale est la suivante [...] il existe une réalité fondamentale, une divinité, ou principe existentiel qui transcende le monde ordinaire et l'habite tout à la fois.» Ou, comme le rapporte l'*Encyclopedia of mysticism*: «Les mystiques croient en un Être ultime, une dimension de l'existence qui transcende l'expérience sensorielle. Cette réalité ultime est l'Être absolu. Souvent, pas toujours, on la conçoit selon ses termes personnels et on l'appelle Dieu. C'est la source, le principe de tout ce qui est.» Les *Upanishads* nous disent: «L'Atman (nature divine) est ce par quoi l'univers est imprégné.»

Or, jamais les anciens mystiques n'ont demandé à qui que ce soit d'adhérer à ce principe par la foi. Le noyau de leur enseignement repose sur le postulat selon lequel toute personne peut, dans certaines circonstances, atteindre une forme supérieure de «conscience cosmique», ce qui lui procure une sagesse immédiate de la réalité profonde du monde physique. Voici ce qu'en dit l'*Encyclopedia of mysticism:* «Les mystiques prétendent que l'on peut, en quelque sorte, connaître l'ultime, l'aborder. Dieu n'est pas totalement autre ni totalement en retrait. C'est un Dieu qui se cache, mais c'est aussi un Dieu qui se révèle.»

Au cœur du système de croyances ésotériques se trouve, selon Murphy, l'idée qu'«il est possible de connaître la réalité spirituelle, source de toute conscience». C'est ce que, dans l'*Encyclopedia of Religion and Ethics*, Rufus Jones appelle le «genre de religion qui met l'accent sur la conscience directe et immédiate de la présence divine» et c'est aussi ce que saint Thomas d'Aquin voulait dire lorsqu'il parlait de «la connaissance de Dieu à travers l'expérience».

Ceci nous rappelle les pratiques des kabbalistes, dont un spécialiste moderne nous dit ce qui suit:

> *Absorbé dans la prière et la méditation, prononçant le nom divin selon certaines modulations de la voix accompagnées de gestes spéciaux, il produisait en lui-même un état d'extase pendant lequel, croyait-il, son âme se dépouillait de ses liens matériels et, libre de toute entrave, retournait à sa source divine[4].*

Il y a des dizaines de milliers de noms pour désigner cet état, cette condition, ce phénomène, cette façon d'être, et sa seule définition défie les capacités du langage. Tous ceux qui liront ce livre auront déjà leur propre terme par lequel ils l'identifient pour eux-mêmes, lorsqu'ils y pensent, pour peu qu'ils en aient déjà fait l'expérience ou qu'ils la croient possible.

En fait, l'une des principales caractéristiques de cette expérience est de ne pas se prêter à une verbalisation facile. Les enseignements les plus importants n'ont pas fait l'objet de traditions écrites ou orales, semble-t-il, mais de traditions **expérientielles**. Certains sages ont même affirmé que le langage traditionnel ne pouvait décrire la forme la plus élevée du savoir et qu'on ne peut aborder cette forme qu'à travers l'expérience d'un certain état de conscience.

William James parlait alors d'«ineffabilité» et il en faisait la description suivante:

> *Le sujet affirme que [cette expérience] défie toute expression et que les mots ne peuvent donner une description adéquate de son contenu. Il s'ensuit donc qu'il faille en faire soi-même l'expérience, car on ne peut ni communiquer ni transférer sa qualité à d'autres[5].*

Les soufis insistaient aussi sur le fait que ce niveau de conscience ne pouvait être décrit de façon satisfaisante par le langage parlé ou écrit, mais qu'on pouvait en avoir une idée par l'expérience directe ou les enseignements d'un grand maître.

De toute évidence, personne ne peut nier que des individus aient rapporté avoir vécu de telles expériences, avec une fréquence et une régularité extraordinaires, dans toutes sortes de cultures, au cours de milliers d'années et malgré une désapprobation publique considérable. Or, les êtres humains possèdent-ils une telle capacité? Dans l'affirmative, notre inconscient profond en serait très probablement au courant et tenterait de transmettre à notre esprit conscient une information d'une certaine valeur potentielle.

Nous continuerons donc à utiliser notre procédé habituel: laisser ceux qui ont fait de telles expériences nous les raconter dans leurs propres termes et comparer ces récits à ce que dit la science, laissant aux lecteurs le soin de tirer leurs propres conclusions. Dans presque tous les cas que nous et que d'autres personnes ont étudiés, les participants ont décrit le sentiment de ne faire qu'un avec l'univers et toute sa puissance, la sensation d'une relation intime avec la terre et toutes ses créatures, d'un savoir – une **gnose** – s'apparentant à celui du Créateur (ou du principe créateur).

Que nous faut-il penser de ces sentiments? Voilà la question dont presque tout le reste dépend. Bien sûr, ils pourraient n'être qu'illusions provenant de diverses sources, toutes plausibles: déséquilibre chimique, trauma ou autres. Par ailleurs, puisque la science affirme que l'univers est essentiellement «unitaire», nous ne devrions pas avoir à recourir à des théories supposant l'hallucination ou d'autres états pathologiques pour rendre compte des nombreux cas connus d'individus qui l'ont perçu correctement.

Or, même en admettant que l'univers soit un tout «sans coutures», maintes personnes auront de la difficulté à croire qu'il soit possible à l'homme, avec ses sens limités, d'arriver à percevoir cette unité directement et sans aide. À cause du poids irrésistible de notre **expérience** concernant la façon dont nos sens nous **permettent** de percevoir la réalité, nous sommes incapables de nous rendre compte que de façon normale, c'est justement cette perception d'un «tout continu» – de la réalité telle qu'elle est – que nous donnent nos sens. Ce sont notre esprit et notre système de perception qui font une présélection parmi les «modes vibratoires» d'un domaine afin de nous présenter un portrait de la réalité qu'il nous soit assez facile de comprendre.

Enfants, nous sommes nés *tabula rasa* et nous percevions le monde sans système filtrant, sans cadre conceptuel préétabli. C'est dans ce sens que parlait Claire Myers Owens, lorsqu'elle écrivit dans *Main Currents in Modern Thought*: «L'expérience unitaire de l'enfant et du mystique est la même.»

Nous apprenons à nous ajuster au monde en apprenant à percevoir ou à ne pas percevoir tout ce que perçoivent les adultes qui nous entourent. On ne nous encourage jamais à percevoir des choses que les adultes ne perçoivent pas eux-mêmes. Au contraire, on nous en décourage activement. Ainsi que nous le rappelle D.T. Suzuki: «Que nous fassions notre chemin dans le monde, tel est l'objectif premier de notre intellect.»

Tout admirable que soit cette organisation de nos sens lorsqu'il s'agit de nous aider à venir à bout de certains aspects de la vie quotidienne, elle comporte toutefois quelques inconvénients évidents. Parmi ceux-ci, Alan Watts note la «tendance à imposer par trop rapidement les structures conventionnelles telles que le temps, l'espace, la dichotomie sujet-objet ou tout autre système de valeurs personnel». Ce sont ces tendances du **cerveau gauche** qui s'interposent entre nous et toute perception directe de l'unité fondamentale de l'univers tel qu'il est.

Or, ce conditionnement mental normal ne représente en aucune façon une barrière infranchissable à la perception directe de la réalité, ainsi que nous l'ont démontré yogis, mystiques et chamans. Dans *The Relaxation Response*, le docteur Benson fait l'observation suivante:

Vers le XIIe siècle [...] on comprit qu'on pouvait provoquer cette extase chez l'homme ordinaire, dans un temps relativement court, au moyen d'exercices rythmiques comportant certaines positions corporelles, une respiration contrôlée, des mouvements coordonnés et des répétitions vocales.

À vrai dire, cette barrière est tellement facile à franchir, à transcender – et ici nous parlons véritablement de ce que certains ont appelé transcendance ou expérience transcendantale – que, selon Abraham Maslow, père de la psychologie humaniste, la plupart des gens rapportent avoir éprouvé, à un moment de leur vie, un «profond sentiment de ce qu'on a appelé la conscience unitive», tout comme ils rapportent assez généralement avoir fait l'expérience de ce que nous avons appelé des «percées».

Par la recherche en laboratoire, la science moderne est même parvenue à réduire l'état «mystique» à un phénomène explicable. «Du point de vue de la neuropsychiatrie, dit Alan Watts, l'état de conscience est passablement facile à comprendre.»

Pour un groupe de chercheurs de Harvard, une condition est primordiale: il faut «que le système nerveux soit tout à fait libéré d'activités mentales conceptualisantes [...] dans un état de quiétude; vigilant, éveillé mais inactif».

Lorsque le système nerveux est dans cet état, «l'esprit est calme, tout simplement, paisible enfin, et la conscience est claire, totale, extatique. Comme l'ont rapporté des documents du bouddhisme zen, le soi, l'*ego,* la psyché, la personnalité, l'esprit n'existent plus, cette illusion persistante habituelle étant momentanément dissipée». C'est ce que rapporte Durand Kiefer, après une recherche de deux ans qu'il a présentée dans un article intitulé *Meditation and Biofeedback.*

Bien que les mystiques aient tenté, depuis des millénaires, de nous expliquer comment atteindre cet état, la science ne l'a reconnu officiellement qu'au moment où il fut possible de le reproduire en laboratoire (grâce au *biofeedback*), de le quantifier et de l'analyser.

Le *biofeedback,* ou rétroaction biologique, repose sur un principe d'une grande simplicité, qui paraissait tout à fait incroyable dans les milieux scientifiques occidentaux lorsqu'il y fut présenté: On peut apprendre à modifier des processus physiologiques jadis involontaires, tels les battements cardiaques ou la production des ondes cérébrales, en apprenant à concentrer son attention sur ces processus. L'appareillage électronique très sensible qui signale ces changements fonctionnels n'est qu'un outil qui nous permet d'apprendre à discerner d'infimes modifications d'états physiologiques et psychologiques qui, autrement, échapperaient à notre attention.

Nombreux sont les livres et les articles qui ont vulgarisé la relation existant entre, d'une part, certains **rythmes** détectés dans l'activité électrique du cerveau de yogis et de mystiques en état de méditation profonde, et, d'autre part, la stimulation d'états de conscience **supérieurs, modifiés, mystiques** ou **unitaires.**

Au moyen de l'électro-encéphalogramme (E.E.G.) sur lequel s'enregistrent les **rythmes** du cerveau, il est possible de savoir à quel moment notre cerveau émet les ondes cérébrales (indicatrices des états de conscience) qui ressemblent le plus à celles de la méditation; en apprenant à les entretenir et à les intensifier, il devient possible d'atteindre ces états plus facilement et beaucoup plus rapidement que par les méthodes de méditation courantes.

«Plus on pratique la méditation, explique C. Maxwell Cade, auteur de *The Awakened Mind: Biofeedback and the Development of Higher States of Awareness*, plus il devient facile de produire et de maintenir des ondes de rythme alpha et, plus un individu maintient longtemps un rythme alpha continu, plus il augmentera la fréquence de ses expériences d'états de conscience accrue.»

Bien que s'accumulent les preuves et les théories scientifiques quant à l'existence de ces états, elles ne nous apprennent rien du tout quant aux effets que produisent de telles expériences sur celui qui les vit.

Les mystiques prétendent que lorsqu'on commence à se connaître véritablement, la force d'attraction du corps physique et de la personnalité du moi s'affaiblit, de sorte que les motivations profondes se modifient pour devenir un désir de participer pleinement et consciemment au processus évolutif et à l'évolution de l'espèce humaine. En d'autres mots, l'individu prend conscience que ce qui lui semblait des motivations fondamentales n'était que besoins illusoires de l'*ego* et que les vrais besoins sont les désirs du moi véritable, ce qui ressemble beaucoup au phénomène que nous avons appelé la «créativité supérieure».

Ainsi, nous devrons soumettre les expériences de «*channeling*» contemporaines à la question suivante: Cette expérience – ou son contenu – semble-t-elle mener à une croissance et à une transformation psychologiques et spirituelles?

Le psychiatre Edwin Severinghaus, qui était très sceptique au début, finit par être très intrigué par ce qu'il appelait la «puissance transformatrice» de l'expérience de «*channeling*»:

> *Après vingt-quatre ans de pratique en psychiatrie clinique, je crois pouvoir prétendre avoir assez d'expérience des entrevues pour pouvoir juger du sérieux d'un sujet .[...]*
>
> *Je dirais qu'il existe une conformité certaine entre leurs désirs de croissance personnelle et spirituelle. Il y a aussi une évolution [...] manifeste avec le temps: la croissance de l'individu et sa conscience en sont de toute évidence influencées [...] et, réciproquement, les transmissions deviennent «plus élevées», ou plus profondes, ou plus universelles[6].*

Les études que mena Abraham Maslow sur ses propres patients l'amenèrent à des conclusions semblables:

> *Cet événement n'est pas aussi simple qu'on pourrait l'imaginer à partir de la simplicité même des mots employés. Le fait d'avoir une perception claire (plutôt qu'une acceptation philosophique purement abstraite et verbale) que l'univers est tout d'une pièce et qu'on y a sa place – qu'on en fait partie, qu'on lui appartient – peut s'avérer une expérience à ce point profonde et bouleversante qu'elle peut changer à tout jamais le caractère d'une personne et sa Weltanschauung. J'ai connu personnellement deux sujets qui, à cause d'une telle expérience, ont été guéris d'une façon totale, immédiate et permanente, l'un, d'une névrose d'angoisse chronique et l'autre, de pensées suicidaires obsessionnelles[7].*

Le bout le plus éloigné du spectre

Nous abordons maintenant un sujet qui nous semblerait très éloigné si nous avions donné, au préalable, une définition plus traditionnelle, plus étroite de la créativité. Nous observerons certains types de révélations religieuses et de prophéties en tant que phénomènes qui auraient pu être associés à l'inconscient ou produits par lui et en considérant certaines percées ou inspirations de l'inconscient dans les domaines de la physique, de la psychologie, de la médecine et de la biologie au cours des ans. Force nous est alors de conclure que tout ce qu'a à dire cette partie de nous-mêmes sur **n'importe quel** sujet doit non seulement retenir notre attention, mais encore nous faut-il admettre qu'elle fait bel et bien partie du spectre de la créativité.

Ce que nous abordons avec autant de circonspection fait partie de la deuxième catégorie d'éléments identifiés par le docteur Hastings dans son étude sur le «channeling» et la révélation. Ce sont des questions telles que la survivance possible de la personnalité après la mort et toutes celles qui se rapportent au sens de la vie.

De l'aveu général, nous entrons dans un royaume se situant quelque part parmi les ultraviolets ou les infrarouges de la créativité mais qui, si jamais nous réussissons à le prouver, pourrait s'avérer beaucoup plus près des extrémités les plus élevées de la créativité que nous l'aurions jamais imaginé, et plus près aussi de tous les phénomènes que nous avons étudiés dans cet ouvrage.

Lorsque les anciennes philosophies ésotériques parlent de l'«esprit survivant en dehors du corps», de la vie après la mort, de la perception extrasensorielle, de l'esprit dominant la matière, etc., nous nous retrouvons devant des questions où il est beaucoup plus difficile d'obtenir des preuves.

Bien qu'il y ait eu certaines recherches scientifiques dans ces domaines, les conclusions auxquelles sont arrivés les scientifiques sont loin d'être aussi unanimes qu'elles le sont en physique. Cependant, un certain nombre de personnages très éminents, dont l'astronaute Edgar Mitchell, sont convaincus que l'existence possible de ces phénomènes a été suffisamment démontrée pour justifier une étude sérieuse sur le sujet. Dans l'ensemble, leur proposition ne reçut pas un accueil très chaleureux dans la société scientifique. Pourtant, dans quelques douzaines d'universités dans le monde, on fait de la recherche sérieuse et on donne des séminaires sur ces sujets; et la *Parapsychological Association*, fondée en 1957, s'est affiliée à l'*American Association for the Advancement of Science* en 1969.

Or, depuis le début des années 1960, l'opinion publique accepte de plus en plus l'existence de tels phénomènes. Les services policiers de divers continents ont souvent recours à des médiums pour les aider à résoudre certaines affaires criminelles. Les archéologues les utilisent aussi lorsqu'il s'agit de situer des sites ou des objets enfouis. Les compagnies minières et pétrolières font appel aux voyants pour localiser des gisements souterrains. Dans de nombreux pays, on s'intéresse activement aux applications militaires des phénomènes psychiques. Aux États-Unis, différents services militaires et agences de renseignements ont mené, commandité ou encouragé des recherches sur les applications stratégiques de ces phénomènes.

Mais le débat se poursuit toujours. Nous ne sommes pas intéressés à essayer de prouver aux sceptiques qu'on a réussi à démontrer l'existence de tel ou tel phénomène. Ce que nous voulons, cependant, c'est indiquer à notre tour certaines recherches intéressantes qui méritent une investigation plus poussée et explorer les avenues de ce genre de recherche.

La plupart des phénomènes paranormaux qui font actuellement l'objet d'investigations scientifiques font partie de l'une ou l'autre des trois classes suivantes:

1. **La perception extrasensorielle.** On obtient des informations, paraît-il, par des moyens autres que les canaux sensoriels connus, lorsqu'on est en état de veille, de transe ou en train de rêver. Cette catégorie comprend la communication télépathique (de mental à mental), la clairvoyance (vision à distance), la précognition («se souvenir» d'un événement futur) et la rétrocognition («se souvenir» d'un événement passé dont on n'a pas eu connaissance, dans le sens ordinaire où on l'entend).

Prenons l'exemple de la «vision à distance». Des travaux récents de Puthoff et Targ, de l'Institut de recherche de Stanford (*SRI-International*), ont démontré le lien qui existait entre ce phénomène et les questions se rapportant aux limites du connaissable. Dans un premier type d'expériences, on donne au sujet deux nombres tirés au hasard, qui représentent une latitude et une longitude. En d'autres termes, les deux nombres identifient un point quelconque à la surface du globe. Mais personne ne sait où il se trouve puisque les nombres ont été choisis au hasard.

On demande alors au sujet d'envoyer son esprit là où se trouve le point correspondant aux deux coordonnées, de «voir» ce qui s'y trouve, de revenir et de dessiner ce qu'il a «vu». On compare ensuite le dessin à une photographie qu'on prendra en apportant une caméra à cet endroit. On utilise alors un système de pointage très complexe pour s'assurer que la comparaison dépasse les simples qualificatifs de «bon» ou de «mauvais».

2. **La psychokinésie.** L'environnement serait apparemment modifié d'une façon quelconque par un état mental, sans qu'il y ait pour autant de lien physique entre l'agent et l'effet. Ces phénomènes incluent la téléportation (déplacement d'un objet d'un endroit à un autre), la lévitation, la production à distance d'effets thermiques ou électromagnétiques, la «photographie par la pensée» (production d'une image sur un

film vierge) et les effets physiologiques extraordinaires (guérisons «instantanées» ou rapides et marche sur des objets brûlants).

3. **Les phénomènes de survie**. Des événements semblent être causés par des personnalités désincarnées. Le «*channeling*», les communications médiumniques, les esprits frappeurs (*poltergeists*) et les apparitions en sont des exemples.

Si l'hypothèse de la médiumnité comporte une certaine part de vérité, il est tout naturel de se demander ce qu'il advient des chercheurs eux-mêmes après leur mort. Continuent-ils à manifester leur intérêt à vouloir prouver que la mort n'est qu'une transition? Réussissent-ils mieux que les non-spécialistes à transmettre des informations véridiques?

Nombre de chercheurs de premier plan dans cette discipline sont morts au tournant du siècle: Edmund Gurney en 1888, Henry Sidgwick en 1900, et Frederic Myers en 1901. Quelques semaines après la mort de Myers, madame A.W. Verrall, maître de conférences sur les classiques à Cambridge et amie de Myers, commença à faire de l'écriture automatique. Madame Verrall, de même que son mari, partageait l'enthousiasme de Myers pour la recherche psi et, après la mort de celui-ci, elle se sentit poussée à surveiller toute tentative de communication de sa part. Après trois mois d'efforts, elle commença à produire, par l'écriture automatique, des textes qui avaient un certain sens. La plupart étaient en latin et en grec, sibyllins, très peu cohérents et signés «Myers».

Un événement curieux survint quelques mois plus tard. Une dame Piper, qui habitait aux États-Unis, se mit à faire allusion à certains contenus des manuscrits de madame Verrall, au cours de transes; ses commentaires prétendaient, eux aussi, provenir de Myers. Environ un an plus tard, la fille des Verrall, Helen, commença, elle aussi, à écrire de façon automatique. On découvrit par la suite qu'elle avait fait allusion aux mêmes sujets que sa mère et que madame Piper avant même d'avoir lu les manuscrits de sa mère. À ce moment, on envoya tous les manuscrits à la *Society for Psychical Research* afin qu'ils y soient comparés.

La prochaine personne à entrer en scène fut une sœur de Rudyard Kipling, une dame Fleming qui habitait en Inde. En 1903, elle avait lu le livre de Myers intitulé *Human Personality and Its Survival of Bodily Death*, ce qui avait ravivé son intérêt en son propre don concernant l'écriture automatique. Elle aussi se mit à recevoir des textes signés

«Myers» et, dans l'un d'eux, on lui donna l'instruction de le faire parvenir à «Mrs. Verrall, 5 Selwyn Gardens, Cambridge». Elle avait déjà entendu parler de madame Verrall, mais n'avait aucune idée de son lieu de résidence.

L'adresse se révéla exacte, mais madame Fleming, partageant le scepticisme des gens instruits à l'égard de ces phénomènes, ne se conforma pas aux instructions. Elle finit quand même par envoyer ces manuscrits et d'autres qu'elle avait reçus par la suite à la *Society for Psychical Research*, qui servait en quelque sorte de bureau central pour ce genre d'informations. On les rangea soigneusement, sans établir de relation avec les textes de Piper et de Verrall.

C'est presque deux ans plus tard qu'on remarqua cette relation et, à ce moment, les textes eux-mêmes prétendaient, assez extraordinairement, avoir été pensés par Myers, Gurney et Sidgwick afin de démontrer la continuité de leur existence et de faire la preuve de leur identité! Avant de mourir, ces trois pionniers avaient compris l'extrême difficulté que consistait toute tentative de faire la preuve d'une identité au moyen de messages, car ces messages subissaient une certaine distorsion lors de leur passage à travers les désirs inconscients du médium, ses images mentales, ses croyances et ses sentiments.

Selon les textes manuscrits, l'intention des auteurs était de faire en sorte que ces bribes paraissent avoir été le fruit du hasard et ne rimer à rien pour chacun des médiums pris séparément, afin de ne pas leur donner d'indices quant au fil conducteur sous-jacent. Ils ne devaient devenir signicatifs et révéler une planification intentionnelle qu'une fois réunis par un chercheur indépendant. La plupart de ces fragments, mais pas tous, auraient pu provenir de l'esprit d'écrivains; quelques-uns cependant contenaient des informations auxquelles aucun d'entre eux ne semblait avoir eu accès antérieurement.

Les chercheurs de la *Society for Psychical Research* conclurent que la prétention des textes semblait justifiée en ce qu'ils semblaient témoigner d'une planification par des esprits plus familiers des humanités que ne l'étaient les producteurs d'écriture automatique (seuls les Verrall avaient une formation classique). De l'avis des chercheurs, les textes montraient certaines des caractéristiques des auteurs dont ils se réclamaient et faisaient des remarques très pertinentes sur leurs vies passées.

À la fin, cinq ou six écrivains étaient engagés, produisant toute une série de citations littéraires, d'allusions et de références à la mythologie grecque, ainsi que des anagrammes qui semblaient faire allusion aux textes des autres. Il était assez typique que les messages, pris séparément, aient très peu de sens alors que, tous ensemble, ils semblaient former un puzzle d'associations, affirmant même que c'était là leur intention. Le «Myers» de madame Verrall écrivait: «Ramassez les morceaux; une fois rassemblés, ils formeront le tout. [...] Je répartirai les mots entre vous; aucun ne peut se lire seul, mais ensemble, ils donneront les indices désirés.»

Au total, ces «communications» représentent plus de trois mille documents, s'échelonnant sur une période de trente ans; elles cessèrent en 1932.

Dans *Beyond the Reach of Sense*, Rosalind Heywood écrit:

> *Devant toutes ces preuves [...] tout critique objectif aura de la difficulté à ne pas conclure que pendant trente ans et dans des douzaines de cas, quelque chose faisait que non seulement un certain nombre de médiums faisaient référence à un même sujet – des plus abscons, souvent – mais que leurs références étaient complémentaires, de façon à créer ce qu'on a appelé des puzzles d'inspiration classique.*

Il va sans dire que toute entreprise de validation de ces présumées expériences d'après la mort n'est pas tâche facile. Les annales du «*channeling*» contiennent nombre de rapports du même genre qui partagent plusieurs caractéristiques communes. Ceux qui croient ont tendance à considérer cette concordance entre les sources «canalisées» comme une validation assez impressionnante; les sceptiques, par contre, lui trouvent des explications plus prosaïques.

Pour ce qui est des «contrôles» effectués, les observations cliniques de certains cas de personnalités doubles ou multiples semblent indiquer qu'il s'agit de phénomènes analogues. Parfois, le médium avait pu reproduire de façon remarquable les manières, les tics d'élocution, les tournures d'esprit, voire les expressions du visage du défunt. Malgré tout, on ne pouvait prétendre avoir vérifié l'hypothèse de la survie par ces expériences de «*channeling*».

Dans un autre type d'expériences de vision à distance, une deuxième personne, qu'on appelle le «phare», quitte le laboratoire et ouvre, à un moment convenu à l'avance, une enveloppe choisie au hasard dans laquelle se trouve l'information concernant la localisation et la description d'un point proche (ce peut être un édifice particulièrement caractéristique, une fontaine, un aéroport). Le phare se rend à ce point en automobile et, à une heure convenue à l'avance, il fixe toute son attention sur ce point pendant un certain laps de temps, lui aussi déterminé à l'avance. Au même moment, on demande à son partenaire, resté au laboratoire, de dessiner toute image qui se présente à son esprit, ses yeux étant fermés. Encore une fois, un groupe de juges compare ce dessin à la photographie du site réel.

Si les résultats du SRI sont exacts, la capacité de savoir ce qui se passe à un endroit que l'on n'a jamais visité n'est pas un talent très rare, mais une technique qui s'apprend et qui dort en chacun de nous. L'apprentissage consiste surtout à faire disparaître les croyances inconscientes selon lesquelles c'est là une chose impossible à réaliser. Puisque les démonstrations de ce genre d'aptitudes sont fortement dénigrées dans notre société, le SRI amenait les sujets qu'il voulait soumettre aux expériences dans un laboratoire scientifique très bien équipé, situé au beau milieu d'un immense institut de recherche doté de la plus haute technologie, et on leur faisait dire par des scientifiques de renom qu'il était maintenant démontré que de tels exploits étaient possibles.

Dans une version modifiée de l'expérience, tout était identique, sauf qu'on demandait au sujet du laboratoire de faire son dessin une demi-heure **avant** que soit ouverte l'enveloppe choisie au hasard (le sujet ignorait qu'on avait apporté cette modification). En d'autres mots, on dessinait l'«impression» de la cible avant même que quiconque sache ce qu'elle serait. Ce test de précognition fonctionnait presque aussi bien que le test original. Après tout, une fois qu'on a accepté de traiter avec sérieux la vision à distance proposée par les chercheurs, le pas suivant qui permet de considérer comme plausible une vision à distance précognitive peut être aisément franchi.

Comme ce fut le cas pour les travaux sur la vision à distance, on mena la recherche en psychokinésie avec le même souci de respect du protocole scientifique, avec des chercheurs tout aussi compétents et éminents, dans des instituts tout aussi prestigieux, et on obtint des résultats tout aussi surprenants. Une des expériences fut menée par Robert Jahn, doyen du génie et des sciences appliquées de l'Université Princeton.

Bien que notre culture nous ait conditionnés à considérer l'«esprit» et la «matière» comme deux polarités incompatibles, nous nous attendons à ce qu'il y ait une limite à l'influence de l'esprit sur l'environnement physique. Il y a une influence «normale», que nous ne trouvons pas très extraordinaire: lorsque nous décidons d'ouvrir une porte, notre main tourne une poignée. Il n'y a évidemment rien de miraculeux là-dedans.

Si vous regardiez un objet sur la surface lisse d'une table dans l'intention de le faire bouger au moyen de votre mental, vous vous décourageriez très vite. Puisque vous ne vous attendez pas à ce qu'il bouge, il reste immobile. Jahn émit l'hypothèse suivante: supposons que la situation ressemble au *biofeedback*; inconsciemment, vous savez comment diminuer la tension musculaire, dilater les vaisseaux sanguins, modifier le fonctionnement d'un organe, etc; cependant, sans les signaux du *feedback*, vous ne pouvez pas savoir que vous savez et vous ne pouvez pas devenir conscient que vous savez. Et si c'était la même chose en psychokinésie? Se pourrait-il que l'on sache inconsciemment comment faire bouger cet objet mais que, sans *feedback* on ne puisse se servir de ce savoir?

Jahn utilisa un appareil appelé l'interféromètre de Fabry-Pérot. Essentiellement, un interféromètre est constitué de deux plaques parallèles. Un faisceau lumineux rebondissant entre ces deux plaques produit un motif d'interférences optiques qu'on peut visualiser sur un écran. Lorsqu'on déplace les plaques l'une vers l'autre, d'une seule fraction d'onde lumineuse, les anneaux du motif d'interférences grossissent ou rétrécissent visiblement. En utilisant ce signal visuel de rétroaction pour connaître leurs progrès, certains des sujets réussissent à faire bouger les plaques en se concentrant sur l'image mentale de ces plaques en mouvement.

Les conclusions des deux recherches, celle du SRI sur la vision à distance et celle de Princeton sur les anomalies, indiquent la justesse possible de la sagesse éternelle voulant que nous sachions tous, de façon inconsciente, comment accomplir ces différentes sortes d'exploits extraordinaires. Nous n'aurions qu'à extirper toutes les croyances négatives qui nous empêchent de les réussir. Finalement, lorsque nous examinons plus à fond les maigres preuves dont nous disposons à l'heure actuelle, il nous semble que John Lilly avait raison lorsqu'il disait ceci: «Il n'est pas évident qu'il y ait, aux possibilités de l'esprit humain, des limites qui ne soient pas fondamentalement des **croyances** quant aux limites de cet esprit.»

D'ailleurs, les exemples abondent à travers les siècles. Dans l'Évangile de saint Matthieu, dans le *Nouveau Testament*, Jésus nous dit: « Si votre foi est grosse comme un grain de moutarde, vous direz à cette montagne que voilà, "Montagne, change de place", et la montagne bougera, et rien ne vous sera impossible».

Tous ces résultats sont préliminaires et extrêmement controversés, mais ils commencent, me semble-t-il, à démontrer quelque chose à propos de nos capacités intérieures, quelque chose que nos processeurs d'idées inconscients ont essayé de nous dire depuis d'innombrables générations.

Assez étonnamment, cette exploration des phénomènes paranormaux nous ramène carrément à l'intérieur du spectre de la créativité. En effet, la recherche sur la vision à distance laisse entendre que l'esprit intuitif-créatif d'une personne pourrait aller chercher de l'information autrement que par l'apprentissage de toute une vie. La recherche sur les communications télépathiques sous-entend qu'à un niveau profond nous sommes tous unis, soulignant ainsi qu'il ne faudrait pas présumer trop hâtivement des limites de notre inconscient créateur. La recherche sur la psychokinésie indique une connexion entre l'esprit et l'environnement extérieur, ce qui laisse entrevoir la possibilité de certains miracles. Au bout du compte, **il n'est pas évident qu'il y ait des limites** à l'esprit intuitif-créatif, hormis celles qui découlent de nos systèmes de croyances personnels.

La sagesse transformative

D'après Hastings, les expériences de «*channeling*», de révélation et d'illumination entrent dans une dernière catégorie, qui est celle de la transformation personnelle et sociale. Bien que cet aspect domine les expériences de «*channeling*» du XXe siècle, comme c'est le cas avec Seth et avec le *Cours sur les miracles*, il a toujours fait partie de la sagesse supérieure reçue et enseignée par tous les disciples de la sagesse mystique ou révélée.

Chez les praticiens de la philosophie éternelle, l'affirmation, la relaxation, l'imagerie mentale et le travail sur les rêves avaient atteint, et depuis fort longtemps, une grande efficacité technique, et ce bien avant que des chercheurs de laboratoire commencent à les considérer, d'un point de vue scientifique, comme des clés possibles de percées intuitives et de transformation personnelle.

Quelles que soient les recherches qu'on entreprenne dans le but d'élaborer une «science de la religion», ce sont les comptes rendus des premiers pionniers, des premiers explorateurs qui constituent la source de données la plus importante, bien que ces explorations prophétiques n'aient pas été rédigées dans le sabir moderne des sociétés de l'ère industrielle.

À une certaine époque, on avait écarté la plupart des vieux remèdes populaires des sociétés soi-disant primitives en les associant à la superstition ou à la sorcellerie. Mais combien de vies n'a-t-on pas sauvées grâce à la quinine, à la digitaline et à d'autres produits pharmaceutiques dérivés eux-mêmes de ces remèdes populaires dont on se moquait? Peut-être se produira-t-il plus tard un pareil renversement d'attitudes, lorsque la science occidentale parviendra à mieux comprendre les théories et les méthodes des premiers explorateurs de la conscience.

Il y a plusieurs siècles, d'anciens systèmes de connaissance, parfois très recherchés, ont formulé des théories sur les questions touchant la nature de la conscience et de la réalité, puis les ont vérifiées et appliquées; personne ne conteste ce fait. Se conformant à un corpus d'enseignements ésotériques sans cesse croissant tout en étant guidés par lui, soufis, moines, yogis et prophètes ont laissé une somme considérable de textes portant sur tout ce qui concerne la santé mentale et la reprogrammation (transformation) de la psyché humaine. Bien qu'ils n'aient pas utilisé de jargon psychologique ou de terminologie neurochimique (pas plus d'ailleurs que la médecine populaire n'avait été exprimée en termes pharmaceutiques), ces observations très anciennes sont d'une étonnante exactitude dans des domaines de la psychologie que nous, Occidentaux, commençons à peine à explorer aujourd'hui.

Dans les religions institutionnalisées, la prière était sans doute, à l'origine, un exercice d'affirmation qui se transforma par la suite en un rituel de supplication et de pénitence adressé à un être extérieur quelconque. Mais ceux que la dévotion conduit au sens véritable de la prière, camouflé sous les formes extérieures prescrites par leur religion, ceux-là savent que les prières ne sont pas un système de messages externes, mais qu'elles sont un dialogue entre le soi et le Soi, un «*channel*» vers la plus sage de nos personnalités intérieures.

Dans les années 1970, Benson et d'autres psychophysiologues, en étudiant la réaction de détente, ont examiné d'un œil attentif la littérature ésotérique des grandes religions du monde pour découvrir que chacune des grandes traditions faisait référence à des techniques semblables aux leurs; les positions et les techniques respiratoires prescrites offraient une ressemblance marquée avec les techniques de méditation clinique élaborées par Benson et ses collègues.

Gershom Scholem, un spécialiste de renom, fit remarquer que la kabbale, une tradition mystique juive[8], «n'est qu'une version judaïsée de cette ancienne technique spirituelle dont on retrouve l'expression classique dans les pratiques des mystiques indiens adeptes de la discipline connue sous le nom de **yoga**.

Parmi les enseignements anciens, le yoga représente certainement la forme qui nous est la plus familière en Occident. Si la Kabbale et le yoga étaient les seules disciplines à prôner de tels exercices, nous n'y verrions qu'une coïncidence curieuse, mais il se trouve que maintes traditions chrétiennes, dont celles de l'Église byzantine, attachaient une grande valeur à une méthode de prière utilisée particulièrement au monastère du mont Athos en Grèce. On l'appelait la «Prière du cœur» ou la «Prière de Jésus». Benson en rapporte ce qui suit:

> *Celle-ci remonte au début de la chrétienté. La prière proprement dite, on l'appelait méditation secrète et elle était transmise d'un moine âgé à un moine plus jeune à travers un rite initiatique. On insistait sur la compétence de l'instructeur. La façon de prier que recommandaient ces moines était la suivante:*

> *«Assieds-toi, seul et en silence. Baisse la tête, ferme les yeux, expire doucement, et imagine que tu regardes dans ton cœur. Porte ton esprit, c'est-à-dire tes pensées, de ta tête à ton cœur. En expirant, prononce les paroles suivantes: "Seigneur Jésus-Christ, aie pitié de moi." Dis-le en remuant délicatement les lèvres ou dis-le simplement en esprit. Essaie de bannir toute autre pensée. Sois calme, sois patient et répète l'exercice le plus souvent possible[9].»*

Les chants mystiques de l'Orient, fondés sur les plus vieux textes hindous, la pratique de la méditation assise du zen japonais, le yoga taoïste chinois sont autant de méthodes pouvant faire naître la réaction de détente totale comme le faisaient certaines pratiques soufies:

> *Les éléments fondamentaux qui déclenchent une réaction de détente au cours de certaines pratiques chrétiennes et judaïques se retrouvent aussi dans le mysticisme de l'Islam et dans le soufisme. [...] Ce sont des moyens d'éliminer les distractions et de se rapprocher de Dieu par la répétition constante de son nom, soit en silence, soit de vive voix, et par la respiration rythmée. Les rituels peuvent aussi comporter de la musique, des poèmes musicaux et de la danse[10].*

Les plus anciens textes révélés connus dévoilent aussi l'existence d'une recherche très détaillée et très perfectionnée sur la nature des rêves et sur le comportement du rêveur. Des rêveurs yogiques du Tibet aux temples du rêve de la Grèce ancienne, il semblerait donc qu'une autre «découverte» de la science moderne ait été l'objet d'une exploration détaillée par les praticiens de la sagesse éternelle.

Pour les étudiants contemporains qui s'intéressent à l'état de rêve, l'*Upanishad-Brihadarmyaka* – l'un des onze textes sacrés de la philosophie vedanta, remonte à l'an 100 av. J.-C., environ – possède une signification toute particulière pour ce qui est des questions concernant la nature du moi à l'intérieur du moi, qui crée tous les phénomènes que nous étudions dans ce livre.

Et Ganaka Vaideha dit: «Qui est ce moi?»

Yagnavalkya répondit: «Celui qui est dans le cœur, entouré des pranas (les sens), personne de lumière, faite de savoir. Demeurant toujours le même, il erre le long des deux mondes, comme s'il pensait, comme s'il bougeait. Pendant le sommeil (dans les rêves), il transcende ce monde et toutes les formes de la mort.[...]

»Et lorsqu'il s'endort, après avoir apporté avec lui la matière du monde entier, la détruisant et la reconstruisant à nouveau, il dort (rêve) alors par sa propre lumière. Dans cet état, l'individu est auto-illuminé.

»Il n'y a pas de (vrais) chars dans cet état, pas de chevaux, pas de routes. Là, il n'y a pas de grâces, pas de bonheur et pas de joies, mais c'est lui-même qui répand (crée) les grâces, le bonheur et les joies. [...] Il est vraiment le créateur.

»Comme le gros poisson qui se déplace le long des deux berges d'une rivière, la droite et la gauche, ainsi fait l'individu se mouvant le long des deux états, l'état de sommeil et l'état d'éveil.

»Et tel un faucon, ou tout autre oiseau (rapide) qui, après s'être promené ici dans l'air, replie ses ailes, fatigué, et est porté jusqu'à son nid, ainsi l'individu se hâte-t-il vers cet état où, lorsqu'il dort, il ne désire plus de désirs, et ne rêve plus de rêves. [...]

»Mais lorsqu'il se figure qu'il est un dieu, ou qu'il est un roi, ou "Je suis cela tout à fait", c'est là son monde le plus élevé[11].»

Certains points de ce passage valent la peine d'être soulignés , car la science commence à peine à leur accorder une certaine crédibilité. Premièrement, le créateur des illusions du rêve est assimilé au créateur de l'«illusion» du monde, affirmation passablement ancienne de la relation entre les croyances et les perceptions. Deuxièmement, il y est indiqué que pour obtenir le savoir, le moi se meut entre deux états différents. Troisièmement, le rêveur peut créer un certain type de rêves pouvant servir d'outil pour dissiper l'illusion. Rêver, s'éveiller à ce rêve et chercher le monde le plus élevé: il y a trois mille ans, la sagesse éternelle indiquait déjà la voie.

À peu près au même moment, à l'époque de la guerre de Troie, Homère mentionna dans un écrit un héros nommé Asclépios, qui aurait appris les arts secrets de la guérison auprès de Charon, le redoutable passeur de Hadès que nombre d'érudits estiment être une métaphore du passage vers l'inconscient. Un demi-millénaire après l'incendie de Troie, le culte du rêve d'Asclépios s'étendit à plus de trois cents temples de Grèce. Les savants actuels ont l'impression que ces cultes oniriques provenaient d'un savoir égyptien plus ancien encore, qui concernait les «rêves vrais», et qu'on les aurait greffés sur des cultes locaux de la fertilité axés sur les sources magiques, les grottes et les lieux de guérison.

Entre le culte grec du «rêve qui guérit» et les découvertes actuelles sur le rôle de la suggestion et de l'imagerie mentale dans la guérison et la thérapie par le rêve, les comparaisons sont nombreuses; mais ce sont surtout les rêves lucides qui valent la peine d'être étudiés. À Épidaure, le principal temple du rêve resta actif pendant presque mille ans sans interruption. On estime que ce culte doit sa longévité extraordinaire à sa capacité de provoquer des rêves particuliers qui guérissaient. Après s'être astreints à des rites de purification et de méditation, les pèlerins dormaient dans des dortoirs spéciaux du temple. Là, on dit qu'Asclépios leur rendait visite en rêve, qu'il formulait des diagnostics et suggérait des remèdes à leurs maux; remèdes dont ils se souvenaient au réveil.

La *Bible* a beaucoup à dire sur le savoir par le rêve, l'un des énoncés les plus succincts étant sans doute le suivant: «Si l'un d'entre vous est prophète, je me fais connaître à lui dans une vision, je lui parle dans un rêve.» Dans l'*Ancien Testament*, la prophétie par le rêve joue un rôle important, particulièrement dans les cas de Joseph et de David.

Le rêve lucide et l'utilisation de l'état de rêve dans l'exploration et la reprogrammation de l'inconscient furent longtemps des sous-catégories des enseignements ésotériques. Au Tibet, les yogis bouddhistes avaient élaboré «un yoga de l'état de rêve» pendant lequel la maîtrise du rêve n'était qu'une étape d'un processus beaucoup plus vaste, celui de la modification de l'âme. Pour le disciple, le rêve lucide était la meilleure façon d'expérimenter par lui-même quelque chose qui s'approchait de l'objectif ultime, l'expérience d'un éveil beaucoup plus fondamental: l'éveil du rêve ou de l'illusion, que constituent les croyances, de façon à atteindre un état plus conscient.

En Inde et ailleurs, on pratiquait, il y a plusieurs milliers d'années, l'imagerie mentale et les techniques que nous avons appelées «dialogue avec l'inconscient». Le docteur Stuart Miller a beaucoup écrit sur ces traditions:

> *Dans la tradition hindoue, on appelle quelquefois «Atman» cet aspect supérieur. Mahatma Gandhi – leader politique bien connu et ayant un grand sens pratique – avait l'habitude de parler avec la «lumière intérieure de la vérité universelle» qu'il consultait au sujet d'affaires importantes...*
>
> *La* Bhagavad Gita, *le plus vénéré des textes sacrés de l'Inde, est présentée sous forme de dialogue entre Arjuna, un jeune homme en crise, et le grand Krishna, divinité majeure de l'Inde. Cependant, des interprétations remontant à deux mille cinq cents ans la décrivent comme un dialogue intérieur, une présentation spectaculaire du dialogue entre la personnalité ambitieuse et la lumière divine, le moi supérieur, que symbolise Krishna[12.].*

Ici encore, nous rencontrons de profondes interconnexions, toujours inexplorées, entre l'état de percée (intuitive), la révélation et l'expérience unitaire; elles méritaient, de la part de la communauté scientifique, une attention beaucoup plus grande que celle qu'on leur a accordée jusqu'ici.

Si nous prenons un peu de recul, de façon à pouvoir considérer la matière précédente sous son vrai jour, nous constatons que les trois catégories de Hastings ne s'opposent plus aux conclusions de la science moderne, comme on l'avait déjà imaginé. En cosmologie, la physique n'écarte plus, comme elle le faisait jadis, la possibilité que soit valable l'information obtenue par «*channeling*». Même chose quant au potentiel. Pour ce qui est de la transformation, les psychothérapies actuelles fournissent de nombreuses preuves à l'appui de la transformation individuelle; quant à la transformation sociale, les preuves nous arrivent aussi, mais elles proviennent d'ailleurs.

La philosophie éternelle

Ceci nous ramène à une question critique par rapport au **contenu** du «*channeling*» et de la révélation: lorsque nous examinons le contenu de chacune des catégories, celui-ci rencontre-t-il le deuxième critère de

Poulain, c'est-à-dire «se compare-t-il à l'expérience des autres», comme devrait le faire tout autre théorème ou toute autre découverte scientifique? Au contraire, les trouverons-nous contradictoires, aléatoires, ou s'exclueront-ils mutuellement, ainsi que se l'imaginent sans doute la plupart des gens?

Le processeur d'idées inconscient a-t-il produit, dans ces domaines, des percées et des visions qui auraient eu, à travers les cultures et les époques, certains thèmes communs? On serait tenté de prétendre que ce n'est pas le cas, étant donné la variabilité et les dissensions énormes qui semblent exister entre les manifestations extérieures des différentes religions. Il y a toutefois certaines visions universelles qui, nous le verrons plus loin, ont été transmises et redécouvertes continuellement depuis les premières lueurs de l'aube de l'histoire.

Nous ne sommes pas les premiers à prétendre qu'on peut répondre à cette question par l'affirmative. C'est le noyau ésotérique des grandes traditions spirituelles du monde qui sécrète le dénominateur commun le plus élevé (évidemment, ces traditions proviennent en partie du «*channeling*» et en partie d'expériences mystiques).

C'est Aldous Huxley qui parlait du «dénominateur commun le plus élevé» en se servant de l'expression **philosophie éternelle**; voici ce qu'il écrivait:

> *On peut retrouver des rudiments de la philosophie éternelle dans les coutumes traditionnelles des peuples primitifs de toutes les régions du globe et, dans sa forme la plus élaborée, elle a sa place dans toutes les grandes religions. Une version de ce facteur commun très élevé a été consignée par écrit il y a plus de vingt-cinq siècles[13].*

Évidemment, cette sagesse éternelle n'est pas une philosophie au sens strict et il est malaisé d'en définir l'essentiel, mais ceux qui l'ont étudiée s'entendent pour dire qu'elle possède une forme distincte, bien qu'indéfinissable. Huxley a lui aussi examiné cet aspect de la philosophie éternelle:

> *Philosophia Perennis; le terme est une invention de Leibniz; mais la chose — la métaphysique qui reconnaît une réalité divine importante au monde des choses, des vies et des esprits; la psychologie qui voit dans l'âme quelque chose de ressemblant, et même d'identique, à la réalité divine; l'éthique qui situe la fin ultime de l'homme dans la connaissance de la cause immanente et transcendante de tout être — la chose est immémoriale et universelle.*

Or, en dépit du fait qu'on ait écrit sur cette «sagesse éternelle» dans toutes les religions du monde et dans toutes les principales langues asiatiques et européennes, ce n'est que depuis le dernier demi-siècle qu'une comparaison poussée entre les théories et doctrines essentielles des différentes traditions spirituelles a fait l'objet d'études sérieuses et d'un certain intérêt scientifique. Cette négligence est due en grande partie à deux préjugés de la culture dominante. D'abord, pourquoi prendre la peine d'étudier les autres religions du monde alors qu'il est déjà établi que le christianisme est la seule véritable religion révélée? Ensuite, pourquoi se donner cette peine s'il est acquis que la recherche scientifique, empirique et positiviste (avec ses méthodes supérieures) a remplacé la quête religieuse (ou «superstition pure»), ou si ces enseignements et ces croyances ne sont que curiosités et interprétations erronées d'une époque moins évoluée (et qui n'intéressent d'ailleurs que ceux que fascine un passé bel et bien mort, tels les historiens et les archéologues)?

Lorsqu'on commença enfin à tenter une étude comparative systématique des religions, deux constatations importantes devinrent rapidement de plus en plus évidentes:

1.   De façon typique, ces religions comportent diverses formes *exotériques* ou publiques, en plus d'une version **ésotérique**, cachée, préservée par un groupe restreint et comportant une discipline méditative ainsi que des exercices spirituels de modification de la conscience.

2.   Bien que les versions exotériques soient très différentes les unes des autres (les rites hindous différant des rites chrétiens; les croyances de l'Islam différant de celles des bouddhistes, etc.), les versions ésotériques semblent comporter un certain nombre de croyances essentielles communes.

Le **chamanisme** est probablement la plus ancienne variante connue de la sagesse occulte. C'est un ensemble d'exercices pratiques, bien que spirituels, pour l'esprit et le corps. Ces exercices ont été transmis par un apprentissage empirique direct dans des sociétés tribales qui s'étendent de la Sibérie (d'où, pense-t-on, ils sont originaires) à l'Amérique du Sud (où ils sont en plein essor dans les régions reculées, mais aussi dans les centres urbains modernes). L'anthropologue Michael Harner, président du département de la *New School for Social Research*, estime que cette doctrine date de 30 000 à 50 000 ans. Certaines parties du courant de connaissances chamaniques sont passées dans les traditions plus récentes de l'Asie.

On retrouve dans chaque culture et religion de tous les coins du globe des éléments, des artefacts et des symboles reliés à la pratique de la sagesse éternelle. Sous une forme ou une autre, souvent cachés sous des paraboles, des métaphores et des mythes, ses principes et croyances ont été incorporés dans les enseignements qui sous-tendent toutes les religions selon lesquelles nous vivons.

Bien que ces enseignements aient été antérieurs à tout document historique, ils n'ont que très rarement constitué l'élément prédominant d'un groupe considérable ou ils se sont rarement poursuivis pendant une assez longue période. En outre, et c'est assez paradoxal, alors que les promoteurs de ces principes se sont souvent avérés des guides de sagesse responsables du contenu spirituel de la religion de leur Église, ils ont été persécutés à maintes reprises par leurs frères les plus conservateurs.

Que, dans une large mesure, le contenu des révélations s'oriente vers la sagesse éternelle, voilà un fait qui répond au deuxième critère de Poulain: comparer les visions aux expériences d'exploration intérieure accumulées au cours des siècles afin d'en vérifier la conformité. Une certaine partie du contenu n'est sans doute qu'une exagération ou une distorsion de signaux ayant affleuré à la surface du conscient de l'individu à partir de son propre inconscient. Cependant, quelle que soit l'interprétation finale que nous donnions à ces transmissions quant à leur source, c'est le reste de ces visions apparemment valables qui, crédible de par sa cohérence, justifie l'importance qu'on a accordée à ce phénomène tout au long de l'histoire.

Quels sont les enseignements de la sagesse éternelle et quelle en est la validité? Nous en faisons le résumé ci-dessous, et le lecteur pourra en comparer les éléments à certaines conclusions scientifiques que nous avons décrites au début du présent chapitre et dans les précédents.

1. La partie la plus importante du moi, c'est le supraconscient, qui, ordinairement, n'est pas accessible à la perception consciente.

   On peut faciliter l'accès au supraconscient par des exercices de méditation, des attitudes (le non-attachement par exemple), des approches autosuggestives, des rituels, des situations de crise, etc.

2. Tout individu est hypnotisé, dès l'enfance, par la société dans laquelle il grandit. La tâche première reliée à la vie adulte est la «déshypnotisation», l'«illumination», c'est-à-dire tout le processus qui consiste à découvrir que sa perception du monde est partielle et illusoire, qu'il y a une «autre réalité» derrière elle.

3. Dans les états de conscience plus élevés, on perçoit une participation à un esprit transpersonnel, on perçoit l'unicité du tout.

4. L'*ego* se sent menacé par le soi authentique et il dresse toute une variété d'écrans qui l'empêchent de percevoir le centre véritable. Pour atteindre l'intégration finale, l'*ego* doit être asservi au vrai soi.

5. L'illumination consiste à remettre toutes les questions, tous les problèmes au superconscient qui est l'esprit, l'Un. Les réponses ainsi obtenues seront les meilleures non seulement pour l'individu mais pour tous. L'esprit supraconscient n'a pas de limites; les seules limites que l'on rencontre ne sont que les conséquences des croyances quant aux possibilités limitées de l'esprit humain.

    L'intégration de la personnalité consiste à aligner le choix conscient sur le supraconscient de sorte que l'être entier – le subconscient, le conscient et le supraconscient – soit libre de tout conflit et orienté vers une fin unique.

Le critère final

En plus des critères examinés jusqu'à maintenant, Wilber et Poulain en indiquent un dernier auquel il faut soumettre le contenu d'un «*channeling*», d'une révélation ou d'une illumination.

Ce dernier test se rapporte beaucoup plus à la «sensation» et au «sentiment» qu'aux faits, bien qu'il ne doive pas remplacer les faits mais les compléter. Nous parlons ici de ce que William James a appelé le «sentiment noétique de la vérité».

Dans *Varieties of Religious Experience*, James faisait le commentaire suivant:

> *Bien qu'ils ressemblent beaucoup à des états de «sensation», les états mystiques s'apparentent aussi à des états de «connaissance» pour ceux qui en font l'expérience. Ce sont des états de perception de la vérité à des niveaux de profondeur que n'a jamais sondés l'intellect discursif. Ce sont des illuminations, des révélations, lourdes de sens et remplies d'importance malgré leurs imprécisions; et, dans la plupart des cas, elles donnent l'impression bizarre qu'elles auront de l'influence sur l'avenir.*

Curieusement, cette citation semble se faire l'écho des paroles du mathématicien Poincaré, qui affirmait que ses percées intuitives étaient toujours accompagnées d'un sentiment de «certitude totale». Qui plus est, nombreux ont été les mystiques et les artistes qui ont rapporté avoir éprouvé ce «sentiment noétique» de la validité de leurs illuminations les plus profondes.

Dans son autobiographie intitulée *The Invisible Writing*, Arthur Koestler décrit la façon dont les deux «ordres» de réalité (le réel et l'impression) se complètent et s'éclairent l'un l'autre, de manière à créer quelque chose que l'on pourrait appeler la vérité «universelle» ou «divine»:

> *Certaines expériences [...] me remplissaient de la certitude immédiate qu'il existait un ordre supérieur de réalité et que lui seul conférait tout son sens à l'existence. [...] Le monde étroit de la perception sensorielle constituait le «premier ordre (de réalité)»; ce monde perceptuel était lui-même enveloppé du monde conceptuel, qui recelait des phénomènes non directement percevables tels que la gravité, les champs électromagnétiques et l'espace courbe. Ce «deuxième ordre de réalité» comblait les vides et donnait un sens à l'hétérogénéité absurde du monde sensoriel. De la même manière, le «troisième ordre de réalité» enveloppait, interpénétrait le second et lui donnait un sens. Il comportait des phénomènes «occultes» qui ne pouvaient être ni approchés, ni expliqués à un niveau sensoriel ou conceptuel, mais qui les envahissaient tout de même, à l'occasion, tels des météorites perçant la voûte céleste de l'homme primitif. De même que l'ordre conceptuel faisait ressortir les illusions et les distorsions dues aux sens, ainsi le «troisième ordre» révélait-il que le temps, l'espace et la causalité n'étaient que des illusions d'optique d'un niveau supérieur, tout comme l'isolement, la séparation et les limites spatio-temporelles du soi[14].*

On retrouve le concept du réel et de l'impression en tant que méthodes complémentaires permettant de vérifier la véracité des visions mystiques, entre autres dans les écrits du philosophe français Henri Bergson, particulièrement dans *Les Deux Sources de la morale et de la religion[15]*. Il soutenait qu'il existe deux formes de connaissance importantes, l'une reposant sur la raison et l'empirisme, l'autre, tout aussi importante, fondée sur l'intuition et la compréhension noétique.

C'est dans ce sens que l'astronaute Edgar Mitchell décrivit l'expérience qu'il vécut en février 1971, lors de son retour vers la Terre après la mission *Apollo 14* où il avait marché sur la Lune:

Lorsque je partis pour la Lune, j'étais un pilote d'essai, un ingénieur et un scientifique tout aussi pragmatique que n'importe lequel de mes collègues. [...] À maintes reprises, ma vie a reposé sur la validité de certains principes scientifiques et sur la fiabilité des technologies fondées sur ces mêmes principes. [...]

Mais pendant Apollo 14, mon expérience comporta un autre aspect qui est entré en contradiction avec mon attitude d'«ingénieur pragmatique». Le tout commença avec cette expérience étonnante qui consiste à voir la planète Terre flotter dans l'immensité de l'espace.

La première chose qui me vint à l'esprit lorsque je regardais la Terre fut son incroyable beauté. Les photos les plus spectaculaires sont très en deçà de la réalité. C'était un spectacle majestueux que ce magnifique joyau bleu et blanc sur un ciel de velours noir. Avec quelle paix, quelle harmonie merveilleuses elle semblait s'insérer dans le processus évolutionnaire qui sous-tend l'univers! J'eus alors une expérience paroxystique; la présence du divin devint presque palpable et je sus que la vie dans l'univers était autre chose qu'un accident du hasard. Ce savoir me vint directement, d'une façon noétique. Il n'avait rien à voir avec le raisonnement discursif ou l'abstraction logique. C'était une cognition expérientielle. C'était une connaissance acquise à travers une prise de conscience subjective et personnelle, mais qui était – et qui est toujours – tout aussi réelle que les données objectives sur lesquelles reposent, disons, le programme de pilotage ou le système de communication. Manifestement, l'univers avait un sens et une direction. Ce n'était pas perceptible par les organes sensoriels, mais c'était là quand même, une dimension invisible derrière la création visible, qui lui donne un dessein intelligent et qui donne un but à la vie[16].

Mais bien avant que l'homme aille sur la Lune ou que James apporte sa contribution pour faire de la psychiatrie une discipline scientifique, le philosophe Plotin était, dès le IIIe siècle, au fait de la «connaissance noétique» et de sa position centrale dans le monde de la pensée:

La connaissance, disait-il, comporte trois degrés: l'opinion, la science, l'illumination. Le véhicule ou l'instrument du premier, c'est le sens; du deuxième, la dialectique; du troi-

sième, l'intuition. Au dernier, je subordonne la raison. C'est
la connaissance absolue qui repose sur l'identification de
l'esprit connaissant à l'objet connu.

On dirait une version de la perception **unitaire** ou directe de la réalité dont parle si souvent la philosophie éternelle. Ce qui, à son tour, laisse supposer que, sous certains aspects, les percées intuitives pourraient provenir d'une perception directe de l'objet concerné par l'intuition profonde, ou lui être associées.

Les personnes influencées par les perspectives occidentales se méfieront du point de vue transcendantal que nous présentons ici. Premièrement, parce qu'il ne semble pas fondé sur la perception générale quant à ce qui devrait être scientifiquement crédible. Deuxièmement, parce que toute tentative de communication à son sujet ressemble dangereusement à de la superstition, à de l'absurdité ou aux deux. Et troisièmement, parce que ces enseignements rappellent une certaine retraite paisible devant les problèmes du monde.

C'est la science elle-même qui fournit de plus en plus d'arguments contre la première objection, à mesure qu'on réussit à appliquer avec succès les règles de la preuve scientifique à l'étude de la connaissance intérieure et que les résultats scientifiques ne présentent plus un contraste aussi marqué qu'on l'eût cru par rapport aux observations faites au cours de ces états. En outre, ainsi que nous avons tenté d'en faire la démonstration depuis le début de ce livre, bien qu'il n'existe pas encore une «science de la religion», englobant les états de percées et de la conscience humaine qui soit totalement parachevée, on est en train d'en jeter les bases à mesure que la science procède à la double intégration de l'empirisme intérieur et de l'empirisme extérieur.

Le second motif de méfiance – une communicabilité ardue – est fondamental. Parce que la perception ordinaire – telle qu'on en fait l'expérience quotidienne – est une perception partielle (du moins dans notre perspective élargie), le langage et les métaphores qui en découlent n'ont jamais intégré la terminologie qui permettrait de décrire toute vision élargie de la réalité. Il vaudrait peut-être mieux développer des outils afin de tester et d'explorer ces expériences et, comme le font les autres sciences, élaborer ensuite un langage adéquat pour en décrire les résultats, plutôt que de tenter de forcer l'expérience dans le langage courant et de la rejeter ensuite parce qu'on est incapable de la concrétiser.

En ce qui concerne la troisième objection, il est certain que quelques versions de la **prémisse essentielle** ressemblent réellement à de véritables tentatives d'évasion de ce monde. Mais la différence fondamentale et les expériences faites à l'intérieur de la sagesse de la philosophie éternelle et la recherche purement narcissique d'expériences intérieures, c'est le fait que le **travail** soit au cœur de la vie humaine, non pas le travail selon l'ancienne morale contraignante de nos ancêtres qui le considéraient comme un moyen de racheter le péché originel, ni le travail pour le seul appât du gain, mais la joie du travail créatif «au service du divin Architecte» du monde, au service du prochain, ou encore au service d'un mode de vie plus sain, plus judicieux.

En fin de compte, il n'existe au royaume du transcendantal aucune réponse complète qui soit valable ni même possible, du moins pour le moment. Les explorateurs de ce monde auront beau utiliser la même technique pendant le même laps de temps, rien ne peut garantir qu'ils atteindront la même profondeur ni le même genre de vision spirituelle. Cependant, nombreux sont les scientifiques qui, à l'instar d'Edgar Mitchell, commencent à reconnaître qu'on ne peut plus rejeter une telle connaissance. Quant à savoir comment considérer les données transcendantales, voilà la question principale sur laquelle devra se pencher une future science de la religion.

Chapitre VI

UN RUISSEAU DE VIF-ARGENT

PAR DELÀ L'EXTRÉMITÉ DU SPECTRE

Sur la voie de la sagesse éternelle

Comme dans toute recherche, semble-t-il, chaque question à laquelle nous répondons – ou tentons de répondre – soulève à son tour de nouvelles questions.

Il n'est pas difficile de concevoir les percées intuitives comme un processeur d'idées inconscient ni de concevoir les révélations religieuses comme des percées intuitives, ni même de comprendre pourquoi le «*channeling*» spirituel semble s'intéresser principalement aux trois catégories de contenu décrites par Hastings.

Ce qui n'est pas aussi facile à comprendre, par contre, c'est pourquoi ces catégories ont été prédominantes, chacune à son tour, à des époques successives de l'histoire, au lieu d'avoir été réparties un peu plus également, comme on s'y serait attendu?

Divers spécialistes ont avancé des théories selon lesquelles c'est l'inconscient qui déterminerait les directions prioritaires et où diriger l'attention de l'humanité selon les différents stades de son évolution sociale, psychologique et culturelle. Nous ne pouvons nier que notre esprit conscient nous ait souvent induits en erreur, choisissant de façon superficielle et aveugle des priorités parfois suicidaires malgré des faits d'une évidence telle que les générations suivantes n'ont pu s'expliquer l'imprudence de leurs prédécesseurs. Nous ne pensons pas faire appel à une foi démesurée en avançant que si l'inconscient peut résoudre des théorèmes mathématiques et déterminer les besoins individuels les plus profonds, il peut certainement faire de même pour les besoins de l'humanité.

Dans ce cas, peut-être serait-il intéressant d'examiner la voie de la sagesse éternelle (qui apparaît et disparaît régulièrement à travers l'histoire) pour tenter de mesurer l'effet que pourraient avoir produit, sur le cours de notre destinée et sur la direction de notre évolution, les pulsions collectives de l'inconscient de l'humanité.

Nous avons choisi de nous concentrer ici sur les manifestations culturelles les plus récentes qui ont permis l'avènement de la civilisation occidentale: les traditions juive, chrétienne et islamique. Ainsi que nous l'avons déjà vu, il a toujours existé un noyau ésotérique à l'intérieur de ces traditions et on y a toujours transmis des enseignements secrets, de maître à initié. Puisque c'est la libération qui est au centre de ces doctrines (libération de l'illusion de l'*ego*, de l'hypnose culturelle, des limites personnelles, de la séparation d'avec Dieu), celles-ci ont eu des conséquences profondes, non seulement sur les religions exotériques populaires, mais aussi sur l'histoire de l'Occident. Le type de libération dont parlent les sages, ainsi que nous le verrons, est inextricablement lié à celui dont parlent aussi les personnages politiques.

De fait, une des conclusions les plus surprenantes que nous puissions déduire après avoir étudié l'histoire des états de percée, c'est que l'importance qu'accorde la politique moderne aux croyances en «la liberté, l'égalité et la fraternité», qui sont à la base de nos valeurs les plus chères, est en relation directe avec ces mêmes expériences mystérieuses que les gens considèrent comme de la «superstition» ou de la «folie» lorsqu'elles sont le fait d'individus ordinaires au lieu de prophètes.

Par conséquent, notre examen des éléments non orthodoxes de la pensée religieuse occidentale porte non seulement sur ce que ces traditions ont à dire à propos de la conscience humaine et de la créativité, mais aussi sur la relation qui existe entre la libération individuelle et la libération politique.

Encore une fois, nous ne vous demandons pas de considérer ces énoncés comme ayant été prouvés, mais seulement d'accepter comme possibles certaines choses que les livres d'histoire traditionnels n'ont pas enseignées.

La piste de la Kabbale

Pour les lecteurs nés en Occident, la forme de sagesse éternelle la plus familière est celle contenue dans la tradition judéo-chrétienne. Des savants qui ont étudié la position des étoiles selon le livre principal de la Kabbale, le *Sepher Yetzirah* (le Livre de la Formation), le plus ancien texte du judaïsme mystique, font remonter son origine à 2 000 ans avant la naissance du Christ.

Aujourd'hui, la plupart des gens considèrent le mysticisme judaïque comme un obscur détail de l'histoire, alors qu'il fut en réalité l'une des deux souches principales de la croissance intellectuelle donnant lieu à la Renaissance. La transmission d'idées clés entre l'Est et l'Ouest, entre les pensées islamique et chrétienne, s'est accomplie par l'entremise de ceux-là même qui participaient à l'édification de la tradition kabbalistique.

Le courant mystique qu'adoptèrent les Hébreux provenait de sources encore plus anciennes. Les écoles de mystères existaient déjà en Asie centrale, en Palestine, à Babylone et en Égypte bien avant – et jusque pendant – les différentes étapes de la formation du judaïsme. Elles étaient également très actives à l'endroit et à l'époque où naquit le christianisme. Pour ce qui est des origines de la philosophie éternelle, elles sont perdues à tout jamais dans la nuit des temps puisqu'elles semblent avoir accompagné l'humanité depuis bien avant l'aube de l'histoire connue.

L'éminent spécialiste jungien, Ira Progoff, fit remarquer que la tradition mystique juive contribua de trois façons à l'évolution de la pensée occidentale: en établissant le cadre dans lequel le christianisme prit naissance; en maintenant un dialogue, à travers les époques et les continents, entre les individus et les groupes qui poursuivaient leur quête à l'intérieur de la chrétienté; mais en plus, et ce qui est peut-être le plus important, les kabbalistes contribuèrent à créer une certaine attitude face à l'évolution de la conscience, attitude qui affecta de façon significative les autres traditions mystiques et qui parvint même à influencer la théorie freudienne.

Progoff décrit ainsi la relation qui existe entre les traditions mystiques juives et chrétiennes et l'impact profond qu'elles eurent sur la civilisation occidentale:

> *Les mouvements de la pensée mystique à l'intérieur de la chrétienté étaient sans cesse provoqués par des étrangers, des personnes qui n'adhéraient pas à l'orthodoxie de l'Église établie. [...]*
>
> *Le mysticisme juif du début et du milieu du Moyen Âge parvint ainsi à porter une large part du fardeau de l'expé-*

rience et de l'exploration religieuses individuelles pour la civilisation occidentale tout entière. Tout ce qui s'est fait sous l'éclairage de la Kabbale [...] réussit à se glisser dans la pensée chrétienne et à alimenter la tendance au sentiment mystique inhérente au christianisme, mais sans cesse entravée par la position culturelle dominante et conformiste de celui-ci. En retrait de la société, cependant, là où les libres penseurs se rencontrent, il y eut donc, pendant les siècles que dura le Moyen Âge, un dialogue animé entre les chrétiens et les juifs qui s'intéressaient au mystère ultime du messianisme, ce mystère que représentaient la rédemption éventuelle du monde et la manifestation de Dieu dans la vie de l'homme [1].

Il serait insensé de tenter de condenser ne serait-ce qu'une fraction des innombrables niveaux de symbole, de théorie et de pratique de cette branche de la sagesse éternelle que constitue la tradition mystique juive appellée la Kabbale. Elle comprend une cosmologie, une théologie et une psychologie complexes, détaillées, multiculturelles et polyglottes. Le discours métaphysique, la ferveur mystique et les techniques d'exploration de la conscience y sont réunis dans des textes qui, à l'origine, ont été composés en hébreu, en espagnol, en arabe, en français et en italien.

La phase de la Kabbale qu'on appelle l'époque du **Merkabah**, ou du Char, fut très florissante en Palestine, du Ier siècle av. J.-C. au Xe siècle ap. J.-C.. Cette période revêt une importance toute particulière pour notre étude sur les percées intuitives, le «*channeling*» et la révélation. Le corps de cette pensée et de cette pratique tire son origine de l'interprétation kabbalistique de la description du «char divin» que fait le prophète Ézéchiel. Bien que le langage employé puisse sembler étrange pour un lecteur moderne, de nombreux spécialistes contemporains ont indiqué que ces passages étaient métaphoriques et qu'ils dissimulaient des méthodes très perfectionnées de modification de la conscience.

Les moyens précis par lesquels les humains pouvaient faire l'expérience de la conscience unitaire, la relation entre cette expérience et les croyances plus orthodoxes de la foi, les relations entre l'évolution de l'individu et la rédemption cosmique, tels étaient les thèmes principaux des mystiques **Merkabah**:

Les initiés de cette tradition visionnaire étaient appelés **Yorde Merkabah** *(«ceux qui descendent dans le char») parce qu'ils «descendaient» de plus en plus profondément à* *l'intérieur des recoins de leur esprit. On disait que le char éthéré était caché aux niveaux les plus profonds de la méditation, prêt à faire monter le disciple à travers tous les niveaux de conscience jusqu'à ce qu'il puisse apercevoir l'image céleste d'Ézéchiel. [...] Les maîtres de cette discipline dressèrent, tels des cartographes experts, les cartes de ce terrain difficile que devaient traverser ceux qui poursuivaient la quête. Ils décrivirent ce que l'initié devait s'attendre à voir et à ressentir. [...] On utilisait habituellement le jeûne, les exercices respiratoires spéciaux et les chants rythmiques afin de guider l'initié vers un état modifié de conscience*[2].

Nombre de kabbalistes importants furent également des personnages bien en vue de l'histoire juive. Certains présentent aussi des cas de *«channeling»* bien documentés. Parmi eux, citons celui du célèbre kabbaliste Joseph Karo, né en Espagne vers la fin du XVe siècle, et de ses **maggids**, un cas qui ressemble remarquablement à ceux de Jane Roberts et de Seth. Sa famille et lui s'étaient établis à Constantinople, aujourd'hui Istanbul, après la grande expulsion des juifs d'Espagne, en 1492:

Il acquit une certaine renommée comme spécialiste du Talmud et juriste mais il était de plus en plus attiré par les cercles kabbalistiques. Soigneusement guidé, Karo fit l'expérience de ce que les psychologues appelleraient aujourd'hui des états modifiés de conscience et des phénomènes de transe. Après un certain temps, il apprit à entrer en transe médiumnique.

*Dans cet état, ainsi qu'il le décrit lui-même dans le journal qu'il tint durant toute sa vie, et ainsi que l'ont confirmé des observateurs indépendants, Karo perdait son état d'esprit normal et parlait d'une voix changée. Il se mettait alors à discourir – parfois de façon assurée, parfois d'une manière étrangement hésitante – sur des thèmes évocateurs comme la nature supérieure des rêves, la bonne façon de méditer, la nature du divin, la vie après la mort et la réincarnation. Karo et ses contemporains de Safed, en Palestine, parlaient de cette voix comme du phénomène **maggid** (terme technique pour «agent de la parole céleste») et ils croyaient qu'une entité spirituelle communiquait activement à travers le «channel» que créait ce médium humain. Les savants d'aujourd'hui se rendent compte que ce cas fascinant était loin d'être unique dans la tradition juive.[...]*

L'une des particularités de l'état de Karo venait du fait qu'il
demeurait conscient tandis que sa voix se modifiait et que le
ton et le rythme de celle-ci changeaient de façon fulgurante.
Sans qu'il y ait volonté consciente de sa part, un discours
rationnel de nature exotique sortait de sa bouche. Se pré-
tendant l'esprit du **Mishnah** *(livre sacré du commentaire*
biblique juif), cette personnalité secondaire ou **maggid** *se*
prononçait sur un large éventail de sujets ésotériques, allant
de l'analyse de la nature de la conscience supérieure et de
la réincarnation jusqu'à l'énoncé de véritables prophéties[3].

Le judaïsme, après tout, a toujours été une foi prophétique. Les
expériences de Moïse, d'Ézéchiel, d'Isaïe, de Daniel et de bien d'autres, que rapporte l'*Ancien Testament*, regorgent de descriptions de
phénomènes paranormaux: visions, rêves prophétiques et clairvoyance.

Dans les années qui ont précédé la naissance de Jésus, les cultes
messianiques, mystiques et prophétiques de Palestine étaient profondément engagés dans l'exploration de ces états et dans la transmission de
ce savoir qui, à l'époque, était déjà ancien. Les expériences de Jésus
dans le désert et de Paul sur le chemin de Damas, telles qu'elles furent
décrites dans les Saintes Écritures, étaient très certainement paranor-
males, à moins qu'on les considère comme des exemples classiques de
«*channeling*» et de phénomènes de percée. Paul alla même jusqu'à
conseiller: «Faites de l'amour votre but, désirez ardemment les dons
spirituels, surtout celui de prophétie.»

Étant donné le contexte, il n'est pas surprenant que la troisième
grande religion émanant du Moyen-Orient ait été prophétique et ait
contenu, elle aussi, un noyau ésotérique.

Des courants convergents

En l'an 610 après J.-C., un pieux chamelier de la péninsule arabe
eut une révélation qui devait changer la vie d'une grande partie de la
population de la terre, à l'est comme à l'ouest. À l'âge de quarante ans,
poursuivant une période de jeûne, de prières et de méditation, Mahomet
entendit une voix qui l'appelait et vit un rayon de lumière «d'une
insoutenable splendeur». Un ange à forme humaine déploya devant lui
une étoffe satinée couverte d'écritures. L'ange lui ordonna de lire et,
bien qu'il eût été illettré jusque-là, Mahomet lut cette révélation qui
devait devenir le *Coran*.

Durant le siècle qui suivit la révélation de Mahomet, les cavaliers de l'Islam surgirent de l'obscurité du désert pour conquérir la plupart des anciens empires du monde, des territoires ancestraux des Hébreux, des Perses, des Égyptiens, des Byzantins et des Grecs jusqu'au sud de la France, à l'ouest, et à la vallée de l'Indus, à l'est. Ces conquêtes furent culturelles et politiques autant que religieuses. À l'intérieur de cet immense territoire conquis se trouvaient presque tous les anciens centres du savoir ainsi que les principales écoles d'enseignements mystiques ou ésotériques. De Carthage à l'Asie centrale, des communautés d'érudits, de mystiques et de spécialistes de la conscience, isolés par la montée et le dogmatisme du christianisme en tant que pouvoir d'État, et n'ayant eu aucun contact depuis des siècles, se retrouvèrent soudain sujets du même empire.

Comme le judaïsme et le christianisme, l'Islam possède aussi son noyau ésotérique. L'expansion du soufisme – que ses adeptes estiment devoir représenter le véritable secret au cœur de toute religion – et son extraordinaire influence cachée sur l'histoire coïncidèrent avec la formidable explosion de l'Islam, du fond du désert d'Arabie jusqu'aux confins de l'Asie, de l'Afrique et du Pacifique.

Le docteur Benson rapporte que le soufisme s'est développé en réaction à la rationalisation extérieure de l'Islam et qu'il faisait usage des facultés émotives et intuitives qu'on dit dormantes jusqu'à ce qu'on apprenne à s'en servir auprès d'un guide enseignant.

C'est Idries Shah, un descendant direct du prophète Mahomet, un soufi et un érudit de formation occidentale ayant une certaine renommée, qui introduisit la tradition soufie auprès de nombreux lecteurs occidentaux. Voici ce qu'il écrit:

Le soufi est un individu qui croit qu'en pratiquant alternativement le détachement et l'identification par rapport à la vie, il deviendra libre. C'est un mystique parce qu'il pense pouvoir s'accorder avec l'objectif de toute vie. C'est un homme pratique parce qu'il croit que ce processus peut se dérouler à l'intérieur de la société normale. Il doit aussi servir l'humanité, car il en fait partie.[...]

Afin de réussir dans cette entreprise, il doit utiliser les méthodes élaborées par des maîtres plus anciens, méthodes qui permettent d'échapper à l'ensemble de l'éducation qui emprisonne la plupart des gens dans leur environnement et les résultats de leurs expériences. Les exercices des soufis reposent sur l'interaction de deux choses: l'intuition et les

*aspects changeants de la vie humaine. Des méthodes dif-
férentes se présenteront d'elles-mêmes, intuitivement, à
différentes sociétés et à diverses époques, ce qui n'a rien
d'illogique, car la véritable intuition est toujours consé-
quente.*

*Le soufisme se vit n'importe quand et n'importe où. Point
n'est besoin de se retirer du monde, et il ne comporte ni
mouvement organisé ni dogme. Il est conjoint à l'existence
de l'humanité. On ne peut par conséquent le qualifier de
système oriental proprement dit. Il a exercé une influence
profonde à la fois sur l'Orient et sur les bases mêmes de la
civilisation occidentale dans laquelle nous vivons, pour la
plupart (ce mélange d'héritages chrétien, juif, musulman et
proche-oriental ou méditerranéen que nous appelons «occidental»)*[4].

Les mystiques arabes se mirent à voyager, se conformant à la doctrine de l'unité entre les enseignements mystiques des différentes religions, celles des conquérants comme celles des conquis. On invita des
représentants des anciennes écoles ésotériques du judaïsme, du christianisme, de l'hindouisme, du bouddhisme et du zoroastrisme à participer
à ce que les soufis appelaient «une confluence des essences».

À cause des différences marquées quant aux antécédents linguisti-
ques et culturels des différentes doctrines au niveau exotérique, les
soufis employaient des métaphores afin de combler les vides doctri-
naux apparents, de la même façon que les savants de différents pays
utilisent les mathématiques. On décrivait la «confluence», l'idée selon
laquelle les soufis, quoique musulmans, étaient en contact avec la doctrine essentielle de toutes les cultures, par l'image de l'abeille qui
butine de fleur en fleur (participant ainsi à leur fertilisation), sans pour
autant devenir une fleur.

Nombre de commentateurs soufis classiques font remarquer que
la dislocation de l'ancien ordre en Asie fut l'occasion de réunir des
traditions spirituelles depuis longtemps séparées. Selon leurs propres
termes, les conquêtes islamiques réunirent les «perles de mercure»
qu'avaient conservées précieusement les écoles ésotériques d'Égypte,
de Perse, de Palestine, d'Afghanistan, d'Inde et de Grèce, pour en faire
un «ruisseau de vif-argent» que l'on connut plus tard sous le nom de
soufisme.

Il fut un temps où les écoles ésotériques juive, musulmane et chrétienne partageaient une alliance ouverte et fructueuse (du XIe au XVe

siècles, en Espagne, dans le sud de la France, au Moyen-Orient et en Italie). Au XIIIe siècle, le Midi de la France, en vertu de son statut de frontière politique, fut la terre d'asile d'un grand nombre de ceux dont les croyances religieuses les faisaient qualifier d'hérétiques aux yeux de l'Église dominante. Cette religion avait été, au moins depuis le Xe siècle, un centre de tradition juive (et kabbalistique) et elle était aussi, depuis presque aussi longtemps, la frontière méridionale entre l'Europe de l'Ouest et le califat musulman. Elle fut en outre le foyer des hérétiques albigeois, (qui osèrent proclamer que les humains pourraient évoluer et devenir semblables à Dieu et qui furent éliminés de façon sanglante par les forces orthodoxes).

Les troubadours, qui apparurent dans le Midi au même moment et dont presque tous les Occidentaux se rappellent comme de ménestrels plutôt romantiques et insouciants (c'est du moins ce qu'on apprend dans les livres d'histoire), apportaient beaucoup plus que divertissements et ragots, en errant de ville en ville. Les troubadours étaient les «médias» de leur temps. À une époque où seuls quelques hommes d'Église, juifs et musulmans, savaient lire et écrire – des siècles avant l'invention de l'imprimerie –, ces ménestrels vagabonds devaient posséder quelques rudiments d'éducation afin de pouvoir écrire leurs chansons. Les moyens d'éducation dont on pouvait se prévaloir à cette époque étaient entre les mains soit de l'Église, qui publiquement les désapprouvait, soit de libres penseurs qui étaient les gardiens de conepts intellectuels et spirituels provenant de traditions beaucoup plus anciennes et beaucoup plus éclairées. Ces soufis déguisés véhiculaient chez les frères ésotériques de différents pays et de diverses religions un savoir camouflé, codé, dans les chants et les histoires avec lesquels ils gagnaient leur vie.

Lorsque cette période œcuménique déclina, par suite des croisades et de l'Inquisition, la sagesse éternelle entra à nouveau dans la clandestinité pour ne ressortir dans la vie de l'Europe que sous une forme déguisée mais combien puissante. Voici ce qu'écrivit Manly Palmer Hall à propos du codage culturel et de la transmission du savoir:

Cette vague d'expansion de l'Islam atteignit l'Espagne où deux courants semblent s'être réunis. À Séville et à Grenade, il y avait des initiés juifs qui étaient porteurs de la tradition égyptienne. Ils rencontrèrent des initiés arabes qui, eux, véhiculaient la tradition grecque.[...]

S'il est vrai que des «perles de mercure» ont été réunies par l'entremise de Mahomet, deux autres s'y joignirent en Es-

*pagne. Et de cette confluence émergea une bonne partie de
la civilisation occidentale.[...]*

*Le courant, surgi des perles de mercure réunies, devint un
immense champ de force invisible au-dessus de l'Europe.
[...] Celui-ci se répandit dans la vie courante en une série
de composantes culturelles qui constituent, dans l'ensemble,
une grande part de la civilisation occidentale.*

*Une sélection au hasard de ces facteurs pourrait inclure le
pèlerinage chrétien [...] les cathédrales gothiques, l'enlumi-
nure et la broderie, les troubadours [...]le thème de la quête
du roi Arthur [...] les confréries d'acteurs itinérants, le
bouffon, l'arlequinade et les mystères [...] la Franc-maçonnerie et la Rose-Croix, le jardinage (les jardins espagnols),
les jeux de cartes [...] le tir à l'arc, certaines parties de la
médecine comme l'immunologie (Paracelse) [...] et la cy-
bernétique (Raymond Lulle)[5].*

Lorsque les forces militaires chrétiennes reconquirent l'Espagne,
après plus d'un demi-millénaire de règne musulman, plusieurs doctrines soufies entrèrent dans la clandestinité. Il y avait, au cœur de la
transmission de ces idées, un système linguistique complexe fait de
mots à double sens, de calembours à orientation spirituelle de même
que des «histoires pédagogiques» à niveaux multiples qui disaient une
chose en surface mais qui transmettaient autre chose à ceux qui
savaient déchiffrer le code. Ainsi, de nombreuses idées soufies ont
pénétré la culture judéo-chrétienne de façon déguisée, à travers les
troubadours, les poètes, les textes des mystiques et des alchimistes, et
d'autres personnages dont la vocation consistait à maintenir et à transmettre les traditions anciennes.

La jonction de ces deux courants ne mit nullement fin à l'histoire
de l'influence cachée de la sagesse perpétuelle sur la pensée occidentale. Au contraire, elle constitua en partie le début de l'«histoire secrète
de l'inspiration», qui se poursuivit tout au long du Moyen Âge et qui
prépara l'entrée en scène de la Renaissance, l'évolution de la science
empirique et les premiers balbutiements de la révolution industrielle.

Thomas Goldstein, historien révisionniste et professeur d'histoire
du Moyen Âge au *City College* de New York, fait remarquer que, avant
que ses collègues, les historiens modernes, ne réexaminent les vieux
postulats, le dogme considérait les siècles qui ont précédé la Renaissance comme l'«âge des ténèbres», pendant lequel la croissance intellectuelle se serait faite au ralenti. Depuis les dix dernières années,

cependant, on reconnaît assez généralement que la rencontre des pensées islamique et juive a précédé l'avènement du renouveau de la connaissance et lui a ouvert la voie.

Le message des cathédrales

Entre le déclin de l'influence islamique (déclin qui fut suivi de la dispersion du savoir classique et oriental à travers l'Occident renaissant) et l'avènement de la pensée newtonienne-cartésienne (c'est-à-dire pendant cette période féconde où le Moyen Âge vit apparaître les premiers bourgeons de la Renaissance) s'est amorcé le tournant, peut-être le plus important, de l'histoire de la civilisation occidentale. Pour la première fois en un millier d'années environ, les institutions et les peuples européens commencèrent à détourner leur attention du royaume des cieux pour réfléchir sur ce que l'esprit humain pouvait apprendre et accomplir sur la terre. On venait de planter les premières semences d'une «méthode» de pensée; ce qui pouvait être nouveau pour les Européens, mais moins nouveau pour certains étrangers habitant parmi eux.

Cette idée qui avait autrefois prévalu dans le monde helléniste mais qui avait été depuis fort longtemps oubliée ou occultée en Europe, précieusement conservée qu'elle était entre les mains de l'élite religieuse dirigeante, par quel moyen avait-elle fait son chemin dans la population en général? Une théorie relie ce renouveau de la connaissance aux mystérieux architectes qui ont supervisé les manœuvres ignorants sur les grands chantiers de construction de l'époque gothique. C'est probablement par le biais de ces architectes, qui paraissaient intéressés autant par les questions spirituelles que par les problèmes techniques, que refit surface une fois de plus le ruisseau de vif-argent.

La sagesse spirituelle ésotérique de la civilisation occidentale n'existe pas uniquement sous forme de textes sibyllins ou de rituels secrets; on la rencontre encore dans des endroits publics, lorsqu'on sait où et comment regarder. Les sources du savoir spirituel ne sont pas les seuls trésors que nous ayons devant les yeux. Malgré l'opinion chauvine et fausse qui veut que la science et la vision moderne du monde soient des inventions s'échelonnant du XVIᵉ au XVIIIᵉ siècles, les origines de la science furent aussi liées à des événements remarquables qui eurent lieu dans l'histoire spirituelle parallèle de la fin du Moyen Âge.

De nombreux historiens de la science, dont le plus en vue fut Goldstein, font remonter le développement du système d'éducation laïque occidental à l'École de Chartres, école qui fut établie dans le but de former les artisans travaillant à la grande cathédrale gothique construite dans cette ville.

Un autre événement semble avoir été un véhicule pour la transmission du savoir oriental ancien et la transition vers l'établissement d'un nouveau système de connaissance occidental. Cet événement fut l'apparition soudaine d'un nouveau type d'architecture en Europe.

Vers le début du XIIe siècle, le mouvement spontané que les historiens ont appelé la «croisade gothique» modifia la ligne d'horizon de l'Europe et prépara le décor qui vit naître un système scientifique laïque:

> Durant les premières phases du style gothique, on pouvait voir des bandes de croyants enthousiastes – braves laïques ordinaires guidés par des architectes ou assistés d'artisans – qui se promenaient de chantier en chantier, charriant les briques et le mortier pour construire une autre cathédrale à la gloire de la Sainte Vierge ou de Dieu. Un grand nombre des cathédrales du Nord de la France furent bâties par les membres de ce mouvement laïque spontané appelé la «croisade gothique». Elles furent construites dans une grande vague de ferveur mystique, par de jeunes gens ou des adultes, femmes et hommes, qui se passaient les briques en chantant des cantiques au rythme de leur labeur ou qui entonnaient des chants sacrés le soir autour d'un feu de camp.

> Les architectes professionnels et les artisans n'étaient pas non plus à l'abri de ces motivations exaltées. En vérité, les cathédrales gothiques sont la concrétisation d'une expérience tout à fait irrationnelle. Le savoir méticuleux que requérait la combinaison des délicats filigranes de pierre aux solides lois de la physique représente une union exceptionnelle entre vision mystique et expérience pratique. Les cathédrales sont des œuvres d'art inspirées par une vision, et non de vulgaires constructions; mais ce sont des créations artistiques dont la réussite technique était du plus haut niveau. Pourtant, c'est la vision qui fut toujours le facteur décisif[6].

Quel était ce savoir qui permit à des architectes et à des artisans d'ériger des structures à des hauteurs dont on n'aurait même pu rêver auparavant? Quel est ce savoir ancien qui les inspira? L'érection d'un ouvrage important requiert plus que des briques, de la pierre et du travail. C'est le savoir qui est le mortier invisible d'un gratte-ciel, d'une cathédrale ou d'une pyramide. Dans le cas de la croisade gothique et des événements qui ont suivi, ce savoir était très nouveau pour les populations laïques de l'époque, mais peut-être était-il moins nouveau pour les familiers de la Kabbale, du soufisme ou d'une tradition plus récente: la franc-maçonnerie.

Il devait très certainement exister un mécanisme de transmission des connaissances architecturales. Il arrivait fréquemment que des cultures préhistoriques ou antiques soient bouleversées ou détruites par des guerres, des désastres naturels, des fléaux ou des persécutions idéologiques ou religieuses. Toutefois, si quelque roi ou cardinal voulait se faire construire un château ou un temple, il semble que l'on pût toujours trouver des bâtisseurs qualifiés. Existait-il un véhicule secret pour conserver d'une génération à l'autre ces précieuses connaissances techniques, les mettant en quelque sorte à l'abri des caprices et des hostilités du monde extérieur? Et ces mécanismes de transmission du savoir s'intéressaient-ils aussi bien aux questions concernant la conscience qu'à celles portant sur la construction?

Il a existé, même aux époques païennes, des associations de type clan qui regroupaient les gens possédant la connaissance et la vision nécessaires à la construction de temples et autres grands édifices. Dans les religions les plus anciennes, comme les traditions kabbaliste et hindoue, les caractères d'une langue étaient représentés à la fois par des lettres et par des chiffres. Ainsi, les mêmes signes servaient pour faire des calculs ou composer des mots ou les deux, rapporte John Mitchell, auteur de *The View Over Atlantis*. Par conséquent, prétend-il, certains textes mystiques, bien que très manifestement narratifs, contiendraient d'importantes informations spirituelles, physiologiques et cosmologiques codées numériquement dans les mots. Ainsi, dans presque toutes les traditions associées à la philosophie éternelle, comme ce fut le cas pour les pythagoriciens, les plus hauts initiés dans les mystères spirituels étaient aussi les plus grands spécialistes des mystères technologiques et architecturaux.

Si la tradition secrète islamique fut l'une des «perles de mercure» les plus importantes, et que l'autre fut la doctrine ésotérique juive, une troisième s'est ajoutée au ruisseau de vif-argent avec les premières guildes chrétiennes et les confréries de bâtisseurs européens.

Voici ce qu'écrit Manly Palmer Hall, l'un des plus grands spécialistes du mouvement ésotérique:

*La transmission directe du programme essentiel des Écoles
ésotériques était confiée à des groupes bien préparés pour
ce travail. Les guildes, les associations d'artisans et autres
sociétés de protection et de secours mutuel avaient été
renforcées de l'intérieur par l'introduction d'un nouveau
savoir. Le succès du plan requérait un élargissement des
frontières du royaume philosophique. Il fallait une confrérie
mondiale qui serait soutenue par un programme d'éducation vaste et profond selon la «méthode». Une telle confrérie
ne pourrait englober tous les hommes dans l'immédiat, mais
elle pourrait en réunir un certain nombre selon leurs activités, sans distinction raciale ou religieuse ou quant à leur
pays d'appartenance. Ces hommes étaient les hommes de
l'évolution, les fils de demain dont le symbole représentait
un soleil radieux se levant au-dessus des montagnes de
l'Est.*

*Bien qu'il soit difficile de retrouver les traces d'un modèle
conçu pour passer inaperçu, on perçoit vaguement la forme
générale d'un dessein. L'empire invisible, dont faisaient
partie Bacon et son soi-disant groupe littéraire et dont ils
étaient l'âme, représente l'archétype même de ces sociétés
démocratiques qui précipitèrent directement ou indirectement l'avènement de la révolution. Ainsi, la voie était libre
pour les premières grandes expériences pratiques d'autono-
mie[7].*

Au cours des siècles, de grandes assemblées d'artisans-mystiques
sont déplacées d'un projet à l'autre, construisant des villes, restaurant
des sanctuaires et bâtissant des temples, des cathédrales et des palais.
C'est à Chartres que se trouvaient l'une de leurs guildes et l'une de
leurs écoles les plus importantes. Pendant que l'Église, qui était leur
employeur principal, menait sa guerre sans merci contre les hérétiques,
et ce durant tout le Moyen Âge, on semble avoir toléré les croyances
peu orthodoxes de ces «francs-maçons» itinérants, ainsi qu'ils en vin-
rent à se nommer eux-mêmes:

*Tenter de percer les secrets de ces associations de bâ-
tisseurs était perçu comme un manque de délicatesse. Ils
combinaient, apparemment, les spéculations religieuses et
philosophiques avec les principes plus prosaïques de la
construction. On assouplit les barrières habituelles des préjugés raciaux et religieux au bénéfice de ces troupes d'artisans de talent à qui on permit de vivre selon leurs instincts
et préférences naturelles lorsqu'ils accomplissaient leur tra-*

vail dans des régions ou des pays différents. Le parachève-
ment des grands édifices tels que les cathédrales prenait
souvent des siècles. Ainsi, plusieurs générations d'artisans
pouvaient ne travailler que sur un seul projet, de sorte que
les campements ou les villes qu'ils aménageaient sur les
lieux de leur travail devinrent des communautés quasi per-
manentes. À la façon des Tsiganes, ces artisans itinérants ne
se mêlaient jamais aux autres.[...]

C'est ainsi qu'à ses débuts, l'Église dut employer des arti-
sans païens, ou dont l'orthodoxie laissait à désirer, lorsque
la complexité de l'ouvrage l'exigeait. Ces associations de
bâtisseurs étaient à ce point puissantes et leurs services
requis avec une telle urgence qu'on jugea opportun d'igno-
rer leur non-conformité religieuse. Ces confréries d'artisans
avaient appris la discrétion à la dure école de l'expérience[8].

Mais, derrière les fioritures de cérémonie, quels étaient les enseignements de la franc-maçonnerie? Toujours selon Manly Palmer Hall:

Spectaculaire dans sa forme et dans son cérémonial, la ma-
çonnerie nous présente une philosophie de la vie spirituelle
de l'homme ainsi qu'un schéma du processus de la régéné-
ration. [...] Un degré à la fois, on fait passer le candidat
d'une ancienne à une toute nouvelle qualité de vie. Il entre-
prend sa carrière maçonnique comme un homme ordinaire;
il la termine, après s'être soumis à la discipline, en homme
régénéré, achevé [...] possédant une conscience et des facul-
tés élargies, instrument efficace entre les mains du grand
Architecte dans son plan de reconstruction du temple de
l'humanité déchue, capable d'initier d'autres hommes et de
guider leur participation à ce même grand travail.

Cette transformation de l'homme en surhomme fut de tout
temps l'objectif des anciens mystères; pour ce qui est de la
maçonnerie moderne, son but véritable n'a pas un caractère
aussi social et charitable qu'il y paraît; il consisterait plutôt
à accélérer l'évolution spirituelle de ceux qui aspirent à
perfectionner leur nature propre et à lui donner une qualité
plus divine. C'est là une science précise, un art royal, que
chacun d'entre nous peut mettre en pratique[9].

Alors qu'on discute toujours des questions de l'ancienneté et de la
continuité de la tradition maçonnique, une esquisse rudimentaire de
certains collèges et guildes suggère fortement qu'il y avait bel et bien
continuité dans la tradition et que, comme dans les temps reculés, des

mystères spirituels y étaient objets de transmission tout autant que d'autres sujets profanes bien connus.

Guildes et loges, ordres et sociétés parvenaient à enseigner à des groupes sans cesse plus nombreux de libres penseurs une notion simple mais explosive et ésotérique à l'époque, à savoir que les humains sont susceptibles d'évoluer à travers un enseignement spirituel laïque. Leurs cérémonies et leurs symboles avaient pour but de dissimuler aux yeux des non-initiés leurs intérêts véritables – nécessité vitale dans un contexte où dominait une Église hostile à tout enseignement ou pensée susceptibles de contester son dogme –, mais les rituels et les codes avaient aussi pour but de préserver et de disséminer le savoir, tout autant que de l'occulter: ce savoir qui montrerait à l'humanité comment se servir de ses potentialités internes, depuis longtemps oubliées, pour bâtir des cathédrales, élaborer de nouvelles sciences, se débarrasser des chaînes de l'ignorance, ou comment planifier et préparer des sociétés nouvelles qui corrigeraient les iniquités des anciennes.

Lorsqu'on eut parachevé les cathédrales et qu'un noyau international de chercheurs eut expérimenté des niveaux d'éducation et des états de conscience supérieurs, la population non initiée fut alors prête pour un des plus grands desseins: celui de construire des pays.

Dans l'histoire de l'Occident, les percées les plus importantes n'ont pas été le fait d'individus ni de membres d'un culte restreint, mais celui de la population européenne tout entière. Par son influence sur une petite avant-garde, la sagesse éternelle (et les états de conscience qui lui sont associés) parvint à produire un changement de conscience moins radical, mais d'une grande portée et sur une plus large échelle. Cette idée neuve était toute simple: l'esprit humain est un instrument qui s'éduque.

Le savoir n'est pas très utile à moins qu'il existe un certain nombre de personnes qui sachent qu'il leur est possible d'apprendre à utiliser leur esprit; une idée qui semble naturelle aujourd'hui mais qui était, il y a mille ans, une dangereuse hérésie. La montée d'une pensée profane, terre à terre, centrée sur l'humain, et les tâtonnements subséquents en vue d'une renaissance du savoir constituèrent le prélude à tout ce qui suivit: la Renaissance, la naissance de la science empirique, l'avènement de la révolution et de la démocratie, la révolution industrielle.

Quelles sont les origines de la science, de la technologie, de la démocratie et de la révolution? Ces caractéristiques du monde moderne doivent-elles leur existence aux faits et gestes de personnages historiques bien connus et au croisement de forces sociales, comme le maintiennent les livres d'histoire traditionnels? De nos jours, des sources extérieures au courant de la pensée historique orthodoxe semblent indiquer qu'il y a eu un effort conscient, probablement secret, pour provoquer la naissance d'une perception nouvelle de la nature de l'homme et de la nature des institutions humaines.

Comme l'a fait remarquer l'historien français Fernand Braudel, le processus historique paraît fonctionner à trois niveaux. Les exploits des personnages que nous lisons dans les livres d'histoire représentent les crises qui, à court terme, précipitent les événements décisifs. Au milieu, il y a les forces économiques et sociales à grande échelle. Mais sous ces deux niveaux, il y a l'évolution culturelle à long terme, qui relève plus de l'anthropologie sociale que de l'histoire.

Si l'intuition profonde, le processeur d'idées inconscient, alimente lentement certains êtres humains en révélations appropriées à leur situation dans le temps et dans l'espace, dans le but ultime de les faire évoluer vers des niveaux de conscience de plus en plus élevés et de plus en plus sains, alors c'est à ce niveau qu'il s'est manifesté en Europe au cours des siècles, et c'est précisément ce dont nous traitons ici.

Les projets de cathédrales gothiques ainsi que les communautés intellectuelles qu'ils ont nourries mirent en branle une chaîne d'événements moins visibles, des événements qui devaient donner lieu non seulement à la naissance de la science institutionnalisée, mais encore aux concepts de liberté, d'égalité et de fraternité qui renversèrent finalement l'ordre ancien, quelques siècles plus tard.

Le fait de supposer, comme nous le faisons, qu'il existe un lien entre la sagesse éternelle, la révélation spirituelle, l'inconscient profond et d'autres phénomènes tels que l'idée de démocratie et la découverte de l'Amérique peut sembler choquant à première vue. Mais nous devons nous poser la question suivante: si Carl Rogers et d'autres ont raison, l'humanité ne peut atteindre son plein potentiel et vivre une vie saine, constructive et créative que dans un état de «liberté extérieure» totale. N'est-il pas possible que l'inconscient l'ait toujours su et qu'il ait essayé tant et plus de nous le chuchoter à l'oreille chaque fois qu'il avait l'occasion de percer le bavardage et les préjugés de l'esprit conscient?

Et les meilleurs parmi les hommes n'auraient-ils pas pu élaborer cette idée de toute façon, en raison de leur intuition, sinon de leur simple bon sens?

Les projets centraux

À certains moments critiques de l'histoire, les quelques êtres exceptionnels et passionnés qui ont su découvrir le «*channel*» menant à leur
inconscient profond (à leur processeur d'idées inconscient), ou qui s'en
sont souvenu, ou qui l'ont appris, ont été amenés intuitivement, semble-t-il, à répandre leur savoir là où il serait le plus utile.

Apparemment, kabbalistes, soufis, alchimistes, gnostiques, francs-
maçons et chrétiens ont collaboré de temps à autre, lors de projets
importants tels que les cathédrales gothiques. Ces grands projets, quoique très manifestement matériels, véhiculaient en réalité des objectifs
sociaux et psychologiques plus abstraits. Les grandes cathédrales, en
plus de servir de projet central visible, susceptible d'attirer les esprits
les meilleurs et les plus audacieux de l'époque, servaient aussi à élever
la conscience de la population en général.

Tout au cours de l'histoire, les gens se sont questionnés sur les
grands monuments de l'âge de pierre qu'on retrouve en Europe, par
exemple Stonehedge qui est le plus connu. Ces monuments, on les a
étudiés et on a émis certaines théories à leur sujet. On leur a attribué
divers usages religieux et astronomiques, quelques-uns avec beaucoup
de sens. Cependant, quels qu'aient été l'utilité de ces observatoires
astronomiques ou les objectifs sacrés de ces sites cérémoniels si spectaculaires, ils semblent incapables de justifier les dizaines de millions
d'heures de travail qu'aurait nécessité, estime-t-on, leur construction.

Dernièrement, l'anthropologue Colin Renfrew proposait, dans un
article du *Scientific American*, que le passage des tombes simples à des
structures de pierres plus élaborées coïncidait avec la montée du pouvoir politique centralisé, dont ils étaient en fait les véhicules. Dans ce
sens, les projets centraux servent à faire converger les énergies d'une
population, pendant une période de transition de l'évolution, vers un
niveau de culture plus élevé.

Les pyramides en sont un exemple. Les grands monuments mégali-
thiques européens, les grands complexes religieux d'Asie et d'autres
grandes entreprises architecturales colossales représentent aussi ce
genre de projets. L'exemple le plus récent est peut-être la mission
Apollo, dont le point culminant fut le célèbre premier pas de Neil
Armstrong sur la Lune.

Dans une tentative de montrer la relation existant entre les états de
conscience, les expériences de percée, les événements historiques et la
poursuite de l'évolution de la culture humaine nous ne faisons qu'ef-

fleurer l'œuvre secrète de la sagesse éternelle. À mesure que l'on plonge plus profondément dans cette histoire secrète et que l'on examine les récits que les historiens n'ont pas véritablement mis en doute (mais qu'ils ont plutôt mis de côté) il devient de plus en plus évident que, sous bien des aspects, le monde moderne et les témoignages les plus remarquables d'époques révolues ont une signification et une importance qui sont très différentes, et qui vont bien au-delà, de celles qu'on nous a apprises à l'école.

Nous avons tous entendu parler des troubadours, de la quête du Saint-Graal, des entreprises de construction qui duraient des siècles et qui produisirent les cathédrales gothiques et les guerres sanglantes menées contre les sorciers et les hérétiques. Mais il est très peu probable qu'on nous ait enseigné la signification profonde de ces anciennes légendes romantiques et terribles; le sens caché de ces monuments culturels demeure donc inconnu jusqu'à ce jour, prêt à être déchiffré par quiconque en trouvera la clé. La technologie des cathédrales gothiques, par exemple, constituait un pont important entre les anciens courants de la sagesse éternelle et l'histoire exotérique de l'Occident; elle représentait un «projet central» qui rattachait l'édification des cathédrales à la construction des nations.

À la fin du XVIe siècle, il se produisit une modification dans l'ampleur et les objectifs de ces projets et dans les guildes qui leur étaient associées.

C'est au XVIe siècle que la découverte du Nouveau Monde, l'ère d'exploration qui s'ensuivit et le début du colonialisme européen disséminèrent soudainement les différentes cultures européennes à travers le monde, de la même manière que les armées islamiques avaient propagé, mille ans plus tôt, la culture musulmane. Les courants clandestins de la culture européenne se préparaient alors à une rencontre majeure. La façon de penser des gens changeait, les idées ésotériques à propos de nouvelles manières d'aborder la réalité et d'utiliser l'esprit comme instrument d'exploration commençaient à faire surface et à modifier ouvertement le cours de l'histoire.

Au cours des siècles, les hérésies des temps anciens, ou bien furent absorbées par le système de croyance dominant, ou bien passèrent des cultes illicites à des religions reconnues, ou bien encore prirent des formes non religieuses. Parmi les exemples de la dernière catégorie, mentionnons les communautés de libres penseurs qu'on vint à reconnaître comme des humanistes. Tous les enseignements, autrefois hérétiques ou ésotériques, portant sur la possibilité d'évolution de la civilisation terrestre en des formes supérieures, plutôt que sur les exigences de la vie éternelle, devinrent, sous la plume des humanistes, une puissante force de changement.

Les courants humaniste et évolutionniste de la civilisation européenne émergèrent sous une forme modifiée lorsque la Réforme (et l'invention de l'imprimerie) brisa le monopole de l'Église sur le savoir. À mesure que les initiations secrètes se transformaient en éducation publique, les méthodes occultes devinrent un système universel.

Lorsque les réformateurs firent leur apparition, la science, ou philosophie naturelle comme on l'appelait alors, était enfermée dans un moule statique depuis des milliers d'années. Alors que les philosophes grecs des Ve et VIe siècles après J.-C. avaient été d'avides expérimentateurs, leurs homologues européens ultérieurs n'avaient que faire de l'exploration du monde réel. Aussi étrange que cela puisse paraître aujourd'hui, la principale occupation des savants médiévaux consistait non pas à faire des expériences, mais à étudier. «Que disent les experts?», «Qu'en pense Aristote?» étaient pour eux des questions importantes, «Que dit la nature?», «Que pouvons-nous observer?» ne l'étaient pas. Arriva alors une «nouvelle méthode» qui modifia ces priorités.

La publication du *Discours de la méthode* de René Descartes, en 1620, fut l'événement déterminant de la propagation d'une «méthode universelle pour la recherche de la vérité» que Descartes prétendait avoir découverte. (Cette œuvre de Descartes, qui fit date, portait le titre original de *Projet de science universelle destinée à élever notre nature à son plus haut degré de perfection*.)

Au même moment, en Angleterre, un homme remarquable du nom de Francis Bacon proclamait publiquement que «savoir est pouvoir». De nos jours, cette affirmation semble évidente, mais en 1600, une vaste majorité de la population ne l'aurait pas comprise.

Sir Francis Bacon eut une influence considérable sur la pensée et sur les institutions occidentales. Il affirmait que la science pouvait apporter au domaine de la connaissance des vérités tout à fait nouvelles et puissantes tirées du «royaume caché de la nature». Son idée était la suivante: au lieu d'attendre que des génies comme Aristote découvrent la nature de l'univers et nous en fassent part, il fallait, pour trouver la vérité, aller directement à la nature, faire des expériences et tirer des conclusions que l'on vérifierait ensuite par d'autres expériences.

Bacon proposait que des populations entières de savants soient formées selon la nouvelle méthode de pensée, de sorte que leurs observations, leurs théories et leurs expériences réunies forment une somme de connaissances beaucoup plus considérable que ne pourrait jamais assimiler un homme seul, quel qu'il soit.

Plus peut-être que tout autre individu dans l'histoire, Bacon, consciemment, jeta un pont entre les traditions ésotériques anciennes et les idées nouvelles qui étaient en train de changer les institutions visibles du monde occidental. Bacon croyait en la capacité d'évolution individuelle et sociale de l'espèce humaine, par l'élimination des fausses croyances qui entravent le savoir véritable et par la pratique de la pensée et de l'observation disciplinées. Il prévoyait la nécessité d'une vaste structure éducationnelle, une véritable éducation **publique**.

En 1627, Bacon publia *The New Atlantis, A Work Unfinished* dans lequel, d'après les spécialistes, il faisait une description voilée des objectifs des écoles ésotériques et montrait les moyens à prendre pour rendre dorénavant public le savoir précieusement conservé: par l'entremise des universités plutôt que par celle des mystères, par les hommes de science aussi bien que par les adeptes. Pour que la science réussisse à transformer la culture, il fallait des scientifiques par milliers. Et pour qu'il y ait des scientifiques véritablement compétents, il fallait de vastes populations de gens instruits, des gens qui sauraient ce qu'un certain nombre seulement avaient su jusque-là, soit la façon d'utiliser, d'entraîner leur esprit. C'est ainsi que Bacon tentait de faire partager au monde entier, et pour des siècles à venir, ce qui avait été préservé et perfectionné par une élite dans la clandestinité, pendant des millénaires.

Suivant son plan, il convia les sages de toutes les nations à former des «cercles littéraires» et des «académies invisibles», lesquels, issus des loges maçonniques et des guildes fraternelles surtout, se développèrent pour devenir les sociétés royales d'Angleterre et de France, la *Virginia Company* et d'autres colonies du Nouveau Monde. «Je sonnai la cloche qui attira les grands esprits», écrira-t-il plus tard à propos de ces activités.

Au moment même où Bacon poursuivait son œuvre en Angleterre, une série de manifestes pseudo-rosicruciens firent leur apparition sur le continent européen et révélaient publiquement les intentions d'une autre fraternité internationale depuis longtemps secrète (peut-être y avait-il là quelque lien). Aujourd'hui encore, la plupart des gens qui connaissent l'Ordre de la Rose-Croix pensent qu'il est formé de mystiques chrétiens dont les enseignements secrets sont truffés d'idées ésotériques alors que l'objectif officiel de ce groupe n'est rien de moins que la réforme du savoir exotérique et l'établissement de droits nouveaux pour les humains:

> *L'essentiel des proclamations (rosicruciennes) originales consistait en une vaste réforme englobant l'art, la science, la religion et la politique. Cette réforme devait s'accomplir par la codification du savoir .[...]*

> *Tout porte à croire qu'on devrait inclure les rosicruciens parmi les premiers humanistes. Ils préconisaient sans l'ombre d'un doute la réforme de la société, l'éducation universelle et les droits de l'homme.[...] Les humanistes se faisaient les champions de l'égalité des chances par l'accroissement du savoir. Par sa tradition, l'Ordre de la Rose-Croix allait dans le même sens que les utopistes pragmatiques de toutes les époques qui ont œuvré à la triple cause de la liberté, de l'égalité et de la fraternité.*

> *Les humanistes ont hérité de l'œuvre inachevée des hérétiques qui les avaient précédés en tant que champions des droits de l'homme. [...] Une fois que fut brisée l'épine dorsale de l'autorité ecclésiastique, toutefois, et que l'Église eut perdu tout pouvoir de destruction totale des non-conformistes, les hérétiques émergèrent en tant qu'humanistes. L'essence de la doctrine demeurait inchangée[10].*

Nul doute que les fondateurs anonymes de ces ordres étaient très engagés dans l'expérience mystique et qu'ils expérimentaient les états modifiés de conscience, selon des techniques hermétiques, kabbalistiques et soufies apprises en Espagne, en Afrique du Nord ou au Moyen-Orient. Mais leur revendication d'une réforme de la connaissance était beaucoup plus vaste et ambitieuse que celle d'une réforme religieuse. Leurs idées sociales et politiques étaient très en avance sur leur temps. Ainsi que l'écrivait un étudiant de la pensée rosicrucienne, en plus de leur enseignement ésotérique, ils réclamaient:

> *La réforme politique des états en une fédération philosophique.[...]*

> *La création, parmi les gens instruits, d'un organisme permanent consacré au progrès essentiel.[...]*

> *Le maintien d'un certain secret afin de protéger les progressistes des persécutions des réactionnaires d'une part, et des individus qui désirent asservir les hommes à des fins de pouvoir et de profit personnel d'autre part.*

Que s'accomplisse toute réforme sans que des révolutions viennent mettre en danger la vie et la propriété des citoyens. Que le principal élément de la réforme soit l'éducation, car l'homme sage ne peut être asservi et l'ignorant ne peut être libéré.

Que l'objectif ultime soit d'appliquer au perfectionnement de l'humain, être et État, toute la tradition, toute l'expérience et tout le savoir. Le grand œuvre consistait à ajuster parfaitement l'objectif humain au plan divin par la compréhension des lois de la nature et la pratique d'un code éclairé reposant sur une base triple, celle de la philosophie, de la science et de la religion[11].

Dès lors, le «projet central» des humanistes et des réformateurs ne visait rien de moins que la création d'un nouveau type d'humain dans un nouveau type de société. Grâce aux francs-maçons et aux rosicruciens, plusieurs «nouveaux» principes de pensée devinrent le fondement logique de la science. D'autres principes sociaux tout aussi importants, centrés sur les concepts radicaux de liberté, d'égalité et de fraternité, posèrent les bases de notre système politique démocratique actuel. Le début de la colonisation de nouveaux continents entiers et l'épanouissement de la pensée et de la littérature utopistes donnèrent naissance au projet central le plus audacieux jamais entrepris: les États-Unis d'Amérique.

L'Amérique, projet central, et la sagesse éternelle

L'émergence du projet central de la construction d'un pays, issue de groupes étroitement liés à la sagesse éternelle, ne fut pas obligatoirement ni uniquement le fait d'individus ayant conspiré dans le but de transformer leur vision en réalité, bien qu'il y ait certaines indications d'actions concertées.

Il est évident que de tous ceux qui finirent par se joindre à cette entreprise collective, un grand nombre – pour ne pas dire la plupart – ignoraient tout d'une conspiration et n'y ont pas été mêlés. Ils firent partie du mouvement soit par besoin de liberté, soit pour des raisons intellectuelles, mais, incontestablement, c'est la civilisation européenne tout entière qui subissait à ce moment-là une espèce de pulsion collective vers la liberté et la raison et vers d'autres valeurs qui étaient sur le point de transformer non seulement des personnes ou des nations isolées, mais le continent entier. Si cette pulsion provenait de la source principale de toutes les pulsions, l'inconscient, nous voilà de nouveau revenus à notre point de départ.

Tout Américain a en sa possession un symbole du projet central né du désir de réformer la conscience publique auquel l'Amérique s'était consacrée deux cents ans plus tôt, et dont nous semblons nous éloigner depuis quelques années. Ce symbole, c'est la reproduction du grand sceau des États-Unis sur le verso des billets d'un dollar.

Ce dessin étrange fut choisi en 1782, bien qu'on lui ait apporté quelques corrections mineures depuis. En 1935, une opposition considérable lorsqu'il fut question d'apposer sur la monnaie des États-Unis «ce terne emblème de la fraternité maçonnique», ainsi que le professeur Charles Eliot Norton qualifiait l'œil et la pyramide constituant le verso du dollar. Le choix de ces symboles tirés de la tradition maçonnique est assez mystérieux lorsqu'on imagine qu'il fut le fait d'une assemblée de simples citoyens, fermiers, boutiquiers et gentilshommes campagnards.

Après une recherche plus poussée cependant, on découvrit que Benjamin Franklin et George Washington étaient tous deux des membres actifs de la fraternité et qu'ils y occupaient un rang élevé; en outre, parmi les cinquante-cinq signataires de la Déclaration d'Indépendance, cinquante environ étaient francs-maçons. Tous les membres de la convention constitutionnelle étaient maçons, sauf cinq!

Parmi les personnages d'autres pays qui appuyèrent la révolution américaine, beaucoup étaient maçons, dont Lafayette, Kosciuzko, le baron de Kalb et le comte Pulaski.

Dans ce contexte, examinons maintenant le symbolisme du grand sceau, en gardant à l'esprit qu'il est de l'essence même de tout symbole puissant de suggérer diverses interprétations selon les différents niveaux de l'esprit et que toute tentative d'explication unique n'est que dilution et distorsion.

Dominant le côté face, il y a un oiseau. Aujourd'hui, c'est un aigle, mais les versions antérieures montraient un phénix, ancien symbole de l'aspiration de l'être humain au bien universel et à une seconde naissance, ou renaissance, par le développement et l'élévation de la conscience. Le rameau d'olivier et les flèches dans les serres de l'oiseau proclament que l'ordre nouveau recherche la paix mais qu'il entend se défendre contre ceux qui voudraient sa perte. La bannière que tient l'aigle porte l'inscription *e pluribus unum*, ou l'unité entre plusieurs, faisant référence à la nation composée d'États et indiquant aussi une unité plus élevée. Le nimbe au-dessus de la tête de l'oiseau symbolisait traditionnellement la vision cosmique.

L'expression *novus ordo sæculorum* au verso, «un nouvel ordre pour les siècles à venir», affirme que cet événement ne constitue pas seulement la formation d'une nouvelle guilde, loge ou nation, mais aussi celle d'un nouvel ordre mondial. Ce projet fut lancé dans la confiance, car *annuit coeptis*: «Il (Dieu) approuve notre entreprise.»

Le symbole maçonnique le plus manifeste occupe la partie centrale du verso: une pyramide inachevée coiffée d'un triangle radieux renfermant l'œil qui voit tout. Quels que soient les autres significations de ce symbole ancien (par exemple, le sens rattaché au nombre de niveaux et de pierres; la ressemblance avec la grande pyramide de Giseh, le tombeau-sanctuaire d'Hermès, personnification de la sagesse universelle et de l'expérience «initiatique» comme telle), il proclame de façon très manifeste que les œuvres de l'homme – qu'il s'agisse de son développement intérieur ou de ses œuvres extérieures – sont incomplètes à moins d'intégrer la vision divine.

Le projet central que représentaient les États-Unis devait consister, d'une façon tout à fait unique dans l'histoire, en une exploration et une actualisation de tout ce que peuvent devenir les êtres humains, malgré ce que «savait» le reste du monde à propos des «limites». Pour une part au moins, le «rêve américain» consistait à s'engager dans cette exploration.

Encore une fois, nous constatons que notre exploration de la conscience, de la créativité et des percées nous ont conduits directement au royaume du politique et du social.

Dans le chapitre suivant, nous examinerons cette relation plus attentivement et nous verrons ce qu'elle signifie pour le développement présent et futur de l'humanité.

Chapitre VII

LA MOISSON

UNE NOUVELLE RÉVOLUTION COPERNICIENNE

Crise de signification dans la société moderne

Le problème majeur de la société moderne, c'est le manque de signification. Ce problème est à la base des difficultés que rencontrent tous ces gens à qui la société n'offre aucun rôle significatif à jouer – les sans-emploi et les sous-employés – mais il sous-tend aussi les problèmes universels liés à la sécurité, au développement et à l'environnement.

Le fait de réduire les rouages de nos univers mental et physique à un modèle mécaniste du type mouvement d'horlogerie où domine le hasard a eu pour effet de dissocier les expériences intérieures (telles que l'inspiration créatrice, l'illumination et l'expérience unitaire) de leur signification religieuse et des codes moraux qui leur étaient traditionnellement associés. Par conséquent, les grandes philosophies et les grandes religions issues de ces expériences, et qui, dans le passé, ont eu une influence profonde sur le cours de l'histoire, s'en trouvèrent affaiblies; en outre, toute exploration sérieuse des processus créateurs inconscients était déconseillée.

Que la vie ait une signification, un sens: voilà l'un des besoins les plus puissants de l'humanité. Lorsqu'on ne peut plus trouver de signification à sa vie, lorsqu'on subit une perte ou un bouleversement du système de croyances qui alimente cette signification (ou qui semble l'alimenter), il peut s'ensuivre des états pathologiques sérieux, psychologiques comme physiques. Dans de telles circonstances, le suicide semble confirmer que la mort a plus de signification que la vie.

Dans les sociétés traditionnelles, la matrice sociale fournit à la fois le sens et le contexte de toute expérience significative. (La comédie musicale *Un violon sur le toit* illustrait de façon amusante mais très efficace la dislocation d'une matrice traditionnelle semblable.) Dans la société urbaine à haute technologie et à consommation de masse, au contraire, les institutions poussent les individus vers des comportements de moins en moins appropriés à leurs façons propres de trouver un sens à leur vie.

En l'absence d'unanimité sur des significations profondes, ce type de société prend – par l'entremise de ses gouvernements ou de ses compagnies internationales – des décisions susceptibles de toucher le monde entier, et pour des générations à venir, en se fondant de façon désastreuse sur des notions restreintes de gain économique et politique à court terme.

La nouvelle compréhension de l'esprit humain qui émerge aujourd'hui promet d'apporter un correctif fondamental à ce processus. La nouvelle popularité des disciplines de méditation et des philosophies religieuses manifestes dans le grand public, ainsi que l'intérêt grandissant du milieu scientifique pour la recherche sur la conscience sont en train de redonner aux questions de valeur et de signification ultime la place centrale qui est la leur dans l'existence humaine. Voici ce qu'écrivait en 1981 le neuroscientifique Roger Sperry, lauréat du prix Nobel:

> *Les valeurs sociales [...] dépendent en grande partie des opinions qu'on se fait de la conscience; est-elle mortelle, immortelle, réincarnée ou cosmique [...] localisée et limitée au cerveau ou d'essence universelle [...]? Des développements conceptuels récents rejettent le réductionnisme et le déterminisme matérialiste d'une part, et le dualisme de l'autre, et les sciences de l'esprit et du cerveau préparent ainsi la voie à une approche rationnelle théorique et normative des valeurs et à une fusion naturelle entre science et religion[1].*

Aucun autre savant d'envergure équivalente n'avait encore osé faire une telle déclaration, et il serait naïf de s'imaginer que tous les collègues de Sperry étaient d'accord. Il existe néanmoins dans les années 1980 tout un champ de recherche sur la conscience qui n'existait même pas vingt ans plus tôt et on peut facilement démontrer qu'il se produit un changement proportionnel dans les croyances culturelles, bien qu'il nous faille reconnaître que jusqu'à très récemment, les signes d'un tel changement étaient beaucoup plus manifestes dans les réclames des magazines du Nouvel Âge annonçant les cours de «développement de la conscience» qu'ils ne l'étaient dans les résultats des recherches. Mais l'application de certains de ces principes à la «performance de pointe», à la «résolution des problèmes» dans les entreprises, ou encore à des «cours de créativité» semble enfin démontrer un début de pénétration en profondeur.

Dans la pratique, l'importance du changement dans les prémisses est sans doute beaucoup plus considérable qu'il n'y paraît à première vue. À l'instar de toutes les autres sociétés à travers l'histoire, la société industrielle moderne repose sur un certain nombre d'hypothèses fondamentales, surtout tacites, à propos de qui nous sommes, de quelle sorte d'univers nous habitons, de ce qui nous importe le plus, en fin de compte. Le matérialisme scientifique qui brandissait avec confiance toutes les réponses à ces questions il y a à peine deux générations est aujourd'hui une orthodoxie qui se meurt. Ses prémisses sont contestées par les dernières découvertes de la physique et de la psychologie, qui exigent une compréhension élargie de l'expérience humaine, extérieure et intérieure. La nouvelle vision nécessite une foi accrue dans la raison guidée par l'intuition profonde.

En d'autres mots, nous assistons à une «respiritualisation» de la société, d'emblée plus empirique, non institutionnelle, moins dogmatique, moins sacerdotale et moins sectaire que la plupart des religions historiques. Ce changement apporte une modification fondamentale aux valeurs dominantes et aux priorités individuelles et sociales.

Il est difficile d'évaluer quels seraient les effets sur l'entente mondiale et le potentiel de paix durable si nous en venions à un accord global sur la nature des efforts et des objectifs ultimes des êtres humains. De la même façon qu'une opinion commune sur le sens de l'information dans les sciences physiques et biologiques a fourni une base de connaissances suffisantes pour permettre le développement de la technologie moderne, ainsi une opinion commune sur les valeurs et le sens fondamentaux pourrait jeter les bases d'une véritable «science de la religion» réaliste et d'une société globale qui respecterait à la fois les aspirations universelles de l'humanité et l'écologie des différentes cultures qui expriment, chacune avec son accent propre, l'unité sous-jacente de la vie.

Il n'est pas exagéré de parler de changement dans les prémisses qui sous-tendent la société industrielle occidentale (comme ce fut le cas à l'époque de Copernic) et que, dans les deux cas, l'impact sur la société en est un de «reperception» du monde. Lors de la révolution de Copernic, les preuves nécessaires à la perception d'un univers où la Terre aurait tourné autour du Soleil étaient disponibles, depuis toujours. Ce qui s'avéra un changement radical dans la conception philosophique de l'univers n'était essentiellement qu'une nouvelle façon de percevoir un modèle et une signification dans des données qui, elles, n'étaient pas nouvelles.

À l'heure de la «nouvelle révolution copernicienne», la plupart des données expérimentales et des rapports d'expériences à l'appui de la perception émergente d'une «conscience cachée» recèlent un «trésor» de potentialités non exploitées, qui sont parmi nous depuis très longtemps, certaines depuis des milliers d'années. En Occident, ce n'est que très récemment que le changement perceptuel permettant cette vision est devenu un phénomène social à grande échelle. C'est comme si on découvrait des significations et des modèles nouveaux à partir de preuves qu'on aurait interprétées différemment jusqu'à maintenant.

Dans toute l'histoire de la science, il est difficile de trouver une seule découverte qui porte autant à conséquence que celle de la puissance des croyances inconscientes en tant que passage – ou obstacle – vers la conscience cachée et ses possibilités inexploitées. Advenant l'adoption généralisée de cette conception par la science et la société, nous serions tout à fait justifiés de parler d'une «deuxième révolution copernicienne».

Or, serions-nous capables de reconnaître une nouvelle révolution copernicienne si elle était déjà commencée? On peut imaginer à quel point il aurait été difficile de tenter de démontrer, dès le début du XVIIe siècle, que les concepts de Copernic et les observations de Galilée susciteraient une révolution conceptuelle qui en fin de compte ébranlerait la société occidentale jusque dans ses racines. Nous pouvons presque entendre la réfutation: «Ces nouvelles idées à propos des planètes présentent peut-être un intérêt considérable pour les astronomes, les théologiens et les philosophes, mais on ne peut s'attendre à ce qu'elles aient des répercussions sur la réalité de la vie quotidienne.» Et pourtant, nous savons tous qu'avec le temps, elles ont modifié toutes les institutions de la société.

Les explorations que nous abordons dans ce livre ne sont que des tentatives très sommaires en vue de cartographier les frontières d'une nouvelle image du potentiel de percées de l'esprit humain, une image de l'univers intérieur, qui commence à provoquer des changements fondamentaux dans notre société, de la même façon que le fit l'image nouvelle de l'univers supérieur de Copernic. Mais le passage en cours est d'une portée beaucoup plus vaste et il se produira dans un laps de temps beaucoup plus court que le changement d'une vision géocentrique à une vision héliocentrique de l'univers.

Nous commençons à saisir la nature fondamentale de cette deuxième révolution copernicienne lorsque nous prenons conscience que pratiquement toute la science occidentale repose sur une cosmologie qui débute par un univers matériel d'où toute vie est absente (l'origine de cet univers remonte à une espèce de *big bang* ayant eu lieu il y a quelques milliards d'années). Avec le temps, cette cosmologie a produit une matière vivante qui évolue vers des formes toujours plus élevées, à travers des mutations dues au hasard et à travers une sélection naturelle, pour culminer dans la création de la conscience chez les êtres humains. Dans l'autre portrait de l'évolution, qui émerge actuellement de la physique quantique, nous voyons que c'est la conscience qui est à l'origine de l'univers, et non l'inverse, que c'est elle qui semble avoir «entraîné» le processus évolutif dans certaines directions choisies: d'abord dans la direction d'un esprit qui prenne conscience de lui-même, puis dans la direction d'un esprit qui devienne conscient de ses possibilités. Les conséquences de cette conception de «la conscience qui produit la réalité» sont à ce point profondes et d'une portée tellement considérable, non seulement en physique, mais aussi en métaphysique, qu'on peut facilement imaginer que toutes les institutions sociales en seront affectées.

Présages de transformation

Au cœur de toute culture, il y a une certaine conception de la nature de l'espèce humaine, de la sorte d'univers que nous habitons et de notre relation avec cet univers. Habituellement, c'est une représentation tacite, si étroitement entrelacée aux coutumes et aux institutions qu'elle est absorbée comme par osmose par toute personne grandissant au sein de cette même culture. Il semble inutile de l'enseigner de façon explicite, et il est tout à fait impensable de la contester sérieusement.

Comme nous l'avons fait remarquer plus tôt, l'historien français Fernand Braudel prétendait que l'interprétation habituelle, selon laquelle les événements découlaient forcément d'autres événements qui leur étaient antérieurs, constituait une forme d'histoire très fallacieuse. On y suppose des relations de cause à effet à partir de descriptions fragmentaires et superficielles de la société. Pendant ce temps, à des niveaux sociaux plus profonds, se produisent des changements institutionnels progressifs et d'autres mouvements d'une lenteur encore plus marquée dans les changements climatiques, géographiques, démographiques et culturels, qui modèlent les événements, voire les institutions elles-mêmes. Le fait de mettre l'accent sur les événements (ainsi que le font la majorité des manuels d'histoire) constitue une interprétation erronée du présent et une mauvaise évaluation du futur.

À ce niveau le plus profond des prémisses et des images de base, le changement se produit très lentement, s'échelonnant sur des siècles. Et ce changement cumulatif augmente jusqu'à ce que se produise une transformation majeure qui semble provenir d'une explosion soudaine. Les changements profonds dans la structure sociale semblent être la conséquence de modifications antérieures dans la structure psychique et des manifestations extérieures d'événements profonds qui se seraient produits dans la conscience de la population. Nous avons déjà mentionné, par exemple, les changements de concentration de la conscience qui ont précédé la Renaissance et la révolution industrielle.

Parmi l'avalanche des livres modernes portant sur la «transformation», *The Transformation of Man* de Lewis Mumford a été l'un des premiers; ce grand critique de la société y souligne que dans toute l'histoire de la civilisation occidentale, seules quatre ou cinq périodes de changements ont été assez fondamentales pour justifier l'appellation de «transformation». D'après lui, «toute transformation de l'homme [...] s'est appuyée sur une base métaphysique et idéologique nouvelle, ou plutôt, sur des agitations et des intuitions plus profondes, dont l'expression rationalisée prenait la forme d'un nouveau portrait du cosmos et de la nature de l'homme»[2].

Ainsi, lorsqu'émergea la civilisation agricole, lorsque furent fondées les grandes religions du monde, lorsque tomba l'empire romain, lorsque prit fin le Moyen Âge et lorsque se produisit la révolution industrielle, les changements majeurs les plus frappants rapportés dans les documents historiques, c'est-à-dire ceux concernant les rôles sociaux et les institutions, ne furent pas les seuls à se produire; il y eu aussi des changements fondamentaux dans la conscience de populations entières.

Un autre savant identifia un modèle précis dans les changements de cours de la civilisation, il s'agit de l'historien britannique Arnold Toynbee. C'est lui qui introduisit l'idée, surprenante pour l'époque, selon laquelle toutes les grandes sociétés, tout comme les êtres humains, passeraient par des stades de croissance, de maturité et de déclin. Plus précisément, il a fait état du déclin apparent de la civilisation occidentale actuelle. En général, on a mal compris qu'il ne faisait pas là une prédiction tragique et sombre. Au contraire, Toynbee entrevoyait la possibilité d'une «transfiguration» de la société industrielle en une société qui démontrerait un plus grand équilibre entre les valeurs utilitaires et les valeurs spirituelles. Il y a déjà plus d'un demi-siècle, Pitirim Sorokin, fondateur du Département de sociologie de l'Université Harvard, prédisait le déclin de la société industrielle et de ses valeurs fondées sur le plaisir des sens (des valeurs matérielles, rationnelles, empiriques, utilitaires, positivistes, hédonistes), et une désillusion progressive face aux objectifs purement matérialistes. Comme Toynbee, il avait l'impression que ce déclin ne serait qu'une des premières phases d'une transformation «vers une culture intégrale caractérisée par un équilibre entre le matériel et le spirituel, entre le rationnel et l'intuitif». Sorokin ne précisa aucune limite de temps quant à la réalisation de sa prévision, mais sa description correspond bien aux changements culturels auxquels nous assistons depuis les deux dernières décennies.

Récemment, Alvin Toffler présentait une vision similaire dans *La troisième vague*. Malgré les controverses entourant certaines de ses prévisions, sa métaphore centrale de la vague constitue une façon particulièrement réaliste de considérer l'histoire et elle complète bien les idées de Mumford et des autres.

Pour Toffler, la **civilisation agricole** représentait la première vague. Débutant quelque part au Moyen-Orient, il y a de cela six à huit mille ans, elle s'étendit tout autour du globe, transformant finalement toutes les sociétés du monde, à l'exception de quelques zones isolées, peuplées de sociétés tribales vivant de chasse et de cueillette.

La deuxième vague, la **civilisation industrielle**, commença à apparaître dans l'ouest de l'Europe il y a moins de huit cents ans. La laïcisation des valeurs et l'éducation des masses, qui survinrent après le Moyen Âge, transformèrent aussi les sociétés dans leur foulée. Les sociétés agraires et nomades qui offraient de la résistance furent exterminées ou poussées vers des zones reculées.

Toffler affirme qu'une troisième vague révisionniste et de réévaluation se manifeste depuis les deux dernières décennies. Lorsqu'elle parviendra à son apogée, elle transformera, elle aussi, la société, et d'une façon beaucoup plus rapide encore que la vague précédente de l'industrialisation. Il fait remarquer que «dans nos vies personnelles et dans nos gestes politiques, que nous nous en rendions compte ou non, nous, des pays riches, sommes déjà pour la plupart, ou bien des gens de la deuxième vague, occupés à préserver l'ordre moribond, ou bien des gens de la troisième vague bâtissant un lendemain radicalement différent, ou encore un mélange des deux s'annulant lui-même».

Selon Toffler, cette civilisation de la troisième vague a comme caractéristiques principales «d'apporter avec elle de nouveaux types familiaux; de nouvelles façons de travailler, d'aimer et de vivre; une nouvelle économie; de nouveaux conflits politiques; et, par-dessus tout, une conscience modifiée».

La «grande ascension» – vers quoi?

Il serait difficile de comprendre la possibilité d'une transformation dans un proche avenir sans porter une attention toute particulière à la plus grande transformation du passé récent.

Robert Heilbroner, un historien de l'économie, écrivait dans un livre intitulé *The Great Ascent* (La grande ascension) que le processus, unique dans l'histoire, qui commença en Europe occidentale vers la fin du Moyen Âge, constituait une progression remarquable de l'évolution par rapport aux faiblesses et aux limitations de la société traditionnelle dans le monde. À son apogée, la société traditionnelle se caractérisait par une richesse de vie, une structure interne résistante, des réussites culturelles somptueuses et une remarquable capacité d'autorenouvellement.

Pourtant, les faiblesses de cette société traditionnelle étaient telles que, dans la plupart des cas, lorsque l'occasion de se moderniser se présentait, les gens étaient prêts à la laisser tomber (parfois avec un certain regret, cependant). Parmi ces faiblesses, il y avait une tendance à concentrer les avantages de la structure sociale entre les mains d'une petite minorité privilégiée qui réussissait à maintenir sa position par une combinaison d'organisation de caste et de tradition, par son monopole sur le savoir (tant sacré que technologique) et par son pouvoir militaire. Dans ces sociétés, la majorité des gens étaient analphabètes, incultes et tenus par l'intimidation; astreints à un labeur bestial, ils avaient à peine de quoi subsister.

La «grande ascension» qui devait changer l'ordre ancien débuta en Europe occidentale, dans le sillage des constructions de cathédrales. Les valeurs directrices de la société subirent une modification progressive, passant d'une base traditionnelle religieuse, axée sur l'au-delà, à une autre plus pragmatique et utilitaire, tournée vers la vie terrestre. Elle culmina, d'après Heilbroner, dans les sociétés industrielles de l'Europe, de l'Amérique du Nord et du Japon. La voie était tracée, destinée à être plus ou moins suivie par l'espèce humaine tout entière.

Bien que la vision de Heilbroner se soit considérablement assombrie à mesure qu'il vieillissait, un certain nombre de livres reprirent et enjolivèrent ses idées originales qui prédisaient une période de transformation vers un Nouvel Âge, allant même jusqu'à témoigner avec confiance de l'état embryonnaire, voire de l'émergence actuelle de la force sociale nécessaire; c'est le cas notamment de *The Transformations of Man* (Les transformations de l'homme), de Mumford, de *The Transformation* (La transformation), de George Leonard, et de *Les enfants du Verseau*, de Marilyn Ferguson. Voici la conclusion du livre de Mumford:

> *Nous nous tenons donc au seuil d'un âge nouveau: l'âge d'un monde ouvert et d'un être (un soi) capable de jouer le rôle qui est le sien dans cette sphère élargie. Un âge de renouveau où le travail, le plaisir, l'apprentissage et l'amour s'uniront afin de redonner à chacune des étapes de la vie une forme nouvelle et à la vie tout entière une trajectoire plus élevée.[...] En portant la transformation personnelle de l'homme à ce stade plus avancé, il se pourrait que la culture mondiale libère un flot d'énergie spirituelle toute neuve qui dévoilera des possibilités humaines nouvelles, tout aussi peu visibles chez l'homme d'aujourd'hui que ne l'était le radium dans le monde physique d'il y a un siècle, bien qu'il ait été toujours présent. [...] Car quel est celui qui peut assigner des limites à l'émergence de l'homme ou à sa capacité de dépasser ses réalisations provisoires? Jusqu'à présent, nous n'avons trouvé de limites ni à l'imagination ni aux sources où elle peut puiser. Chaque objectif qu'atteint l'homme devient un nouveau point de départ, et la somme de tous ses jours ne constitue qu'un commencement[3].*

Peut-être était-il plus à la mode d'être optimiste il y a un quart de siècle, lorsque Mumford écrivit ces lignes, qu'aujourd'hui. Quoi qu'il en soit, le contraste absolu entre l'optimisme de celui-ci et le désespoir tardif de Heilbroner pose certaines questions clés: laquelle de ces visions est la plus réaliste? Quelle perspective est la moins erronée? Mais, plus important encore, quelle croyance est la plus salutaire?

Tendance évolutive à long terme

Quiconque étudie l'essor et la chute des cultures ne peut manquer d'être impressionné par le rôle que joue l'image qu'on se fait du futur dans cet enchaînement historique. L'essor et la chute des images précèdent ou accompagnent l'essor et la chute des cultures. Aussi longtemps que l'image d'une société est positive et florissante, la culture s'épanouit. Cependant, lorsque l'image commence à se gâter et à perdre de sa vitalité, la culture ne survit pas longtemps.

Fred Polak, *The Image of the Future*

Peu de questions revêtent une importance aussi capitale pour nous tous que celle de savoir comment interpréter la condition actuelle de notre société. Le futur est modelé par notre action collective qui, elle, est guidée par l'image que nous nous faisons de nos possibilités et par notre interprétation du présent. Si nous considérons notre situation actuelle comme un déclin par rapport à un âge d'or et si nous considérons et les humains comme des objets passifs à la merci de forces historiques accablantes, nous aurons tendance à réagir aux événements d'une certaine façon. En revanche, si nous escomptons l'aube d'un nouvel âge et si nous croyons que les humains sont des créatures spéciales dotées d'une capacité illimitée d'influencer les événements, nous réagirons d'une autre façon. Vu l'importance de cette question sur nos actions, nous devrons explorer plus à fond les principales caractéristiques de la «grande ascension».

Il est très tentant de définir notre progrès à partir des quatre plus beaux fleurons de nos réussites des deux ou trois derniers siècles: la compréhension de l'univers et de nous-mêmes que nous a fournie la science moderne, la puissance dont nous a dotés le développement technologique, la vitalité dont fait preuve (jusqu'à tout récemment, du moins) l'entreprise privée, et l'équité (habituelle) que permet d'atteindre la démocratie représentative. Mais une telle vision risque d'être trop étroite car, aujourd'hui, nous modifions sans cesse notre évaluation de ces réussites. Nous devrons donc nous tourner vers des caractéristiques plus fondamentales, moins éphémères, qui remontent encore plus loin que la Renaissance, peut-être même au-delà de ce que nous avons coutume de considérer comme le début de la civilisation occidentale.

Sous cet angle, quatre composantes de la tendance socio-évolutive à long terme du progrès humain semblent sous-tendre les quatre réussites dont nous venons de parler:

À long terme, une tendance a permis...

l'avènement de:	l'accroissement de:
La conscience	La science
La maîtrise de la connaissance	La technologie
La liberté	L'entreprise privée
La démocratisation	Le gouvernement démocratique

L'accroissement de la conscience

À partir de la conscience élémentaire de l'amibe, en passant par la conscience beaucoup plus vaste des vertébrés, jusqu'à la conscience de soi tout à fait exceptionnelle de l'être humain, la route poursuivie par l'évolution est caractérisée par une tendance à l'ascension de la conscience vers des niveaux toujours plus élevés. Il en va de même de l'évolution sociale: d'une immersion quasi-totale dans l'inconscient collectif des sociétés primitives, à travers divers degrés de prise de conscience de soi et de l'environnement total, jusqu'aux individus les plus informés et les plus conscients d'eux-mêmes que nous connaissons aujourd'hui.

Le secret intérieur de tout culte du mystère, le noyau ésotérique de toute religion, a toujours reposé sur l'expérience qui consiste à **devenir conscient de son propre potentiel supérieur**, cette perception intérieure qui donne tout son pouvoir à la notion selon laquelle nous puissions devenir plus que ce que nous sommes. La tendance à long terme de l'accroissement de la conscience comporte deux aspects: d'abord un accroissement de la conscience de soi chez un nombre de personnes de plus en plus considérable, ensuite un accroissement de la compréhension scientifique du monde.

Le premier aspect, l'accroissement de la conscience des populations, a été favorisé dans nos sociétés par la littérature et les arts, la philosophie, les disciplines spirituelles et, plus récemment, par toute une variété de psychothérapies, d'ateliers de croissance et autres outils du même genre. Le deuxième aspect a servi de motivation à la recherche scientifique ouverte et libre sur les croyances et les valeurs qui pourraient nous guider. L'émergence de l'idée selon laquelle les êtres humains ont la capacité de **savoir** – et donc de se qualifier comme scientifiques aussi bien que comme citoyens – a mis en branle une énorme machine culturelle à créer du savoir (une prise de conscience collective de l'univers). Plus tard, la technologie de l'imprimerie a fourni le médium par lequel la conscience de groupe a pu réussir des performances scientifiques et bâtir des gouvernements républicains.

Une plus grande maîtrise de la connaissance

C'est à dessein que nous avons choisi le mot **maîtrise** à cause de sa double connotation de **pouvoir** quant à la gestion de la vie, et de sagesse quant à son utilisation.

On peut penser à la maîtrise comme ayant une origine biologique, dans le sens d'un combat évolutif, d'une compétition entre des espèces et des individus pour des ressources limitées. L'utilisation d'outils rudimentaires et l'invention du langage changèrent le véhicule de cette maîtrise; de sélection biologique qu'elle était, elle devint développement culturel. Dans l'évolution de notre espèce, surtout depuis l'invention relativement récente de ce moteur social que nous appelons la **culture**, la maîtrise dépassa la sélection lente, inexorable et inconsciente des gènes. Les premiers humains se distinguèrent des autres espèces en compétition surtout par leur capacité à **modifier** leur environnement, plutôt que par leur capacité à s'y **adapter**.

Ce sont ces capacités exclusives aux êtres humains, qui consistaient à pouvoir concevoir, utiliser et sans cesse améliorer des outils et des technologies, qui nous permirent une maîtrise croissante de l'environnement. La poursuite de la maîtrise prit d'autres formes, toutefois; elle s'est aussi manifestée dans les différentes religions et dans les systèmes philosophiques et éthiques par lesquels les sociétés ont guidé les comportements. Dans ses manifestations les plus anciennes, pendant la protohistoire, la maîtrise technologique rejoignait la prise de conscience dans les techniques sacrées des chamanes et le travail du métal. Ceux qui connaissaient les secrets de la guérison et de la fusion du fer et du bronze gardaient ces secrets bien cachés, car ils savaient que la maîtrise peut aussi bien mettre en danger ceux qui la désirent qu'elle peut leur donner du pouvoir.

Les historiens appellent «esprit baconien» l'attitude relativement récente qui consiste à prendre comme but premier de la science la domination et la maîtrise de la nature par le savoir et la technologie. C'est précisément cette attitude qui devait mener à des excès dans la façon d'appliquer la connaissance scientifique à la manipulation de l'environnement.

Mais à l'époque de son apparition, l'esprit baconien représentait une force de libération incroyable. De façon générale, la technologie a contribué à améliorer le sort de populations jadis misérables. Les humanistes qui vivaient à l'époque de Bacon étaient à la recherche du bien-être «ici et maintenant», du confort matériel, du savoir appliqué à la vie civile, et d'édifices destinés aux humains. La maîtrise de la technologie rendait ces rêves possibles.

Malheureusement, à mesure que s'accroissaient les capacités technologiques, l'aspect «sagesse» de la maîtrise – celui qu'incarnait le maître dans les traditions spirituelles – s'affaiblissait. Ceci était dû au remplacement progressif de valeurs plus fondamentalement transcendantales par des valeurs utilitaires et matérialistes, dans un mouvement de pendule, amorcé il y a six ou huit siècles avec l'affaiblissement des valeurs religieuses traditionnelles, et qui oscilla vers l'opposé extrême du positivisme institutionnalisé qui sévit dans la période suivant la Seconde Guerre mondiale. La technologie acquit alors une vitesse de quasi-autonomie et les considérations d'essor économique et de supériorité militaire supplantèrent la sagesse en tant que force directrice.

L'accroissement de la liberté

L'espèce humaine jouit d'une liberté qualitativement différente de celle des animaux et, dans un certain sens, les hommes et les femmes modernes sont plus libres que ne l'étaient leurs ancêtres, cela ne fait aucun doute. Dans la société moderne, la recherche de la liberté se manifeste par l'idéal politique d'une liberté individuelle à l'intérieur d'un cadre légal, par l'idéal économique de l'entreprise privée, et par l'idéal culturel de l'individuation, de la maîtrise de soi et de la libération par la connaissance.

Les humanistes, les réformateurs et les scientifiques empiristes introduisirent une autre idée, tellement évidente aujourd'hui qu'on la commente rarement, mais qui était radicale à l'époque, à savoir la capacité de penser et d'agir par soi-même, de produire des œuvres d'art, de formuler des théories scientifiques et de diriger la destinée d'autrui. Lorsque l'homme se fit souverain de la nature, l'accroissement de sa conscience de soi devint à la fois condition préalable et conséquence. À partir de la Renaissance, les perspectives d'avenir s'accrurent pour les femmes de l'aristocratie; une opinion publique s'opposant à l'esclavage – cette institution humaine très ancienne et presque universelle – commença à prendre forme. L'individualisme économique, précurseur du capitalisme, remonte au XVIe siècle.

À mesure qu'elles se développèrent au cours de l'histoire, trois tendances se soutinrent et se provoquèrent mutuellement: ce sont une libération croissante des individus par rapport à la tyrannie de l'État, une libération croissante des populations par rapport à la tyrannie de l'ignorance et une libération croissante de la culture tout entière par rapport au tabou concernant l'exploration autonome des profondeurs de l'esprit humain.

L'accroissement de la démocratisation

Cette quatrième composante de la tendance évolutive à long terme comporte deux aspects: l'**égalité** et la **participation**. Cette tendance est à moins long terme, en quelque sorte, que les trois précédentes, en ce que la quête d'égalité et de participation ne s'amorça vigoureusement que vers le XVIIIe siècle, avec la poussée libérale et humanitaire de l'instruction. Dans les sociétés modernes, différents idéaux en sont l'expression. Dans le domaine social, ce sont l'éducation gratuite et la propagation généralisée des connaissances scientifiques; dans le domaine économique, c'est la libre concurrence; et dans le domaine politique, ce sont l'égalité de tous devant la loi, la garantie des droits civiques et de la personne, la démocratie de participation.

Parmi les causes et les manifestations de cette tendance, mentionnons l'apparition de la loi écrite (avec la *Magna Charta,* ou grande charte, même les rois furent soumis aux lois), l'administration impartiale de la justice et les procès devant jury. Des points de conflit et d'harmonie surgirent entre les composantes judiciaire, législative et exécutive du gouvernement jusqu'à devenir des sociétés royales et des académies de réforme de la science et du gouvernement, avant d'être enchâssés dans la constitution des États-Unis. C'est en Angleterre et en France qu'apparurent les premières formes de gouvernement représentatif, d'abord en secret, bien avant que ne se produisent dans ces pays les révolutions démocratiques, et bien avant les colonies américaines. La démocratisation des sociétés occidentales n'est pas encore achevée, loin de là, mais la tendance se poursuit; les récents combats en faveur de l'abolition de la discrimination raciale et sexuelle en sont des témoignages.

Ces quatre composantes de la tendance évolutive sont particulièrement frappantes dans la tradition occidentale, bien qu'elles aient été présentes, dans une certaine mesure, à travers toute l'histoire de l'humanité. C'est depuis la Renaissance qu'on peut attribuer à ces tendances l'extraordinaire vitalité de l'Occident, et d'une façon encore plus marquée aux États-Unis où l'on enseigne l'essentiel du credo à tous les enfants, dans toutes les salles de classe du pays.

Jusqu'à il y a un quart de siècle environ, les peuples opprimés du monde entier avaient de l'espoir parce que l'Amérique entretenait ces principes et ces tendances. Pour les membres les plus jeunes de la société actuelle, il est difficile de concevoir l'absence de cynisme et de doute qui caractérisait la foi de leurs grands-parents dans ces idéaux. Cette foi demeura vive jusque dans les années 1950.

C'est à ce moment que les choses se gâtèrent. Avec le recul, on peut noter des signes avant-coureurs qui remontent aussi loin qu'à la Première Guerre mondiale et à la Dépression. Après la Deuxième Grande Guerre toutefois, on pouvait commencer à discerner des signes de difficultés, malgré les succès économiques remarquables des États-Unis et des autres pays démocratiques. Vers les années 1960, ces signes étaient évidents, dans les années 1980, ils étaient angoissants.

Les dernières décennies vues sous cet éclairage

Est-il vraiment nécessaire de réciter la litanie familière de tous les symptômes: le racisme, l'injustice généralisée, l'oppression, voire l'esclavage – malgré des siècles de lutte en faveur des libertés individuelles et des droits de la personne – combinés à l'inflation, aux taux d'intérêt élevés, aux prix de l'énergie à la hausse, à l'accroissement de la dette, à la précarité du système financier mondial, au chômage croissant, aux pénuries de combustible et d'eau, au sous-développement dans une grande partie du monde, à la famine, à une course aux armements quasi apocalyptique, à la détérioration de l'environnement, aux densités excessives de population, etc.

Aussi sérieux que soient ces problèmes, ils ne sont que des symptômes d'une maladie plus fondamentale. Le casse-tête que pose le diagnostic est terrible: quelle est cette maladie sous-jacente? Quelles mesures thérapeutiques pourraient venir à bout de crises aussi graves?

Les marxistes, ainsi que nous le savons tous, ont tenté de répondre à toutes ces questions; d'autres partisans de la transformation aussi, et de toutes teintes idéologiques. Pour nombre d'Américains, de tels diagnostics suscitent une image, celle de la nécessité d'un changement de direction radical, celle de devoir prendre un chemin nouveau, inexploré. Cette image tend à créer de l'anxiété, à faire naître des conflits. Il nous faudra trouver une image de rechange si l'on veut promouvoir des gestes de coopération.

Nous pouvons décrire la maladie comme un éloignement par rapport à un état de bien-être. Nous pouvons aussi considérer la situation difficile actuelle de la société occidentale comme un éloignement par rapport à une tendance évolutive «saine». C'est la prise de conscience qui a engendré la science moderne; la maîtrise de la connaissance a permis les réussites fantastiques de la technologie contemporaine; la liberté a fait naître la vitalité de la libre entreprise; la démocratisation a permis l'avènement de gouvernements représentatifs et l'affranchissement politique de populations entières. Au début du siècle, les gains obtenus dans les quatre domaines étaient des plus impressionnants. Après réflexion, toutefois, nous pouvons voir à quel point le monde industriel s'est éloigné d'une «saine» tendance évolutive à long terme, surtout depuis la dernière guerre mondiale.

Ce sont les «succès» mêmes de la tendance évolutive à long terme qui devinrent la source des problèmes universels auxquels nous devons faire face aujourd'hui. Cet état de fait fut le résultat de très subtiles modifications dont la signification passa inaperçue, sauf auprès de quelques rares observateurs.

La plus fondamentale, sans doute, fut l'érosion du système de croyances sous-tendant les valeurs judéo-chrétiennes (et, par la même occasion, de tout système prônant des valeurs humaines et spirituelles) à cause de la position dominante qu'occupait la science mécaniste. Les valeurs devinrent relatives et arbitraires; les moyens d'évaluation du progrès technologique et les indicateurs économiques acquirent un pouvoir d'influence considérable sur la prise de décisions dans les secteurs privés et publics. Mais toutes ces pseudo-valeurs omettent de tenir compte des motivations les plus profondes et des aspirations les plus élevées des êtres humains, de la même façon qu'elles ont tendance à négliger les considérations relatives au bien-être de toutes les créatures et de toutes les populations, présentes et futures, de la terre. Les valeurs économiques et techniques ne mènent pas automatiquement – ni peut-être même habituellement – aux bonnes décisions sociales.

Ainsi, la poussée de conscience fut surtout réduite à une science utilitaire au service de la technologie. La maîtrise devint alors une technologie manipulatrice dominée par la fausse idée selon laquelle l'espèce humaine pouvait «maîtriser» la nature et résoudre tous les problèmes environnementaux et sociaux au moyen d'une «injection de technologie». On en vint à ne soutenir la recherche fondamentale, la poursuite d'une compréhension accrue de soi-même et de son environnement que si elle s'orientait assez directement vers des technologies contribuant soit à un gain monétaire soit à la puissance militaire de la nation.

Les progrès technologiques prodigieux qui ont eu pour effet d'accroître la productivité et de soulager les humains de la plupart de leurs tâches harassantes et déshumanisantes – sous prétexte qu'ils pouvaient ainsi avoir plus de temps à leur disposition – se métamorphosèrent, par une espèce de distorsion de la logique, en un problème des plus compliqués pour la société industrielle actuelle. Il y a maintenant une pénurie de rôles significatifs: il n'y a plus assez de travail pour tous. Les résultats fantastiques associés au progrès technologique contribuèrent à créer une situation de chômage et de sous-emploi chroniques.

C'est en vain que les gens se cherchent du travail; ils accomplissent des tâches n'utilisant qu'une fraction de leurs capacités. Dans les sociétés moins modernes, les forces technologiques chassent les gens de leurs villages, de leurs terres, vers les quartiers pauvres des grandes villes, où ils ne trouveront vraisemblablement que chômage et sous-emploi. Lorsque guidé principalement par les pseudo-valeurs économiques et techniques, le développement économique tend à produire des marginaux, des gens dont la société n'a pas besoin et qu'elle entretient, dans le meilleur des cas, comme des animaux domestiques, ou, dans le pire, qu'elle rejette comme des pièces de rebut.

Après la Seconde Guerre mondiale, avec l'augmentation des propriétaires absentéistes que sont les corporations, la grande entreprise privée commença à ne plus réagir qu'aux signes de rentabilité financière, et le monde corporatif fut de plus en plus obsédé par les situations financières à court terme, contrairement aux propriétaires individuels qui avaient plutôt une vision à long terme. En l'absence d'un engagement ferme en faveur de valeurs éthiques et sociales prépondérantes, les structures corporatives penchèrent de plus en plus vers l'irresponsabilité face aux questions sociales, quelque nobles et humanitaires qu'aient pu être les valeurs personnelles de leurs administrateurs.

C'est ainsi que le système de la libre entreprise, qu'on avait porté aux nues, devint peu à peu un complexe militaro-industrio-financier pratiquement autonome poursuivant ses buts propres, totalement insensible (en tant qu'institution) aux préoccupations des citoyens à propos de leur qualité de vie, de la préservation du bien-être de la planète et du sort des générations futures. Bien que ce développement ait amélioré la qualité de vie d'une minorité de la population mondiale, il existe une grande incertitude quant à l'avenir d'un monde où dominent des objectifs systématiques de gain financier, de croissance économique et de puissance technologique et militaire.

Dans de telles conditions, les limites de la démocratie représentative s'avérèrent à ce point évidentes qu'on exigea une forme de participation accrue. Lorsqu'on jugeait les réformes législatives lentes et inefficaces, ou lorsqu'on voyait le gouvernement sous l'emprise d'un groupe d'intérêts puissant, on pouvait recourir à une contestation directe de la légitimité des institutions dominantes et des comportements institutionnels, comme ce fut le cas récemment, lors des mouvements en faveur des droits civiques ou lors des manifestations contre la guerre.

Sur le plan international, le nombre de gouvernements ayant un fonctionnement démocratique ne cesse de diminuer. Dans le tiers monde, les colonies qui se sont affranchies se sont aperçues que la libération politique ne conférait pas automatiquement la libération économique et psychologique. L'héritage colonial avait créé de nombreux problèmes, des dissensions intestines considérables apparurent là où les nouvelles frontières nationales ne coïncidaient pas avec les frontières culturelles naturelles. L'importance des forces extérieures créèrent d'autres problèmes, comme la dépendance envers des marchés étrangers pour les matières premières, des marchés sur lesquels elles exercent bien peu d'influence. L'accroissement démographique et la déforestation causèrent encore d'autres problèmes. Tous ces facteurs exercèrent sur les gouvernements démocratiques des pressions difficiles à gérer.

En général, on peut dire que les grands problèmes mondiaux, problèmes tellement évidents et tellement embarrassants de nos jours, sont le produit des **grands succès** de la société industrielle occidentale qui, à cause des préjugés inhérents à son paradigme central, semble vouloir creuser ultimement un écart sérieux par rapport aux tendances évolutives à long terme.

Lorsqu'on considère les progrès de l'après-guerre comme l'opposé d'une «saine» évolution, la sagesse conventionnelle s'en trouve renversée. Au lieu de considérer la période de l'après-guerre comme la représentation d'une «croissance normale», nous la percevons plutôt comme une aberration, comme l'abandon d'une tendance à long terme. Les dernières décennies ont d'ailleurs été caractérisées par une confusion dans les valeurs et par une pénurie d'images d'un avenir viable. Mais **les objectifs évolutifs à long terme sont bien enracinés et peuvent encore nous inspirer comme ils le faisaient jadis.** Un avenir qui sous-entend leur réalisation nous semble plus attrayant et moins menaçant que la consommation et la croissance irréfléchies auxquelles nous convie la mentalité économique conventionnelle ou encore la «transformation» d'un Nouvel Âge racoleur qui ne serait pas enraciné dans l'histoire et qui ne prendrait pas en considération les peurs et les dangers associés à un changement organique trop brusque.

Le «possible» rêve

L'examen de la tendance évolutive à long terme, selon nos propos antérieurs concernant le spectre de la créativité, des percées intuitives et de la sagesse éternelle, aboutit à une interprétation utile. Pour le moment, mettons de côté les questions du genre «Comment nous rendre de là à là?», et tentons de clarifier l'image du type de société vers laquelle se dirigerait la tendance évolutive, en supposant qu'elle subisse l'ascendant de la sagesse éternelle.

La conscience

Entre les deux aspects de la conscience, la conscience de l'environnement extérieur et la conscience de soi, la société moderne s'est spécialisée dans le premier au détriment du second. Même si la quête de compréhension scientifique du monde physique a subi quelques distorsions dues à l'accent mis sur l'aspect utilitaire, ses succès sont tout de même impressionnants. Le bond effectué par la connaissance scientifique depuis le milieu du XVIIIe siècle est sans pareil dans l'histoire.

Ainsi que nous l'avons vu, l'intérêt accordé à la conscience du monde qui nous entoure a tendance à être remplacé, dans les deux dernières décennies, par une importance accrue du monde de l'expérience intérieure. Cette nouvelle prise de conscience comporte le sentiment que l'être humain n'est pas aussi isolé que nous le pensions habituellement et que, dans certaines conditions, nous pourrions avoir la conscience intuitive et directe que nous faisons un avec les autres et l'univers, et qu'il n'y a aucune limite aux possibilités de cette unicité.

Il y a longtemps que les sciences de la perception intérieure affirment que les hommes et les femmes passent leur vie dans une espèce de sommeil hypnotique. C'est une «hypnose culturelle» qui provient de ce que la société a réussi à nous programmer de façon que nous percevions l'univers qui nous entoure de la même façon que le font tous les autres membres de notre culture. «Dans son état ordinaire, l'homme est hypnotisé et cet état hypnotique est constamment maintenu et renforcé en lui... Pour l'homme, "s'éveiller" veut dire être "déshypnotisé".» Voilà ce qu'écrivait P. D. Ouspensky, il y a un demi-siècle, dans un livre intitulé *In Search of the Miraculous* (À la recherche du miraculeux).

Lorsqu'une personne commence à être «déshypnotisée», ou «illuminée», et qu'elle atteint un état de conscience intérieure accrue, elle s'aperçoit que certaines décisions qu'elle croyait dictées par la logique étaient en réalité le reflet de choix qui s'étaient faits à un niveau supérieur du moi, niveau que nous avons associé à l'inconscient, au processeur d'idées; elle s'aperçoit aussi que les expériences et les relations nécessaires à sa croissance personnelle ont été recherchées et choisies par cette partie de son moi et que ce n'étaient en aucun cas des accidents ou des coïncidences comme elle avait cru les voir au moment où elles s'étaient produites.

Une telle personne prend conscience qu'aucun désir n'est plus fort, dans la vie, que celui – maintenu jusque-là en dehors de sa perception consciente, enterré qu'il était par les bruyantes demandes de l'ego – qui consiste à identifier et à suivre la voie du moi supérieur. Une telle personne prend conscience que le potentiel humain semble illimité et que, d'une certaine façon, tout le savoir et tout le pouvoir sont finalement accessibles à l'esprit qui regarde en lui-même, et que toutes les limitations sont les conséquences de croyances restrictives.

La maîtrise

Nous avons délibérément choisi le mot **maîtrise** pour qu'il ait la connotation du maître dans les traditions spirituelles. Il suggère la maîtrise du monde extérieur, mais aussi la maîtrise des forces intérieures; il signifie exercer son pouvoir sur sa destinée personnelle mais en même temps réaliser son unicité avec le tout. Au niveau de la société, cette maîtrise comporte l'idée d'une sagesse qui dirige et sert de médiateur face à la terrifiante puissance économique, technologique et militaire des sociétés industrielles.

Par conséquent, la direction future de cette composante de la tendance évolutive ne se situe pas dans un accroissement accéléré et continu de la technologie manipulatrice tel que le prédisent les «technologues optimistes»; elle ne se situe pas non plus dans le désaveu de la technologie que semblent parfois prôner certains prophètes de malheur du mouvement du Nouvel Âge. Cette direction se retrouve plutôt implicitement dans la racine du mot **technologie** (*technologos*), «art guidé par la raison». Ce qui laisse entendre que nous devrons corriger la tendance actuelle du développement et des applications de la technologie, guidés par des considérations à court terme et strictement économiques et qui semblent ignorer les conséquences pour les générations futures et les préoccupations plus générales de l'humanité.

La liberté

Cette tendance à la liberté vise finalement la libération politique, économique, psychologique et culturelle de tout être humain. Elle est manifeste dans l'idéal politique de la liberté individuelle à l'intérieur d'un cadre légal, et dans l'idéal économique de l'entreprise privée régie par une série de valeurs éthiques et communautaires.

Lorsque nous avons abordé, un peu plus tôt, les croyances et les choix inconscients, nous avons vu que la liberté était une question beaucoup plus subtile que la simple libération des contraintes imposées de l'extérieur. Être libre veut dire: «Je peux agir selon mes propres choix», mais qu'est-ce que cela signifie pour la nature divisée d'un «je» non régénéré? Si je suis «libre» de suivre une impulsion d'autodestruction, ou de satisfaire une habitude compulsive, suis-je vraiment libre? Si je suis libre de poursuivre un but dont je suis conscient mais que, inconsciemment, je désire autre chose, suis-je vraiment libre?

Voici comment le théologien Henry Nelson Wieman définit la liberté: «La liberté, c'est la capacité de vouloir avec son moi tout entier.» La psychothérapeute Esther Harding, pour sa part, observe que «le seul véritable libre arbitre de l'homme consiste à choisir de son plein gré ce qui est inexorable». Le poète Robert Penn affirme que «reconnaître la nécessité, c'est le début de la liberté». Pour l'auteur Allan Watts, «la véritable liberté [...] réside dans la connaissance claire que la volonté du moi ne fait qu'un avec la volonté de la réalité ultime, et donc avec sa liberté infinie». Un vieux dicton populaire est encore plus explicite: «Libre est cet homme, conscient d'être l'auteur de la loi à laquelle il obéit.»

Chez l'être humain, libération et conscience sont très étroitement liées. Theodore Roszak, historien et critique social, a déjà mentionné le fait que la conscience plus étendue des potentialités humaines se manifestait dans son sens politique par le «droit d'être sa propre personne». C'est le droit de considérer la découverte et la libération de soi comme la tâche principale de sa vie, et qui plus est, le droit d'être appuyé dans cette tâche par toutes les institutions sociales. Ce «droit d'être sa propre personne» est implicite dans les divers mouvements de libération des deux dernières décennies. C'est le droit d'être ce qu'on est, peu importe ce qu'on est: homme ou femme; blanc ou noir, jaune ou brun; chrétien, juif ou musulman; homosexuel ou hétérosexuel; handicapé, intellectuel, athlète ou autre. On a caricaturé ce droit comme le «nouveau narcissisme», on l'a décrié comme l'égocentrisme de la «génération du moi»; il y a assurément une certaine similarité apparente entre le sentiment exagéré de son propre ego et celui qui provient d'une perception juste de celui-ci[*]. Roszak compare le «droit d'être sa propre personne» au droit d'avoir un gouvernement démocratique, il y a deux ou trois siècles. On peut facilement imaginer le scandale et les objections qu'a dû soulever, dans l'Angleterre de Bacon, l'idée qu'on puisse instruire les paysans afin qu'ils participent à leur propre gouvernement.

La grande majorité de la population mondiale vit dans des régions que l'on regroupe sous le vocable de «tiers monde» ou encore de «pays en voie de développement». Jusqu'à maintenant, le tiers monde était un géant qui dormait; aujourd'hui, le géant se réveille. Les revendications de libération du statut de colonie sont suivies par des pressions à l'encontre du «colonialisme économique» puis, timidement mais rapidement, on se rend compte que la libération finale est à la fois culturelle et psychologique.

On prend de plus en plus conscience qu'un développement culturel sain doit se faire à partir des racines indigènes et qu'on ne doit jamais rejeter ses origines naturelles en faveur d'une culture étrangère, prétendument supérieure. Or, au cœur de la plupart des racines culturelles indigènes, on retrouve les secrets de la sagesse éternelle.

Par conséquent, de la même façon que le mouvement en faveur du «droit à sa propre personne» révèle un respect de la diversité des styles de vie et des caractéristiques personnelles refusant toute désapprobation, il semble exister, en parallèle, un «droit à la culture». L'homogénéisation finale de la culture globale semble de moins en moins probable, malgré une industrialisation et des interrelations de plus en plus généralisées à travers le monde; la poussée de libération qui émerge actuellement tend vers un écologisme de cultures variées et de sociétés décentralisées.

La démocratisation

Tout formidables qu'aient pu être les progrès de la démocratie représentative il y a deux siècles, ils ne représentent qu'un pas sur le

---

[*]   L'auteur compare les mots *selfishness* et *self-hood-ness*. (N.d.T.)

long chemin de l'évolution. Nous n'avons qu'à considérer le monde dans son entier et voir l'incapacité relative des peuples du tiers monde à être les maîtres de leur propre destin pour comprendre tout le chemin qu'il reste à faire pour arriver à la démocratisation. Il y a dans l'air une certaine forme de démocratie économique, et ce n'est pas forcément la démocratie industrielle qui était très populaire dans le nord de l'Europe il y a quelque temps. Au-delà de la démocratie représentative, il semble y avoir une espèce de démocratie de participation non coercitive où le haut degré d'engagement dans une éthique écologique et coopérative rend inutile une structure gouvernementale lourde; c'est ce dont témoigne la nouvelle révolution de la recherche sur la conscience.

Paix sur la terre: le rêve impossible devient possible

Nous approchons de la fin de notre histoire. Nous avons vu que la conscience cachée recelait des trésors qui pouvaient enrichir à l'infini la vie des individus et provoquer des percées majeures dans les sciences, les arts et la vie quotidienne. Nous avons vu comment, en négligeant cet aspect de l'expérience humaine, nous avons créé une confusion dans les valeurs, qui s'est soldée par une crise dans la civilisation, une crise de la signification. Nous avons vu, à l'intérieur de certaines tendances à long terme, des signaux lumineux qui semblent presque instinctivement inhérents à l'évolution de l'humanité. Or, nous n'avons pas véritablement fait face à la cause profonde du désespoir de nombreuses personnes. Existe-t-il une façon de passer des grands problèmes mondiaux actuels à un monde humain et supportable, une façon par laquelle chacun de nous pourrait identifier son rôle, sa contribution?

Nous serons audacieux et nous répondrons par l'affirmative. Dans les pages qui restent, nous tenterons de démontrer de quelle façon la connaissance de la conscience cachée et des capacités de percées qui émerge à l'heure actuelle s'applique directement à la recherche d'une solution à l'enchevêtrement compliqué de tous les problèmes auxquels l'humanité doit faire face aujourd'hui, y compris le problème que représentent les armes nucléaires.

Représentons-nous d'abord le but à atteindre. Imaginons une république mondiale où la guerre n'aurait plus cours; dans laquelle tout citoyen de la planète aurait la chance de pouvoir se bâtir, par ses efforts personnels, une vie convenable pour lui-même et pour sa famille; dans laquelle les hommes et les femmes vivraient en harmonie avec la terre et toutes ses créatures, collaborant pour créer et maintenir un environnement sain pour tous; où serait respecté le voisinage des différentes cultures dont on apprécierait et encouragerait la diversité; où on aurait en commun le sentiment profond du sens de la vie elle-même, ce sens que l'on ne doit plus chercher dans la possession et la consommation irréfléchies. L'objectif «Paix sur la terre aux hommes de bonne volonté» est à la fois possible et réalisable dans un avenir prévisible. En vérité, nous ne pensons pas pouvoir imaginer un autre avenir possible en cet âge du nucléaire.

Nous résumerons notre argument en faveur de la possibilité de réalisation de cette vision en énumérant les dix découvertes fondamentales qui se sont fait jour au cours de notre exploration de l'esprit et de l'âme. Ces dix constatations sont beaucoup plus des déductions générales que des conclusions, et une grande variété de résultats de recherches tendent à les soutenir. Considérées conjointement, ces propositions ont des conséquences profondes quant à la possibilité d'une paix universelle durable et la poursuite de l'évolution de l'humanité.

1. *Chacun de nous a des croyances inconscientes et des croyances conscientes; et ce sont nos croyances inconscientes, beaucoup plus que celles dont nous sommes conscients, qui façonnent notre comportement.*

Cette conclusion qui touche la conscience cachée est fondamentale dans le domaine de la psychologie dynamique. Or, dans le monde des affaires, de la politique, de l'éducation et des relations sociales, on agit comme si elle n'avait aucune importance ou comme si elle n'existait pas.

Lorsque des personnes subissent une transformation majeure, que ce soit en vertu d'une thérapie en bonne et due forme, d'un séminaire de quelques jours ou d'une expérience fondamentale spontanée, il s'effectue toujours une découverte essentielle: lorsqu'on regarde avec une perspective différente des problèmes existentiels apparemment insolubles ayant provoqué une crise fondamentale dans sa vie, non seulement ces problèmes semblent-ils solubles, mais on constate qu'ils proviennent de croyances inconscientes et que tous les éléments nécessaires à leur solution étaient là, depuis toujours. Le problème fondamental consistait en une résistance psychologique devant cette découverte, devant la nécessité d'avoir à changer ces croyances inconscientes.

Selon nous, il est possible de formuler une proposition analogue à propos des problèmes sociaux et mondiaux.

2. *La plupart de ces croyances inconscientes prennent forme très tôt dans la vie et elles sont fortement influencées par la culture dans laquelle on vit.*

Tout en reconnaissant *grosso modo* la véracité de cette affirmation, nous répugnons à admettre que notre vision personnelle du monde puisse être très bornée. Nous percevons le monde tel que notre culture nous a enseigné à le percevoir. À nos yeux, il est «naturel» que les gens adoptent les croyances et les valeurs dominantes de la société industrielle; les motivations et les objectifs que les gens manifestent dans cette société sont «normaux», et c'est la science occidentale qui présente la «meilleure» image de la réalité. Pour nous, ce sont là des évidences. Nous trouverions extrêmement pénible, et même peu souhaitable, d'entrer dans l'état d'hypnose culturelle où se trouve une personne qui vit en dehors de la culture industrielle et de percevoir sa réalité. Nous présumons sans réserve qu'un jour viendra où la planète comprendra une seule et même culture industrielle ou hyperindustrielle.

Pour l'Américain typique, il serait très difficile d'accepter qu'une personne de culture différente puisse trouver tout à fait insensé l'objectif tacite de la société américaine, qui vise une consommation toujours croissante de biens, de services, d'énergie et d'information. De même, il lui semblerait inconcevable que des gens qualifient de «totalement insensée» l'idée selon laquelle les considérations d'ordre économique devraient constituer les facteurs déterminants des décisions sociales touchant les générations futures et les peuples du monde entier. Par ailleurs, des gens de culture différente pourraient ne pas trouver tout à fait logique ce concept selon lequel les armes de haute technologie sont les produits d'une «industrie de croissance». Quelle serait leur opinion sur notre programme de «sécurité nationale», ce programme qui nous donne l'impression d'être moins en sécurité aujourd'hui qu'à toute autre époque de notre histoire?

3. *Parmi ces croyances inconscientes, certaines contribuent à des états de non-paix, à des états intérieurs de peur, de méfiance et d'hostilité.*

Il est facile d'imaginer l'influence d'une croyance comme «Les gens dont la couleur de la peau est différente de la mienne sont étrangers et dangereux», ou bien «Nous habitons dans un monde où la compétition est inévitable, à cause de la rareté des ressources». Bien que nous nous en sentions tout à fait libres, il est très peu probable, sinon impossible, de grandir sans aucun préjugé profond et subtil, qu'il soit de caractère religieux, racial, politique, économique, sexuel ou national.

Il y a plus important toutefois – bien que moins évident –, et ce sont les prémisses collectives qui forment la base même de la structure du système mondial actuel. Ce sont ces ententes tacites qui, finalement, sont la cause de la course généralisée aux armements, qui contribuent à la dégradation de l'environnement, qui sont responsables du système mondial de distribution de la nourriture et de ses disparités odieuses, de même que des autres aspects du «macroproblème» de la planète. Bien que nous ne soyons aucunement conscient de nos sentiments hostiles ou négatifs, bien que nous ressentions amour et compassion envers l'espèce humaine tout entière, dans la mesure où nous «achetons» ou soutenons le système de croyances collectif qui sous-tend la vision du monde de la civilisation occidentale actuelle, chacun de nous est complice de l'état de non-paix et d'insécurité dans lequel se trouve aujourd'hui le monde, et de l'aliénation dont nous sommes victimes par rapport à notre nature propre.

4. *Nous éprouvons une grande résistance psychologique devant des faits ou des expériences qui remettent en question l'exactitude de notre système de croyances caché.*

En psychothérapie, on rencontre d'innombrables exemples de résistance face au changement de croyances même nuisibles ou destructrices comme: «Malgré les rapports médicaux qui disent le contraire, le fait de fumer de façon compulsive ne mettra pas ma vie en danger», ou encore «Je me dois d'être compétent et de réussir dans tous les domaines, sinon je me sentirai médiocre et coupable.» On peut relier cette résistance mystérieuse à une peur inconsciente de révéler des aspects déplaisants de la conscience cachée.

Or, tout nouvel examen de croyances profondément enracinées rencontrera de la résistance, même en l'absence d'une possibilité de réaction négative. Ainsi que nous l'avons fait remarquer plus tôt, nous craignons de «rencontrer le divin en nous», ce qui exigerait une grande responsabilité que nous refusons.

5. *Malgré la résistance, on peut changer des croyances inconscientes et, pour effectuer ce changement, la suggestion, l'affirmation et l'imagerie mentale sont beaucoup plus puissantes qu'on ne le reconnaît habituellement.*

On peut remplacer des croyances qui contribuent à créer des états intérieurs de peur, de méfiance et d'hostilité par des croyances qui accroîtront la capacité d'amour, de confiance, de partage et de coopération, en autant que la personne le veuille et qu'elle soit prête à se soumettre à une discipline sérieuse. (Ici, nous ne parlons pas de tentatives directes de reprogrammation des croyances inconscientes d'une **autre** personne par le conditionnement actif ou d'autres techniques. Certains utopistes préconisent de telles tentatives, mais ils courent le risque que les moyens ne gâchent la fin. Non, c'est l'individu lui-même qui doit choisir le moment et la façon de changer.)

Il est aussi possible de modifier les croyances inconscientes qui contribuent indirectement à favoriser, sur la planète, des conditions de non-paix et d'insécurité qui, à leur tour, engendreront un certain type d'institutions économiques et politiques. Nous avons déjà discuté de la possibilité de changer des croyances inconscientes par l'affirmation et l'imagerie mentale. Comparée aux approches éducatives conventionnelles, l'affirmation est beaucoup plus puissante lorsqu'il s'agit de modifier des croyances inconscientes, parce qu'elle contourne la résistance psychologique profonde et généralisée que l'on manifeste devant les changements du système de croyances inconscient.

6. *Les choix se font aussi bien inconsciemment que consciemment. Une meilleure compréhension de ce fait nous permettrait d'améliorer notre façon d'effectuer des choix.*

Nous sommes divisés et prédisposés aux conflits intérieurs, à moins de réussir à mettre de l'ordre dans toutes les parties de notre être, ces «complexes autonomes», comme les appelait Jung. Nous y parviendrons seulement lorsque nous mettrons nos choix conscients au service de l'esprit profond, tel que le suggère la vision centrale de la sagesse éternelle. Cette modification fondamentale rencontre une forte résistance, car elle représente une abdication de l'ego. Pourtant, c'est une étape que recommandent les mystiques de toutes les grandes traditions spirituelles ainsi que la plupart des psychothérapies.

7. *Le «savoir» inconscient (qui se distingue des «croyances» inconscientes) est à la fois un aspect inhérent à l'expérience (dont on tient très peu compte ordinairement) et une ressource très largement sous-utilisée.*

Cette proposition contient l'essentiel de ce livre. Que vous l'appeliez «expérience de percée», «*channeling*», ou «contact de l'intuition profonde», le savoir que requiert la solution de tout problème est sans cesse disponible, et c'est ce dont témoignent les innombrables explorateurs qui nous ont précédés. Or, cette proposition est à ce point incroyable que nous ne l'acceptons que graduellement. «Tout ce que vous demanderez dans la prière, croyez fermement que vous l'obtiendrez, et cela vous sera accordé» (Marc, 11:24). Cette idée contredit totalement la vision du monde sur laquelle repose notre société scientifique. Elle est donc fausse, ou bien...

8. *Les croyances inconscientes collectives sont la cause fondamentale des grands problèmes qui assaillent le monde d'aujourd'hui.*

Celles qui tirent le plus à conséquence quant à la réussite de la paix planétaire et du maintien de la société globale, ce sont les prémisses inconscientes qui ont cours dans les nations les plus puissantes (les grands pays industrialisés). Ancrées dans les principales institutions sociales, économiques et politiques, et perpétuées par elles, ces croyances inconscientes sont particulièrement tenaces. Si l'on maintient l'analogie avec la psychothérapie, le véritable problème réside dans la résistance culturelle devant la réévaluation de ces croyances inconscientes (la découverte des origines cachées des problèmes et la nature des solutions finales).

9. *Une forte résistance se manifeste lorsqu'il s'agit de changer ces croyances collectives inconscientes, même si, de toute évidence, elles sont nuisibles et pour les individus et pour le groupe.*

Dans *Patterns of Culture*, l'anthropologue Ruth Benedict en donnait un exemple tout à fait pertinent, il y a de cela plusieurs années:

> *[Il y a] de ces régions où le recours organisé à la tuerie mutuelle entre groupes sociaux ne se produit jamais. [...] Certains peuples sont incapables de concevoir la possibilité d'un état de guerre. [...] J'ai personnellement essayé de discuter de guerre avec des Indiens de la tribu Mission de Californie, mais c'était impossible. Le fondement même d'une telle idée n'existe pas dans leur culture et toute tentative de raisonnement de leur part sur le sujet les amenait à réduire au niveau de vulgaires bagarres de rue les guerres auxquelles nous nous consacrons avec une si grande ferveur morale.[...]*

D'ailleurs, dans notre civilisation, la guerre représente un bon exemple du caractère destructeur que peut entraîner le développement d'un trait culturel. Lorsqu'on tente de montrer les fondements de la guerre, ce n'est pas pour en présenter les mérites par un examen objectif mais plutôt pour justifier ses traits de caractère[4].

Le fait d'identifier des croyances partiellement inconscientes qu'il faudrait changer ne manquera pas de soulever une forte résistance de la part de la société. Dans le passé, les sociétés ont traité plutôt sévèrement ceux qui l'ont fait, les accusant d'hérésie, ou pire encore. De nos jours, la résistance peut prendre toutes sortes de formes: des réfutations et des rationalisations extrêmes jusqu'aux accusations de comploter avec l'ennemi, d'être «communiste» ou antiscientifique, etc. Voici quelques exemples de croyances partiellement conscientes que l'on pourrait déduire à partir de certains comportements sociaux et institutionnels:

Le destin de l'humanité est de «maîtriser la nature». (En produisant, par exemple, des plantes et des animaux économiquement rentables et en vouant à l'extinction les espèces «qui n'ont aucune utilité»).

La voie du progrès social réside dans l'accroissement continu du rendement brut. (Cette croyance contribue non seulement à l'épuisement général des ressources et aux problèmes environnementaux que nous connaissons, mais elle souscrit de plus en plus à la conclusion douteuse selon laquelle la course générale aux armements est «bonne pour l'économie».)

La rationalité économique (le dernier bilan financier, par exemple) constitue un guide adéquat dans les prises de décisions sociales. (Citons la pratique économique courante de ne jamais tenir compte du futur, faisant ainsi peu de cas des conséquences qu'ont, sur les générations futures, les décisions prises aujourd'hui.)

Tout espoir de solution des problèmes sociaux réside dans les approches scientifiques et technologiques (à preuve, les tentatives de résolution des problèmes à l'aide de techniques de modifications comportementales conçues de façon scientifique).

10. *On peut toutefois changer ces croyances collectives. On pourra ainsi atteindre une paix universelle et créer une société planétaire viable: le tout ne requiert qu'une modification des croyances collectives inconscientes.*

Cet argument semble dangereusement simpliste. En effet, s'il était aussi facile d'avoir la paix sur la terre, pourquoi ne l'avons-nous pas faite plus tôt? Il y a à cela deux raisons.

Premièrement, nous n'avons jamais pris au sérieux le fait que la guerre et la famine fussent intolérables. La guerre a toujours semblé faire des gagnants. Mais il n'y aura aucun gagnant après une guerre nucléaire. De plus en plus, notre interdépendance et notre interrelation font en sorte que lorsqu'il y a un appauvrissement et des famines massives, il devient évident que la planète tout entière est malade. Il y a maintenant dans le monde, et c'est un phénomène nouveau, un nombre sans cesse croissant de gens conscients qui comprennent qu'on ne peut plus décemment permettre la sous-alimentation massive chronique et qu'il est intolérable qu'on la transmette comme un legs, d'une génération à l'autre, au moment même où nous sommes tous menacés par l'holocauste nucléaire. Ces gens savent aussi que la politique de dissuasion n'était qu'un pis-aller qui tire à sa fin et que les défenses antinucléaires du type *Guerre des Étoiles* ne sont qu'un mythe onéreux et dangereux.

Deuxièmement, nous possédons maintenant des connaissances que nous n'avions pas auparavant sur les conséquences des croyances inconscientes, sur la façon de les changer et sur les ressources nouvelles que ce savoir peut déclencher.

Si nous voulons éliminer à tout jamais la guerre il n'est pas nécessaire de changer la nature humaine. C'est la programmation de l'inconscient humain qu'il nous faut changer, et c'est totalement réalisable.

Pour quel motif entreprendrait-on cette reprogrammation? La réponse est la suivante: parce qu'elle mène à des percées personnelles, à un sentiment de satisfaction de soi, à une vie stimulante et à un avenir viable pour tous. Il ne s'agit ici ni de théorie ni de spéculation. Des rapports d'enquêtes ainsi qu'une grande variété d'indices moins officiels attestent que, de toute évidence, un réseau croissant d'individus ont déjà entrepris cette reprogrammation[5]. D'autres les rejoignent à cause de ce qu'ils entendent et de ce qu'ils observent. Ce réseau s'étend de plus en plus aux pays socialistes et au tiers monde aussi bien qu'aux riches nations capitalistes.

Il est inquiétant de reconnaître toutes les restrictions qui existent à cause d'une croyance généralisée selon laquelle toute paix universelle est impossible, voire «irréaliste». Imaginez l'effet que produirait le renversement de cette affirmation négative si, par exemple, on affirmait sans cesse: «La paix universelle est possible, et c'est le strict minimum!»

Que puis-je faire?

«Que puis-je faire pour aider à réaliser cet objectif qu'est le maintien d'une paix universelle?» C'est la question qui vient immédiatement à l'esprit de quiconque saisit la réalité de cette éventualité.

D'aucuns soutiendront qu'il faut d'abord et avant tout travailler en vue d'un accord sur le désarmement; d'autres rejetteront cette idée parce que peu pratique. Certains prétendront qu'il doit y avoir une «révolution de l'équité», un «nouvel ordre économique mondial», alors que d'autres ne pourront prendre cette proposition au sérieux. Certaines personnes revendiquent des mécanismes qui permettraient la résolution non violente des conflits, mais c'était précisément la raison d'être des Nations Unies! Plusieurs affirment qu'il suffirait d'apprendre à s'aimer les uns les autres et de parler de paix tout autour du globe; bien trop simpliste, certains. Quelques-uns préconisent l'action politique, d'autres la méditation et la paix intérieure. Beaucoup ont l'air déconcertés ou désespérés.

Nous croyons qu'il existe quatre types d'actions individuelles possibles; pour assurer une contribution équilibrée, elles doivent **toutes** être entreprises. Les voici:

1. *Il faut dire «non» à cette insanité qui consiste à tolérer une situation intolérable.*

Dire «non» à la perspective de voir ses enfants et ses petits-enfants grandir dans la peur que le monde ne se détruise avant qu'ils aient eu la chance de vivre leur vie. Dire «non» à la justification et à la glorification perpétuelles de la guerre comme instrument de politique nationale, de quelque nation qu'elle provienne.

Au XIXe siècle, le stratège prussien von Clausewitz a défini la guerre comme «une extension par d'autres moyens de la politique d'un État». Si nous pouvions passer de cette argumentation rationnelle en faveur de la guerre à une dénégation totale de celle-ci, cela constituerait l'un des retournements les plus profonds dans l'histoire de l'humanité. Il **devra** se produire, sinon c'est le suicide de la civilisation.

Les changements vraiment fondamentaux qui se sont produits dans l'histoire des sociétés – tels que la chute de l'empire romain ou le déclin du Moyen Âge – ont été le résultat non de décisions arbitraires de quelques leaders, mais de légers changements dans l'esprit d'un nombre considérable de gens. C'est le peuple qui accorde à toutes les institutions sociales leur légitimité, peu importe la puissance apparente de celles-ci. Il arrive parfois que le peuple se souvienne qu'il a aussi le pouvoir de retirer cette légitimité.

Dans le passé, on a retiré toute légitimité à l'esclavage, au châtiment cruel et exceptionnel, à la torture, au duel, à l'assujettissement et à la mutilation des femmes, à l'infanticide des filles. De la même façon on pourrait retirer toute légitimité aux guerres lorsqu'il se produit un changement dans la conscience des gens, lorsqu'on éveille leur volonté d'agir, celle des femmes surtout.

Malgré les opinions personnelles de quelques leaders mondiaux féminins, la conscience féminine tend à vénérer et à protéger la vie; la guerre fut presque toujours exclusivement un jeu d'hommes.

Depuis la Seconde Guerre mondiale, la guerre n'est plus une lutte entre deux armées bien entraînées, c'est la décimation des populations civiles. On doit lui dénier toute légitimité. Il n'y a pas d'autres solutions.

2. *Dire «oui» à la transformation évolutive qui, seule, peut apporter au monde une paix durable, une sécurité universelle.*

Affichez l'image positive d'un monde où il serait impensable que la guerre soit un choix politique délibéré; où personne n'aurait peur des recherches reliées à la fabrication des armes nucléaires, à la dévastation des villes, à l'empoisonnement des populations, à la destruction de l'environnement, parce que personne ne les utiliserait à mauvais escient.

Essayez de reconnaître, de comprendre et d'affirmer toutes les conséquences de la proposition suivante: il n'y a qu'un seul moyen de proscrire la guerre, c'est de changer radicalement les croyances qui éloignent les nations les unes des autres, qui séparent les gens de la nature et de leur propre moi profond. Aucune solution technique, aucun gel de la course aux armements, aucun accord multilatéral restrictif, aucun engin à faisceau de particules destiné à intercepter les missiles ennemis ne suffiront à supprimer le danger des armes nucléaires. Affirmez qu'il est possible d'accomplir ce changement complet dans l'attitude mentale universelle. Le changement se propagera en grande partie de personne à personne, car chaque effort individuel compte.

Prenez conscience de la puissance de vos images mentales. Le maintien d'une image négative – arrêter sa pensée sur la peur d'un combat nucléaire éventuel ou sur sa colère contre des chefs d'État qui poursuivent l'escalade des missiles nucléaires – contribue à hâter l'avènement de ce que l'on craint ou de ce que l'on hait. Être contre la guerre, ce n'est pas du tout la même chose que d'affirmer la paix. Maintenir une image positive, imaginer de façon précise un état souhaité sont des actions qui contribuent à la réalisation de cet état. Cette affirmation peut sembler très mystérieuse si nos croyances sont limitées quant aux possibilités de l'esprit humain.

Nous ne parlons pas d'une simpliste «puissance de la pensée positive». Maintenir et affirmer l'image positive d'un monde qui fonctionne pour presque toutes les populations, où l'harmonie règne entre les peuples et entre l'homme et la nature, et d'où est banni à tout jamais le fléau de la guerre n'est pas simpliste. Compte tenu de l'interconnexion de tous les esprits, l'affirmation d'une vision positive représente probablement l'action la plus complexe que nous puissions entreprendre.

Il est vrai, toutefois, qu'il pourrait paraître simpliste de croire qu'il suffise de tous nous aimer les uns les autres et de tenir un discours pacifiste pour que la paix s'installe dans le monde. Cela peut paraître simpliste vu les grandes forces de l'inconscient qui reflètent l'ambivalence de notre amour et colorent notre paix de nos conflits intérieurs. Ce sont les croyances collectives inconscientes qui façonnent les institutions du monde et qui sont à la base de l'oppression et de l'injustice institutionnalisées. La «paix» ne sera toujours qu'une trêve de courte durée si l'on sent partout des impressions généralisées d'iniquités fondamentales, de besoins inassouvis et d'injustices à corriger. Mais en proclamant l'image positive de façon régulière et persistante, nous finirons par modifier les croyances inconscientes, modifiant par le fait même la perception du monde et, partant, le monde lui-même.

3. *Accomplissez votre travail intérieur. Découvrez qu'il est possible d'avoir une perception plus positive du monde, non moins réaliste que la précédente, mais beaucoup plus susceptible de mener à des réponses constructives, à des idées novatrices, à des percées.*

Le travail intérieur comporte au moins trois aspects: 1) découvrir les possibilités de l'«intuition profonde» en tant que guide et ressource; 2) changer les croyances intérieures qui sont, pour l'être humain, une source de non-paix et de capacités limitées; 3) changer les croyances intérieures qui, lorsqu'elles sont collectives, façonnent les institutions nationales et mondiales qui, à leur tour, perpétuent les situations de non-paix dans le monde.

Ailleurs dans cet ouvrage, nous avons traité des moyens reliés aux deux premiers aspects. Nous n'élaborerons donc ici que sur le troisième.

De façon générale, on voit beaucoup plus facilement la relation entre les croyances d'un individu et ses problèmes personnels que l'on ne voit la relation entre les croyances collectives et les situations mondiales de non-paix. En réalité, la phrase précédente semble, à première vue, non seulement fausse, mais dépourvue de sens. Nous sommes habitués à chercher l'explication de la situation universelle de non-paix dans les ambitions et dans les frustrations des chefs d'État; dans les lacunes des anciens traités; dans la compétition pour le Lebensraum*, les ressources naturelles ou les marchés étrangers; ou encore dans les conflits idéologiques, qu'ils soient religieux ou économiques. Sans doute ces explications sont-elles partiellement justes. Mais derrière elles se trouve le véritable milieu de culture de la non-paix que sont les croyances inconscientes qui créent, très subtilement, des barrières, des séparations, des tensions et des heurts.

On peut s'attendre à ce qu'il se développe une forte résistance, voire de l'antipathie, à l'encontre de ceux qui oseront défier les croyances collectives tacites. Rappelez-vous les pères de l'Église, qui refusèrent de regarder dans le télescope de Galilée sous prétexte que les lunes que le savant croyait en mouvement autour de Jupiter ne pouvaient pas être là! Rappelez-vous aussi l'influente commission Lavoisier, instituée par l'Académie française en 1792, afin de faire la lumière sur de supposés objets qui arrivaient de l'espace cosmique, et qui déclara qu'il ne pouvait exister de météorites «puisqu'il n'y avait dans le ciel aucune roche qui puisse tomber». Rappelez-vous les rapports décrivant les opérations pratiquées sous hypnose plutôt que sous anesthésie; on refusa d'en publier le déroulement dans les revues médicales de trois continents, sous prétexte qu'aucun «mécanisme» ne pouvait expliquer l'absence de douleur et que les patients devaient «avoir fait semblant»

---

* Mot allemand signifiant un territoire que revendique une nation sous prétexte qu'il est nécessaire à sa croissance ou à son indépendance financière; littéralement: espace vital. (N.d.T.)

de n'en ressentir aucune alors qu'on leur amputait les jambes et qu'on pratiquait sur eux des chirurgies abdominales! Nous nous trouvons dans une position semblable lorsque nous cherchons à lever le voile sur les croyances collectives nuisibles, car ces changements ne seront pas acceptés d'emblée.

Au début, le travail intérieur (celui qui touche à l'image de soi et celui qui consiste à découvrir les croyances collectives «pathogènes») est menaçant. À mesure qu'il progresse, toutefois, il devient exaltant et joyeux. Tandis que l'on met en lumière les croyances négatives qui séparent les gens, la vision positive d'un monde à venir s'intensifie et l'on dirige son action dans ce sens d'un pied de plus en plus sûr.

4. Faites aussi un travail extérieur. Celui-ci empêchera le travail intérieur de devenir trop introspectif et il deviendra de plus en plus efficace à mesure qu'il sera informé des progrès du travail intérieur.

Nous devons tous, chacun et chacune, trouver le rôle extérieur qui est le nôtre et le jouer. Il peut s'agir d'un rôle public important ou bien un tout petit rôle discret. Ce peut être un rôle d'activiste social, de guérisseur auprès de patients, de conférencier devant des foules immenses ou de parent à la maison. Quel qu'il soit, cependant, il est important de le jouer aussi bien que possible, la nature du rôle et la façon de le jouer étant constamment nourries par la poursuite du travail intérieur.

Il est d'une importance capitale de tracer le portrait le plus complet et le plus précis possible de tous les aspects étroitement apparentés d'une absence de paix généralisée:

La menace constante du déclenchement d'un conflit nucléaire, avec ses pertes de vies massives et son cortège de désolation.

Des guerres «locales» persistantes, utilisant des armes conventionnelles et laissant dans leur sillage un flot de misère humaine.

Une course aux armements universelle, qui entraîne des dépenses dépassant le milliard de dollars par jour, et des pays parmi les plus pauvres qui dépensent plus en préparatifs militaires que pour les soins de santé, l'éducation et la sécurité sociale réunis.

Une pauvreté galopante accompagnée de maladies, de malnutrition, de famines et de tout le stress causé à l'environnement par l'élevage à outrance, le déboisement systématique, l'érosion des sols et la pollution des eaux de surface.

La dégradation de l'environnement et l'exploitation des ressources rattachées aux activités économiques des pays industrialisés.

Des tensions grandissantes entre l'hémisphère Nord, industrialisé et grand consommateur, et l'hémisphère Sud, accablé par la pauvreté.

Il est important de garder à l'esprit ces grands paramètres de la non-paix, car plusieurs d'entre eux existent depuis beaucoup plus longtemps que l'hostilité entre les États-Unis et l'URSS. Il y a soixante ans, c'était les Allemands les monstres inhumains (ainsi qu'on nous apprenait à les percevoir à l'époque); il y a quarante ans, les Japonais étaient des démons à peine humains (le souvenir en est d'ailleurs gênant). Ensuite ce furent les Russes qui personnifièrent le mal mais, du point de vue historique, cette perception, tout comme les autres, ne devait être que passagère.

L'ennemi, ce ne sont pas les Russes, c'est une tournure d'esprit. Derrière toutes les composantes de la non-paix universelle se cachent les prémisses, conscientes et inconscientes, qui façonnent les institutions, les politiques, les «principes» économiques, et même, eh oui! les sciences et la technologie. Et nous sommes tous complices de la non-paix, chacun de nous, dans la mesure où nous acceptons, les yeux fermés, les principes du système de croyances dominant.

Il est très important d'accomplir son travail extérieur, non seulement parce que tout travail sur quelque aspect que ce soit de la non-paix contribue à un meilleur fonctionnement de la société, mais aussi parce que le travail extérieur sensibilise. Il empêche le travail intérieur de devenir stérile. Il nous préserve de l'indifférence.

Une dernière réflexion

En un sens, le matériel de guerre moderne, avec sa formidable puissance destructrice, constitue l'avant-dernière réussite de l'ère industrielle. Aucun autre produit du paradigme industriel ne démontre aussi manifestement la terrifiante puissance technologique de celui-ci d'une part, et sa grande anomie de l'autre, insensible qu'il est aux conséquences de ses créations sur les humains. Aujourd'hui, l'ogive nucléaire – symbole par excellence de la «conquête» par l'homme des secrets de l'atome – détient la planète en otage. Au bout du compte, c'est peut-être là que réside notre salut, de la même manière que le fait de frôler la mort de près ou de faire une dépression nerveuse peut déclencher une réorientation de sa vie.

L'état de non-paix universel comporte plusieurs facettes autres que la menace nucléaire et il y a longtemps qu'elles réclament notre attention. Le modèle matérialiste, compétitif, orienté uniquement en fonction de la réussite de la société industrielle occidentale actuelle montre des lacunes importantes qui nécessitent une perception renouvelée de la réalité, une vision neuve de l'avenir planétaire. L'impasse nucléaire actuelle nous place devant une situation si manifestement absurde qu'elle pourrait peut-être nous inciter à briser nos résistances et à percevoir différemment notre propre destin.

Au cours du dernier demi-siècle, deux réalisations scientifiques ressortent parmi les autres, d'abord parce qu'elles auront modifié profondément l'histoire, mais aussi parce qu'il existe entre elles une relation très importante. La première consiste à avoir déchaîné la puissance de l'atome, la seconde à avoir accompli des progrès majeurs dans la libération de l'esprit humain. La première, qui mène à l'accroissement des armements nucléaires, exige presque la deuxième, une compréhension accrue de la conscience humaine. Du fait qu'elle menace directement la survie de la civilisation, la formidable puissance destructrice du matériel de guerre moderne exige de notre part une connaissance beaucoup plus soutenue des motivations et des aspirations profondes de l'être humain, de ses valeurs et de ses perceptions, de sa perversité et de ses possibilités, connaissance qu'aucune société précédente n'a encore atteinte.

Il y a une vérité magnifique à découvrir sur nous-mêmes. Dans certaines conditions, on peut en partager une certaine partie; on ne peut en faire la «démonstration», comme on le ferait d'un théorème mathématique ou d'un principe de physique. Or, lorsqu'une personne la découvre, cela peut changer sa vie. Lorsque c'est un groupe croissant de personnes qui la découvrent, c'est toute l'histoire qui peut changer.

C'est de cette découverte dont nous avons traité tout au long de cet ouvrage, de la percée possible vers un potentiel créatif qui a toujours été et qui est et sera toujours le nôtre, maintenant et pour toujours. Une grande partie du livre traitait de la signification de cette découverte pour l'individu; la dernière partie traitait du rôle crucial qui est le sien lorsqu'il s'agit de redonner de l'espoir à l'humanité. Ultimement, nos préoccupations individuelles n'auront aucun sens à moins d'inclure un souci équivalent pour toute la famille humaine.

De toutes les générations qui ont existé depuis que nos ancêtres descendirent des arbres et commencèrent à façonner des outils de pierre, c'est à nous que s'impose aujourd'hui une réalité particulière: si, dans un proche avenir, nous ne réalisons pas une percée majeure en reconnaissant pleinement que nous sommes tous une seule et même famille, il n'y aura pas de générations futures. Envisageons l'utopie, hâtons son avènement. C'est la seule attitude raisonnable.

Annexe

L'IMAGINATION AU SERVICE DE LA LIBÉRATION

Nous vous présentons ici une série d'affirmations plus poussées qui ont pour but de vous transmettre une sensation, une envie de la créativité supérieure qui ne soit pas une idée abstraite mais une expérience vécue. Nous vous proposons l'exercice tel que nous l'avons maintes fois présenté aux séminaires organisés à l'intention de cadres administratifs du monde des affaires ou du gouvernement. Vous pouvez décider de ne pas en faire l'expérience concrète, mais le simple fait de vous imaginer la façon dont vous vous sentiriez si vous donniez foi, totalement, aux énoncés suivants atteindra l'objectif que nous avons à l'esprit.

Voici l'exercice. Plusieurs fois par jour, tous les jours, pendant six mois, vous affirmez simplement les énoncés suivants, en vous imaginant le plus fidèlement possible le sens le plus complet de chacun:

Je ne suis pas séparé.

Je peux faire confiance.

Je peux savoir.

Je suis responsable.

Je suis un esprit unique.

Je ne suis pas séparé

Lorsque deux personnes ont vécu ensemble une grande partie de leur vie, elles s'aperçoivent qu'elles pensent souvent à la même chose en même temps. Lorsque deux personnes contemplent ensemble quelque chose d'une très grande beauté, elles ont parfois l'impression d'une fusion de leur esprit. Plus souvent qu'on veut bien l'admettre, il arrive qu'une personne vit une expérience particulièrement forte en émotions (comme un décès) et que cette expérience soit «captée» à distance par une autre personne.

Dans notre vie quotidienne, nous faisons souvent toutes sortes de petites expériences nous donnant un aperçu de ce qu'on a réussi à démontrer assez bien dans des laboratoires de recherche (comme dans les expériences de «vision à distance» du *SRI* dont nous avons parlé plus tôt), à savoir qu'à un niveau inconscient profond, nos esprits sont tous en connexion. Ce qu'il y a dans mon esprit n'est pas séparé de ce qu'il y a dans le vôtre. Toute misère humaine, où qu'elle soit dans le monde, m'affecte au plus profond de mon esprit, que j'en perçoive consciemment les détails ou non.

On peut pousser encore plus loin: je suis uni aux autres créatures de la terre et à l'esprit créateur qui se trouve derrière l'univers physique. Si vous trouvez cela trop difficile à croire, n'insistez pas. Contentez-vous d'affirmer tout ce avec quoi vous êtes relativement à l'aise: **Je ne suis pas séparé.**

Je peux faire confiance

Je peux faire confiance à mon esprit. Assez curieusement, à cause de l'éducation que nous avons reçue dans notre culture, nous avons tendance à croire le contraire. Bien que mon esprit puisse comprendre plusieurs niveaux ou se diviser en plusieurs fragments, dont quelques-uns peuvent contenir certaines opinions cachées très déplaisantes à mon sujet, des désirs inassouvis ou autres, je peux être assuré malgré tout qu'une partie de mon esprit veille sur moi (comme il me fait respirer quand je dors). Je peux me fier à mon intuition profonde, qui sait ce qui est bon pour moi. À mesure que la science est devenue l'institution la plus puissante de notre culture, on nous a encouragés à faire confiance aux experts au lieu de nous fier à nos intuitions personnelles. En même temps qu'on enseignait aux étudiants à dire: «Sois fidèle à toi-même» et «Connais-toi toi-même», on leur passait un message subliminal subtil: «Ne te fie totalement à rien qui ne soit d'abord passé au crible de la science et de la technologie; mais surtout, ne te fie pas à ton propre esprit inconscient.»

Un psychothérapeute bien connu situe l'incapacité de faire confiance au cœur de nos problèmes:

Au fond, le problème du névrosé [...] c'est une incapacité d'accepter. [...] Le névrosé est incapable de s'accepter, par conséquent, il est en guerre contre lui-même. [...] Incapable d'accepter sa place parmi ses semblables, il les considère donc avec méfiance et hostilité. Finalement, le névrosé est incapable d'accepter la vie en tant que telle; il est incapable d'accepter l'univers. [...] L'incapacité d'accepter c'est tout simplement une autre façon d'appeler l'incapacité de faire confiance.

Rollo May, *The Art of Counseling*

Si vous ne pouvez faire confiance à votre moi profond, existe-t-il quelque chose au monde à qui vous pourrez faire confiance? Nous éprouvons une forte résistance devant la reconnaissance de ce fait:

Non seulement nous accrochons-nous à nos psychopatholo-gies, mais nous évitons aussi la croissance personnelle, car elle peut engendrer une autre sorte de peur, de crainte mê-lée de respect, de sentiments de faiblesse et d'insuffisance. Nous trouvons alors une autre sorte de résistance, la néga-tion de notre bon côté, de nos talents, de nos impulsions les meilleures, de nos possibilités les plus élevées, de notre créativité.[...] C'est précisément le divin en nous qui nous rend ambivalents, qui à la fois nous fascine et nous rend craintifs, qui nous motive mais auquel nous résistons.

Abraham Maslow, *Vers une psychologie de l'être*

À la fin, nous découvrons que notre intuition profonde est la seule chose en laquelle nous puissions avoir confiance. Selon Krishnamurti, «l'intelligence très éveillée, c'est l'intuition; c'est le seul guide vérita-ble dans la vie».

Je peux faire confiance aux autres

Puisque, à un niveau profond, nous sommes tous unis, faire con-fiance aux autres et se faire confiance à soi-même sont deux sentiments beaucoup plus proches que nous le pensions. Sur ce point aussi se manifeste une certaine résistance. «Il n'est certainement pas sage ni prudent de faire confiance à celui qui ne mérite aucune confiance: le voleur, l'agresseur, le violeur, le meurtrier, l'autre superpuissance qui possède l'arme nucléaire!» La vérité de l'énoncé précédent saute aux yeux. Sa fausseté est moins évidente cependant, mais plus importante.

Ne vous brusquez pas; commencez par les gens avec qui vous avez des contacts quotidiens. N'opposez pas de résistance; laissez-la s'apaiser d'elle-même. Imaginez-vous faisant confiance aux autres, laissant vos réserves tomber d'elles-mêmes avec le temps.

Je peux faire confiance à l'univers

Encore de la résistance. «Vous ne voulez sans doute pas dire que l'environnement n'est pas dangereux! Ni que je peux faire confiance à l'univers pour satisfaire tous mes besoins physiques de protection, de nourriture et autres!» Juste pour cette expérience, ignorez tous ces arguments et imaginez-vous que l'univers est tout à fait bienveillant et amical. Laissez la résistance décroître d'elle-même, ne lui donnez aucun pouvoir. **Je peux faire confiance.**

Je peux savoir

L'ego ne semble savoir que ce qu'il a appris. Inconsciemment, j'en sais beaucoup plus. Les recherches sur le *biofeedback* nous montrent qu'au niveau inconscient je peux exercer un certain pouvoir sur différents aspects des fonctions corporelles, ce que je suis incapable d'accomplir consciemment. Les recherches sur différents phénomènes psychiques démontrent que, inconsciemment, je sais reproduire ces phénomènes même si, consciemment, je maintiens qu'ils ne peuvent se produire. Je serais capable de me transmettre des messages empreints de sagesse à travers des rêves, des symboles et des intuitions, des messages de l'esprit inconscient à l'esprit conscient. Quant à la résolution créative des problèmes, mon esprit inconscient s'avère souvent plus efficace que mon esprit analytique conscient.

En fin de compte, l'esprit intuitif-créatif profond sait comment résoudre les problèmes et répondre aux questions. Il sait ce que je (le «je» profond) veux réellement, même quand cela semble contraire à mes désirs conscients.

> *La vérité est en nous; elle ne prend pas sa source*
> *Dans les choses extérieures, quoi que vous pensiez.*
> *Dans le tréfonds de notre être est un centre*
> *Où la vérité habite dans sa totalité; et tout autour,*
> *Mur par-dessus mur, la chair vulgaire enferme*
> *Cette perception claire et parfaite, la vérité.*
>
> *Ligoté dans ce filet charnel qui trompe et travestit,*
> *Tout devient erreur; alors que le vrai savoir*

Consiste à ouvrir un chemin
Par où puisse s'échapper la splendeur emprisonnée,
Et non pas à ménager un point d'entrée à une lumière
Qu'on suppose venir d'ailleurs.

Robert Browning, *Paracelsus*

L'esprit inconscient possède une particularité à la fois curieuse et utile: il réagit à ce qui est imaginé comme si c'était vrai. Par conséquent, alors qu'on peut changer des croyances conscientes en apprenant les arguments en faveur d'une nouvelle croyance, on peut changer des croyances inconscientes en s'imaginant que les nouvelles croyances sont vraies et en agissant comme si elles l'étaient. Nous pouvons utiliser ce que nous savons sur la façon dont nous savons pour changer ce que nous «savons».

J'affirme que l'esprit profond intuitif-créatif connaît la réponse à toutes mes questions. (Ne vous en faites pas si vous n'y croyez pas encore tout à fait.) Il sait ce que je – le «je» intégré – veux réellement, même si mes désirs conscients semblent tendre vers une tout autre direction. Il sait ce qu'il y a au cœur de l'univers. **Je peux savoir.**

Je suis responsable

Je suis responsable de mes perceptions et de mes sentiments par rapport à ce que je perçois. Pendant un certain temps, je peux me persuader (et persuader les autres) que mes perceptions et mes sentiments sont le fait de ce qui se passe «là-bas», qu'ils sont «conditionnés» par la «société». Certains faits ont tendance à le prouver. Mais plus j'explore mon esprit en profondeur, plus je me rends compte que je suis la cause. Je suis la cause de tout ce que je perçois puisque ce sont mes croyances inconscientes qui façonnent mes perceptions et que c'est moi qui choisis ces croyances. Je suis la cause de tout ce que je ressens, et de tout ce qui m'arrive.

Faites l'expérience des arguments que crée votre résistance. «Si quelqu'un m'assaille, il est absurde de prétendre que j'en suis la cause!», «Pensez à tous ceux qui souffrent de la faim dans le monde; il est obscène d'affirmer que c'est leur faute!» Encore une fois, la fausseté de cette affirmation est moins évidente que sa vérité. Faites l'expérience des arguments qui vont à l'encontre de l'affirmation de votre responsabilité et, tranquillement, laissez-les s'atténuer. Imaginez-vous que l'affirmation soit vraie. **Je suis la cause.**

D'anciens sages, les voix de plusieurs entités «canalisées» et certains penseurs modernes tout à fait orthodoxes ont comparé notre expérience de la «réalité objective» au rêve. Lorsque vous rêvez, tout semble «réel», tant que vous êtes dans votre rêve. Vous pouvez même observer des relations de cause à effet dans le rêve et, à votre réveil, vous constatez qu'elles n'étaient qu'illusions; le rêveur est la cause véritable du rêve. Si nos esprits sont tous reliés, serait-il possible que la «réalité objective» soit semblable à un rêve qui serait fait par cet «esprit collectif»? Il y a des relations de cause à effet que l'on peut étudier de façon scientifique mais, de temps à autre, il y a certaines expériences, tels les phénomènes psychiques et la synchronicité, qui résistent à ce genre d'explication. La causalité du sens commun et de l'explication scientifique est illusoire; la véritable cause créatrice, c'est l'esprit collectif du rêveur.

«**Je suis la cause**»; n'y a-t-il aucune limite à cette vérité?

Je suis un esprit unique

J'ai un esprit. Je suis d'un seul esprit. Toutes les parties de mon esprit, conscient et inconscient, sont orientées vers un but unique: faire la volonté du centre le plus profond. **Je n'ai pas d'autres désirs.** Je n'ai pas d'autres besoins, pas d'autres buts, pas d'autres plans de vie, pas d'autres ambitions. Puisque j'ai confiance que tous mes vrais besoins seront comblés, il n'est pas nécessaire que je gère ma vie autrement. Je n'ai d'autre désir que de faire la volonté du plus profond de moi-même.

> *J'ai un corps, mais je ne suis pas mon corps. J'ai des émotions et des pensées, mais je ne suis pas mes émotions ni mes croyances. J'ai des désirs, mais je ne suis pas mes désirs. Je reconnais et j'affirme que je suis un centre de pure conscience de soi. Je suis un centre de volonté, capable de maîtriser, de diriger et d'utiliser tous les processus psychologiques ainsi que mon corps physique.*

> Adapté de *Psychosynthèse* de R. Assagioli

Si vous ne pouvez croire à ces cinq affirmations que d'une façon limitée ou partielle, ne vous inquiétez surtout pas. Contentez-vous de les accepter le plus possible, tout en étant à l'aise avec elles, et affirmez-les. Considérez-les comme vraies; en imagination, faites l'expérience qu'elles **sont** vraies. Soyez persévérant. Un certain nombre de fois par jour, accordez-leur toute votre attention; tous les jours, pendant six mois.

Il y a très longtemps, l'homme que l'on appelle aujourd'hui le Bouddha eut l'intuition que toute souffrance provenait de fausses croyances. De quelle façon mènerions-nous nos vies si nous croyions véritablement que tous nos problèmes, individuels et universels, découlaient de nos croyances. Pensez-y! En outre, il est facile de modifier des croyances; il suffit de croire qu'elles peuvent l'être.

Je ne suis pas séparé.

Je peux faire confiance.

Je peux savoir.

Je suis responsable.

Je suis un esprit unique.

Notes

Chapitre I

1. John C. Gowan, "Creative Inspiration in Composers,"*The Journal of Creative Behavior*, vol. 11, no. 4, (1977).

2. Sigmund Freud, *Introduction à la psychanalyse*, (Paris: Payot, 1989).

3. F.W. H. Myers, *Human Personality and Its Survival of Bodily Death* (1903).

4. Niels Bohr, *Physique atomique et connaissance humaine*, (Paris: Denoël, 1964).

5. John C. Gowan, "Some Thoughts on the Development of Creativity," *The Journal of Creative Behavior*, vol. 11, n° 2.

6. Carl Rogers, *Le développement de la personne*, (Paris: Dunod, 1988).

Chapitre II

1. John C. Gowan, "Incubation, Imagery and Creativity," *Journal of Mental Imagery*, vol. 2 (1978).

2. Kenneth Atchiry, "To Sleep, Perchance to Program," *The Los Angeles Times* (23 June 1984).

3. G.N.M. Tyrrell, *The Personality of Man* (London, 1946) p. 35.

4. Arthur Abell, *Talks with the Great Composers* (Garmisch-Partenkirchen, Germany: G.E. Schroeder-Verlag, 1964).

5. Abell, *Talks with the Great Composers*.

6. Christopher Evans, *Landscapes of the Night* (New York: Viking, 1984).

7. Henri Poincare, "Mathematical Creation, " *The Foundations of Science,* tr. G.B. Halstead (Scienced Presse, 1924).

8. Halstead, *The Foundations of Science.*

9. Halstead, *The Foundations of Science.*

10. B. M. Kedrov, "On the Question of Scientific Creativity," *Voprosy Psikologii,* vol. 3, (1957): 91-113.

11. W.B. Kaempffert, *A Popular History of American Invention,* vol. II, (Scribner's, 1924).

12. Walter Ducloux, "Das Rheingold," *San Francisco Opera Magazine* (October, 1977).

13. P.E. Vernon, Ed, *Creativity: Selected Readings* (Penguin).

14. Rudyard Kipling, *Something of Myself* (New York: Double-day).

15. Tyrrell, *The Personality of Man.*

16. James K. Webb, *Lectures on Stylistics* (Reed College, 1968).

17. S. Longfellow, *Life of H. W. Longfellow*, vol. I (1886), p. 339.

18. Ralph Wood, E., *The World of Dreams*, (New York: Random House, 1947), p. 859-860.

19. L. Talomonti, *Forbidden Universe* (Stein and Day, 1975).

20. Talamonti, *Forbidden Universe.*

21. H. Ellis, *The World of Dreams* (Boston: Houghton Mifflin, 1911), pp. 276-277.

22. Robert Louis Stevenson, "A Chapter on Dreams," *The Works of Robert Louis Stevenson* (London: Chatto and Windus, 1912) vol. 16.

23. H. Shapero, "The Musical mind," *The Creative Process, A symposium,* B. Ghiselin, Ed. (University of California 1952), pp. 42-43.

24. Otto Loewi, "An Autobiographical Sketch, "*Perspective in Biology and Medicine* (Autumn 1960).

25. A. Koestler, The Act of Creation, (New York: Macmillan, 1964).

26. Koestler, *The Act of Creation.*

27. James Newman, "Srinavas Ramanujan," *Scientific American*, 178 (1948): 54-57.

28. Newman, "Srivanas Ramanujan."

29. Newman, "Srivanas Ramanujan."

30. Tyrrell, *The Personality of Man*.

31. Tyrrell, *The Personality of Man*.

32. J. Lane, *Life and Letters of Peter Ilich Tchaikovsky* (1906), pp. 274-312.

33. Abell, *Talks with the Great Composers*.

34. Abell, *Talks with the Great Composers*.

35. Abell, *Talks with the Great Composers*.

36. Abell, *Talks with the Great Composers*.

37. Abell, *Talks with the Great Composers*.

38. Abell, *Talks with the Great Composers*.

39. Tyrrell, *The Personality of Man*.

40. J. Hadamard, *The Psychology of Invention in the Mathematical Field* (Princeton, 1949), p. 15.

41. Joseph Campbell, *The Hero with a Thousand Faces*, (Princeton, 1949), p. 40.

42. Abell, *Talks with the Great Composers*.

43. J. H. Douglas, "The Genius of Everyman," *Science News* (23 April 1977): 268-285.

44. Roger N. Shepard, "The Mental Image," *American Psychologist*, vol. 33, n° 2, (February 1978).

45. Albert Rothenberg, *The Emerging Goddess: The Creative Process in Art, Science, and Other Fields* (Chicago: University of Chicago Press, 1979).

46. Elmer Green, Alyce Green, and E. Walters, "Voluntary Control of Internal States: Psychological and Physiological," *Journal of Transpersonal Psychology*, vol. II., n°.1 (1970) 9-10.

47. Green, Green, Walters, "Voluntary Control of Internal States: Psychological and Physiological," p. 16-17.

48. Nikola Telsa, "My Inventions," *Electrical Experimenter* (1919).

49. Telsa, "My Inventions."

50. Telsa, "My Inventions."

51. Telsa, "My Inventions."

Chapitre III

1. Abraham Maslow, *Vers une psychologie de l'être*, (Paris: Fayard, 1972).

Chapitre IV

1. Jacob Bronowski, "The Mind as an Instrument for Understanding," *The Origins of Knowledge and Imagination* (Yale, 1978).

2. Shepard, "The Mental Image."

3. Martha Crampton, "Answers from the Unconscious," *Synthesis*, vol. 1, n⁰. 2 (1975): 140-141.

4. Maxell Maltz, *Psychocybernétique*, (Laferrière-sur-Risle: Godefroy, 1979).

5. Tim Galwey, *The Inner Game of Tennis*, (Random House, 1970).

6. Dennis T. Jaffe and David E. Bresler, "Guided Imagery: Healing Through the Mind's Eye," *Proceedings of the First Annual Conference of the American Association for the Study of Mental Imagery*, J. Shorr, et al., eds. (Plenum, 1980), pp.260-261.

7. O.C. and S. Simonton, *Guérir envers et contre tout*, Paris: Éditions de l'Épi, 1982).

8. Hans Selye, *Le stress sans détresse*, (Montréal: La Presse, 1974).

9. Herbert Benson, "Your Innate Asset for Combating Stress," *Harvard Business Review* (July-August 1974).

10. Ida Rolf, Rolfing: *The Integration of Human Structures* (New York: Harper & Row, 1977).

11. J.H. Schultz and W. Luthe, *Autogenic Training: A psycho-physiological Approach to Psychotherapy* (Grune & Stratton, 1959).

12. Edmund Jacobson, *Savoir relaxer*, (Montréal: Éditions de l'Homme, 1980).

13. E. Aserinsky and N. Kleitman, "Regularly Occuring Periods of Eye Motility and Concomitant Phenomena During Sleep," 118 *Science* (1953): 273-274.

14. Stephen La Berge, "Awake in Your Sleep," (forthcoming, Tarcher, 1984).

15. Stuart Miller, "Dialogue with the Higher Self," *Synthesis*, vol. 1, n°. 2 (1975).

16. Joseph Shorr, "Discoveries About the Mind's Ability to Organize and Find Meaning in Imagery," *Imagery: Its Many Dimensions and Applications*, J. Shorr, G. Sobel, P. Robin, J. Connella, eds. (Plenum, 1982).

Chapitre V

1. Jane Roberts, *The Nature of Personal Reality*, (Englewood Cliffs, N.J.: Prentice-Hall, 1974), p. 234.

2. Jane Roberts, *Seth Speaks* (Bantam, 1972), p. 341.

3. Ken Wilbert, "The Problem of Proof," *ReVision,* vol. 5, n°. 1 (Printemps 1982): 80-100.

4. B. Bokser, *The World of the Cabbalah* (Philosophical Library, 1954), p. 9.

5. William James, *Varieties of Religious Experience*, (Longmanns-Green, 1902).

6. Correspondance personnelle avec les auteurs.

7. James, *Varieties of Religious Experiences*.

8. Gershon Scholem, *La mystique juive: les thèmes fondamentaux*, (Paris: Cerf, 1985).

9. H. Benson and M. Klipper, *The Relaxation Response* (Morrow, 1975), p. 121-122.

10. Benson and Klipper, *The Relaxation Response*, p. 130-131.

11. R. Woods, *The World of Dreams, an Anthology*, (New York: Randon House, 1947).

12. Stuart Miller, "Dialogue with the Higher Self," *Synthesis,* vol. 1, n°. 2 (1975).

13. Aldous Huxley, *La philosophie éternelle*, (Paris: Seuil, 1977).

14. Arthur Koestler, *Invisible Writing*.

15. Huxley, *Perennial Philosophy*.

16. Edgar Mitchell, "From Outer Space to Inner Space...," ed. J. White (Putnam's, 1976).

Chapitre VI

1. "The Transformations of Jewish Mysticism," *International Journal of Parapsychology* (automne 1960): 86-87.

2. E. Hoffman, *Mystique juive et psychologie moderne: la voie de la splendeur*, (Paris: Dervy Livres, 1988).

3. Hoffman, *La voie de la splendeur*.

4. Idries Shah, *The Sufis* (New York: Doubleday, 1971), p. 28-29.

5. Manly Palmer Hall, *The Adepts in the Western Esoteric Tradition*, Philosophical Research Society, 1950.

6. Fulcanelli, *Le Mystère des Cathédrales*, (Paris: Pauvert, 1983).

7. Thoms Goldstein, *Dawn of Modern Science,* Boston: Houghton Mifflin, 1980), p. 159-160.

8. W. Wilmshurst, *The Meaning of Masonry,* (Crown, 1980), p. 27, 46-47.

9. Manly Palmer Hall, *Masonic Orders of Fraternity* (Philosophical Research Society, 1950).

10. M. Hall, *Orders of Universal Reformation* (Philosophical Research Society, 1949), p. 6,7,10,11.

11. M. Hall, *Orders of Universal Reformation*, pp. 11-13.

Chapitre VII

1. R.W. Sperry, *Annual Review of Neurosciences*, "Changing Priorities." 1981, p. 1-15.

2. L. Mumford, *The Transformations of Man* (Harper & Brothers, 1956).

3. Mumford, *The Transformations of Man*.

4. Benedict, *Patterns of Culture* (Houghton Mifflin, 1934).

5. A. Mitchell, *The Nine Styles of North America,*1983.

L'Institut des sciences noétiques

Le but de l'Institut est d'accroître notre connaissance sur la nature et les possibilités du mental et de l'esprit, et d'utiliser ces connaissances pour favoriser la santé et le bien-être de l'humanité.

Edgar D. Mitchell, membre de la mission Apollo 14 et fondateur de l'Institut, a choisi le mot **Noetic** – du grec *noos* qui signifie mental, intelligence, compréhension – afin de réunir les divers moyens de connaissance: le raisonnement, les perceptions sensorielles et l'intuition.

En résumé, les sciences noétiques font une étude systématique de tous ces moyens de connaissance qui forment notre vision de base du monde, des autres et de nous-mêmes.

L'Institut, précurseur dans le domaine des études de la conscience, a gagné une renommée internationale pour son rôle de chef de file dans:

— l'élaboration d'un modèle servant à orienter les diverses études dans le domaine de même que l'identification et l'utilisation d'indices;

— la création de domaines de recherche prometteurs et l'aide apportée à ces domaines;

— l'établissement d'une tribune destinée aux scientifiques et aux chercheurs engagés dans l'étude de la conscience: psychologues, anthropologues, parapsychologues, spécialistes en neuroscience et en physique théorique.

— la transmission de renseignements aux comités scientifiques et universitaires;

— la communication des résultats de recherche aux dirigeants du gouvernement, de l'industrie, des sciences, de
l'éducation et au grand public.

***

Il y a quelques années, deux gagnants du prix Nobel – l'un en
physique, l'autre en chimie – à qui l'on demandait quelle serait l'étude
la plus importante récompensée dans les années 2000 répondirent sans
hésitation: « L'étude de la conscience humaine ».

Nous vous invitons à vous joindre à nous dans cette entreprise.

Willis W. Harman